Indicative Mood: The mood which states a fact or asks a question.

Infinitive: The form of the verb that expresses the general meaning of the verb without regard to person or number.

Interrogative: Asking a question; also a word used for that purpose.

Modal Auxiliary: See Mood.

Mood: The form of the verb showing the speaker's attitude or feeling toward what he says. Modal auxiliaries are verbs which express these attitudes: obligation, permission, ability, desire.

Nominative Case: The case of the subject and predicate noun or pronoun.

Number: The characteristic form of a noun, pronoun, or verb indicating one or more than one.

Object: The word, phrase, or clause which receives the action of the verb.

Participle: A form of the verb (present participle or past participle) that is used as part of a compound tense or as an adjective or adverb.

Positive: See Comparison.

Passive Voice: See Voice.

Person: The characteristic of a verb or pronoun indicating whether the subject is the speaker (first person), the person spoken to (second person), or the person spoken of (third person).

Phrase: A group of words func-

tioni...
a sul...
Predica...
a ser...
about the subject.

Prefix: A letter or syllable added to the beginning of a word.

Preposition: A word that relates a noun or pronoun to some other element in the sentence.

Principal Parts: The forms of the verb (infinitive, past, past participle) from which other forms of the verb can be constructed.

Pronoun: A word used in place of a noun.

Stem: That part of an infinitive or of a word obtained by dropping the prefix or the ending.

Subject: The word or word group about which something is asserted in a sentence or clause.

Subjunctive: The mood which expresses conditions contrary to fact, wishes, doubts, or what is possible, rather than certain.

Suffix: A letter or letters added to the end or stem of a word.

Superlative: See Comparison.

Tense: The form of the verb showing the time of the action or state of being.

Umlaut: The modification of a vowel sound indicated by two dots over the vowel (ä, ö, ü).

Verb: A word that expresses an action or a state of being.

Voice: The form of the verb indicating whether the subject acts (active) or is acted upon (passive).

Hubert Jannach
Purdue University

German
for
Reading
Knowledge

American Book Company :: New York

Preface

German for Reading Knowledge is designed to give students in the sciences and humanities a basic knowledge of German with which they can begin to read independently specialized literature in their respective fields. The material was developed over a three-year period in beginning courses at Purdue University enrolling primarily students preparing for reading examinations in German. The method is simple and direct, uses sound linguistic and pedagogical procedures, and concentrates on essentials for reading comprehension and for translation. The book avoids untried techniques and "tricks" likely to confuse the student.

Part 1 consists of thirty lessons providing basic structural patterns and basic vocabulary. Each lesson presents concise, clear descriptions of points of grammar accompanied by illustrative examples. Special emphasis is placed on common troublemakers — for example, **werden,** the subjunctive, the extended-adjective construction. In later lessons, description of grammar is supplemented by word study. Most of the lessons are brief enough to permit the student to learn and apply the new grammatical features in one assignment.

The exercise sentences, many of them from original sources in different fields, serve a dual purpose, permitting repetition of the new grammatical material studied in a lesson and training the student to extract the meaning of a sentence without depending mainly on the general context, a procedure which frequently encourages the student to disregard grammatical aids and to guess wildly. The exercises afford concentrated drill in constructions to be learned in a lesson to a point where repeated practice leads to automatic recognition. The exercises are followed, beginning with Lesson 2, by a brief connected reading passage carrying reading practice from specific constructions to more general exposition. Review reading selections are provided after every five lessons.

All practice material is accompanied by visible page vocabularies listing, in general, words peculiar to the subjects covered in the exercises and reading passages. The separate lesson vocabularies list the common and more frequent words which the student must learn to recognize no matter what his special field.

The student should be encouraged to learn thoroughly the words in the lesson vocabularies. These words represent the basic vocabulary of Parts 1 and 2 and are frequently repeated. Words not listed in a previous lesson vocabulary are given in the visible page vocabularies. The student who has diligently learned his basic vocabulary can read and translate with a minimum of vocabulary thumbing. The student should also be encouraged to learn those words in the visible page vocabularies that are especially related to his own field. The thirty lessons of Part 1 will give a recognition knowledge of up to 1500 basic words.

Part 2 contains fourteen reading selections carefully chosen from technical and nontechnical sources. These readings are intended to strengthen the student's recognition command of structure and to give him the opportunity to read simple, as well as increasingly difficult, articles in preparation for reading examinations and for more advanced reading later. The selections are accompanied by visible page vocabularies and by key references to important constructions in Part 1. These references are intended to stimulate review of structure both in class and by the student individually. No visible page vocabulary accompanies the last selection — to enable the student to test his knowledge without this textbook device and to provide opportunity for training in the use of a dictionary.

Although the objective of this text is to teach students to read, the author believes that students should be able to pronounce what they read with reasonable accuracy. Students enjoy repeating after the instructor, and vocabulary learning is made easier if they can pronounce words accurately. An appreciation of correct intonation is an additional aid in the comprehension and interpretation of reading material. A brief Pronunciation Guide with practice material has therefore been included in the Appendix.

The end vocabulary is intended to supplement the visible page and lesson vocabularies. It is not meant to be all-inclusive, for students in the process of acquiring a reading knowledge should learn to use a dictionary at an early stage of their training.

The author expresses his appreciation to Frau Vera Tügel-Dehmel for her kind permission to reprint the poem *Der Arbeitsmann*, by Richard Dehmel; to Oberstudienrat Wilfried Müller for his kind permission to reprint his article "Das neue Bild der Vorgeschichte Nordamerikas"; and to several German publishers for their kind permission to reprint or adapt selections from their publications: F. A. Brockhaus, Wiesbaden, Germany, for adaptations from *Der Große Brockhaus, 16. Auflage;* Langenscheidt KG, Berlin, Germany, for articles from *Langenscheidts Sprach-Illustrierte;* Verlag R. Oldenbourg, München, Germany, for articles from *Orion, Zeitschrift für Natur und Technik;* and Akademische Druck- und Verlagsanstalt, Graz, Austria, for the article "*Hikuli — der heilige Kaktus der Tarahumara.*"

Acknowledgment is also made to the following sources, from which material for the Exercises was drawn:

Orion, Zeitschrift für Natur und Technik.

Hefte des Land- und Hauswirtschaftlichen Auswertungs- und Informationsdienstes, Bad Godesberg, Germany.

Die Geheimnisse der Naturkräfte, 5. Auflage, by Dr. W. F. A. Zimmermann, Ferd. Dümmlers Verlagsbuchhandlung, Berlin, Germany.

Österreichisches Jahrbuch 1955-1958, Druck und Verlag der Österreichischen Staatsdruckerei, Wien, Austria.

Der Steirische Lehrprinz — ein Handbuch zum Gebrauch für das Jagdschutzpersonal in den Alpenländern, by Josef Ritter v. Franck, Buchhandlung vormals Leykam, Graz, Austria, 1946.

Perspektiven, S. Fischer Verlag, Frankfurt am Main, Germany, for Intercultural Publications, Inc., New York.

Witte-Schülerlexikon, Verlag Hans Witte, Freiburg/Breisgau, Germany, 1954.

Gratitude for their criticisms and suggestions is also due the author's colleagues who have used earlier versions of this text in their classes.

H. J.

Contents

PART 1

PART 2 Readings

Part 1

1

1. Definite Article

MASCULINE	**der**
FEMININE	**die**
NEUTER	**das**
PLURAL, ALL GENDERS	**die**

2. Gender of Nouns

Nouns may be masculine, feminine, or neuter.

MASCULINE: **der Student, der Mann, der Tisch** (*table*)
FEMININE: **die Universität, die Biologie, die Frau** (*woman*)
NEUTER: **das Haus, das Bett, das Kind** (*child*)

Note: All German nouns are capitalized.

To be able to read German, it is not necessary to know the gender of each noun, but occasionally it is helpful to know the gender of a particular noun. If the general rules below do not help you, consult a dictionary. Almost all dictionaries indicate genders, usually by the letters *m.*, *f.*, and *n.* The following rules may help you determine the gender of a noun:

MASCULINE: Nouns denoting male beings:

der Vater	**der Stier**	**der Lehrer**	**der Arzt**
father	*bull*	*teacher*	*physician*

FEMININE:

a. Nouns denoting female beings:

die Mutter	**die Tante**	**die Henne**	**die Kuh**
mother	*aunt*	*hen*	*cow*

b. Nouns ending in **ei, ie, heit, keit, ik, schaft, tät, ion, ung, in**:

die Krankheit	**die Universität**	**die Theorie**
sickness	*university*	*theory*

NEUTER: Nouns ending in **-chen, -lein** (both diminutive endings):

die Röhre—das Röhrchen		**der Mann—das Männchen**	
tube	*small tube*	*man*	*little man*
die Frau—das Fräulein		**der Teil—das Teilchen**	
woman	*miss*	*part*	*particle*

3. Present and Past Tenses of **sein**

a. Present tense

SINGULAR		PLURAL	
ich bin	*I am*	**wir sind**	*we are*
du bist	*you are*	**ihr seid**	*you are*
er ist	*he is*	**sie sind**	*they are*
sie ist	*she is*	**Sie sind**	*you are*
es ist	*it is*		

Examples:

1. **Ich bin krank.** — *I am sick.*
2. **Er ist krank.** — *He is sick.*
3. **Der Mann ist krank.** — *The man is sick.*
4. **Die Studenten sind krank.** — *The students are sick.*
5. **Hans, du bist müde.** — *Hans, you are tired.*
6. **Kinder, ihr seid müde.** — *Children, you are tired.*
7. **Herr Meier, Sie sind müde.** — *Mr. Meier, you are tired.*
8. **Meine Herren, Sie sind müde.** — *Gentlemen, you are tired.*

When speaking to children, relatives, or close friends, Germans use the familiar form of address: **du** for the singular, **ihr** for the plural (Examples 5, 6). In all other situations, the formal **Sie** (always capitalized) is used for both the singular and plural (Examples 7, 8).

b. Past tense

SINGULAR		PLURAL	
ich war	*I was*	**wir waren**	*we were*
du warst	*you were*	**ihr wart**	*you were*
er war	*he was*	**sie waren**	*they were*
sie war	*she was*	**Sie waren**	*you were*
es war	*it was*		

Examples:

1. **Sie war intelligent.**	*She was intelligent.*
2. **Sie waren intelligent.**	*They were intelligent.*
3. **Das Buch war neu.**	*The book was new.*
4. **Die Bücher waren neu.**	*The books were new.*

Observe the last two examples. **Das Buch,** a singular noun, is the subject of sentence 3; **war** is the singular form of the verb in the third person. **Bücher,** a plural noun, is the subject of sentence 4; **waren** is the plural form of the verb. These examples illustrate an important rule: Subject and verb agree in number. Whenever you see a verb ending in **-en** (or the form **sind**), you know immediately that the subject is plural.[1]

In all conjugations, pay particular attention to verb forms in the third person singular or plural, for these forms constitute about 95 per cent of the verb forms encountered in reading.

EXERCISES

Many cognates occur in the first few lessons. If a word is not listed in the lesson vocabularies, try to infer its meaning from the context before consulting the end vocabulary. Be careful of singulars and plurals — remember the rule about **sind** and verbs ending in **-en.** You will notice that adjectives and nouns may have endings added to the form given in the vocabulary. For the time being, disregard these endings; they will be explained in later lessons.

Translate:

1. Die Methoden sind einfach.
2. Die Biologie und die Chemie sind Wissenschaften.
3. Deutschland ist ein Land in Europa.
4. Brasilien (*Brazil*) ist ein Land in Südamerika.
5. Die Professoren waren alte Männer (*men*).
6. Wir sind Studenten, nicht Soldaten (*soldiers*).

---

[1] Excepting formal **Sie** with singular meaning.

7. Das Wasser ist klar und kalt.
8. Einstein war ein bekannter Physiker.
9. Plato und Sokrates waren Philosophen.
10. Das Blut ist warm und rot.
11. Sein oder Nichtsein, das (*that*) ist hier die Frage.
12. Die Temperatur war sehr hoch.
13. Der Sauerstoff (*oxygen*) ist ein Gas.
14. Die Universitäten in Deutschland sind gut. Sie sind auch sehr berühmt.
15. Die Psychologie ist eine neue Wissenschaft.
16. Edison war ein bekannter amerikanischer Erfinder.
17. Ich bin nicht der bekannte Erfinder.
18. Der Geist ist willig, aber das Fleisch ist schwach.
19. Quecksilberoxyd (*mercuric oxide*) ist ein rotes Pulver.
20. Die V-2 Rakete war 14 m lang.
21. Die Zucker (*sugars*) sind farblose Stoffe.
22. Die Professoren waren bekannte Wissenschaftler.
23. Gold und Silber sind Metalle.
24. Ihr seid gute Kinder. Du bist auch ein gutes Kind, Hans.
25. Du bist krank. Er ist krank. Anna ist krank, aber sie ist nicht sehr krank.
26. Ich bin ein guter Student. Fritz ist auch ein guter Student, er ist sehr intelligent.
27. Das Wasser ist eine farblose Flüssigkeit.
28. Das Problem ist nicht sehr einfach.
29. Deutschland und Österreich (*Austria*) sind Staaten in Europa.
30. Der Student ist willig, aber er ist nicht sehr intelligent.

Numbers in the visible page vocabularies refer to the Practice Sentences.

7.	**Wasser** (*n.*)	water		**Fleisch** (*n.*)	flesh, meat
	klar	clear		**schwach**	weak
	kalt	cold	19.	**Pulver** (*n.*)	powder
10.	**Blut** (*n.*)	blood	20.	**Rakete** (*f.*)	rocket
11.	**Frage** (*f.*)	question	21.	**Stoff** (*m.*)	substance
12.	**hoch**	high	24.	**Kind** (*n.*)	child
14.	**berühmt**	famous	25.	**krank**	ill
16.	**Erfinder** (*m.*)	inventor	27.	**Flüssigkeit** (*f.*)	liquid
18.	**Geist** (*m.*)	spirit, ghost	29.	**Staat** (*m.*)	state, country
	willig	willing			

31. Venus, Mars und die Erde sind Planeten. Die Sonne hat neun Planeten.
32. Max Planck (1858-1947) war ein berühmter deutscher Physiker.
33. Der Vater und die Mutter waren in Berlin.

31. Erde (*f.*)	earth	**33. Vater** (*m.*)	father
Sonne (*f.*)	sun	**Mutter** (*f.*)	mother

VOCABULARY

aber	but, however	**Land** (*n.*)	land, country
alt	old	**lang**	long
amerikanisch	American	**m** (**Meter** *n.*)	meter
auch	also, too	**neu**	new
bekannt	known, well-known	**neun**	nine
berühmt	famous	**nicht**	not
deutsch	German	**rot**	red
Deutschland (*n.*)	Germany	**schwach**	weak
ein	a, an, one	**sehr**	very
einfach	simple	**sein**	to be
farblos	colorless	**und**	and
gut	good	**Wissenschaft** (*f.*)	science
hier	here	**Wissenschaftler** (*m.*)	scientist

2

1. Nominative and Accusative

The forms of the definite article you learned in Lesson 1 were in the Nominative. German has three other cases, the Genitive, Dative, and Accusative, each characterizing a different function of the noun in the sentence. Note that the article assumes different forms in the various cases. Memorize these declensions, for they will be an indispensable aid in reading and translating.

	SINGULAR			PLURAL
	M	F	N	ALL GENDERS
NOMINATIVE	der	die	das	die
GENITIVE	des	der	des	der
DATIVE	dem	der	dem	den
ACCUSATIVE	den	die	das	die

Note that the nominative and accusative articles are the same in the feminine and neuter singular and in the plural. The context of the sentence will usually help you decide which is the subject and which the object.

a. Nominative

What is the function of the nominative in the following sentences?

1. **Das Problem ist schwierig.** *The problem is difficult.*
2. **Der Student ist intelligent.** *The student is intelligent.*
3. **Die Frau ist krank.** *The woman is ill.*
4. **Die Frauen sind krank.** *The women are ill.*
5. **Hans ist der beste Student.** *Hans is the best student.*

Note that the subject of a sentence and the predicate noun (**der beste Student,** example 5) are in the nominative.

b. Accusative

What is the function of the accusative in the following sentences?

8

1. **Der Jäger liebt den Wald.**   *The hunter loves the forest.*
2. **Ich kenne die Methode.**   *I know the method.*
3. **Der Chemiker distilliert das**   *The chemist is distilling the water.*
   Wasser.
4. **Er kennt die Professoren nicht.**   *He does not know the professors.*

Note that the direct object of the sentence is expressed in the accusative.

2. Infinitive

Vocabularies and dictionaries normally list the infinitive form of the verb: **gehen** (*to go*), **sagen** (*to say*), **liefern** (*to supply, deliver*), **handeln** (*to act*). These forms consist of a stem plus an ending, **en** or **n**: **geh-en, sag-en, liefer-n, handel-n.**

3. Present Tense of Regular Verbs

INFINITIVE:	**sagen** (*to say*)	**antworten** (*to answer*)
ich sage	*I say, am saying, do say*	**ich antworte**
du sagst	*you say, are saying, do say*	**du antwortest**
er sagt	*he says, is saying, does say*	**er antwortet**
sie sagt	*she says, is saying, does say*	**sie antwortet**
es sagt	*it says, is saying, does say*	**es antwortet**
wir sagen	*we say, are saying, do say*	**wir antworten**
ihr sagt	*you say, are saying, do say*	**ihr antwortet**
sie sagen	*they say, are saying, do say*	**sie antworten**

Note the three meanings of a German verb. German does not have a progressive form (*am saying*) or an emphatic form (*do say*). When translating verbs, use the form that seems most appropriate to the context.

Verbs whose infinitive stem ends in **d** or **t** are conjugated like **antworten.** An **e** precedes the endings **st** and **t** to facilitate pronunciation.

The present tense is formed from the stem of the infinitive. The infinitive ending is dropped and the tense endings are added. To find the meaning of a verb in the dictionary, you must, of course, look up the infinitive. For regular verbs, drop the tense ending and add **-en** or **-n.**

4. Present Tense of **haben** (*to have*)

ich habe	**wir haben**
du hast	**ihr habt**
er hat	
sie hat	**sie haben**
es hat	**Sie haben**

What are the three possible meanings for each form?

EXERCISES

1. Arbeit macht das Leben süß.
2. Die Studenten studieren Mathematik.
3. Deutschland hat gute Universitäten.
4. Die Bäcker kaufen Mehl (*flour*) und verkaufen Brot.
5. Das Jahr hat 365 Tage, 52 Wochen und 12 Monate.
6. Die Studenten haben wenig Freizeit.
7. Der Mensch denkt, Gott lenkt.[1]
8. Die ausländischen Besucher studieren das Arbeitsproblem.
9. Das soziale Programm umfaßt heute Altersrenten (*old-age pensions*) und viele andere Beihilfen.
10. Die Bundesregierung (*federal government*) unterstützt die Landwirtschaft durch staatliche Beihilfen.
11. Der Mensch verändert die Umwelt, und die Umwelt verändert den Menschen.
12. Der Arbeiter arbeitet in der Fabrik (*factory*).
13. Die Erde wandert in einem Jahr um die Sonne.
14. Wir studieren Deutsch. Du studierst Englisch. Sie studiert Spanisch.

1. **Arbeit** (*f.*)	work	9. **sozial**	social
Leben (*n.*)	life	**umfassen**	to include, comprise
süß	sweet		
4. **Bäcker** (*m.*)	baker	**Beihilfe** (*f.*)	aid, benefit
Brot (*n.*)	bread	10. **unterstützen**	to support
6. **Freizeit** (*f.*)	free time, leisure time	**Landwirtschaft** (*f.*)	agriculture
7. **denken**	to think	**staatlich**	state
Gott (*m.*)	God	11. **verändern**	to change
lenken	to guide, direct	**Umwelt** (*f.*)	environment
8. **ausländisch**	foreign	13. **wandern**	to wander, travel
Besucher (*m.*)	visitor		

---

[1] Whenever possible, give common English equivalents for proverbs and quotations: *Man proposes, but God disposes.*

15. Ein erwachsener (*adult*) Mensch hat 5 Liter Blut.
16. Bakterien erzeugen große Mengen von Kohlendioxyd (*carbon dioxide*).
17. Düsenflugzeuge (*jet planes*) fliegen mit Überschallgeschwindigkeit (*supersonic speed*).
18. Die Pflanzen benötigen Phosphor.
19. Der rote Phosphor leuchtet nicht.
20. Der Äther dient als Lösungsmittel (*solvent*) für Fette.
21. Die Schwedische Akademie in Stockholm ernennt die Nobelpreisträger (*Nobel prize winners*).

16. **erzeugen**	to produce	20. **Äther** (*m.*)	ether
Menge (*f.*)	amount	**dienen**	to serve
17. **fliegen**	to fly	**Fett** (*n.*)	fat
18. **Pflanze** (*f.*)	plant	21. **schwedisch**	Swedish
19. **leuchten**	to shine, glow, give light	**ernennen**	to name, select

Zahlen (*numbers*)

Die Zahlen von eins bis zehn sind: eins, zwei, drei, vier, fünf,
sechs, sieben, acht, neun, zehn.

Ein Dreieck (*triangle*) hat drei Seiten und drei Winkel. Ein
Viereck hat natürlich vier Seiten und vier Winkel. Kreise (*circles*)
5   haben keine Winkel; sie sind rund.

Wieviel (*how much*) ist vier plus fünf? Richtig (*correct*)! Die
Antwort ist neun. Wieviel ist eins und sechs? Natürlich, sieben.
Wieviel ist zehn minus acht? Zehn minus acht ist zwei. Unser
Unterricht beginnt um acht Uhr und dauert bis vier Uhr. Ich
10   mache meine Aufgaben von sieben Uhr bis zehn Uhr abends.

Seite (*f.*)	side	**Unterricht** (*m.*)	instruction
Winkel (*m.*)	angle	**beginnen**	to begin
natürlich	naturally, of course	**dauern**	to last
rund	round	**Aufgabe** (*f.*)	lesson
Antwort (*f.*)	answer	**abends**	in the evening
unser	our		

VOCABULARY

als	as, when	**Mensch** (*m.*)	man; *plural* people
andere	other	**mit**	with
arbeiten	to work	**nur**	only
Arbeiter (*m.*)	worker	**studieren**	to study
bis	to, until	**um**	around, at
durch	through, by	**um ein Uhr**	at one o'clock
für	for	**verkaufen**	to sell
groß	large, great	**viel**	much, many
heute	today	**von**	of, from
Jahr (*n.*)	year	**wenig**	little, few
kaufen	to buy	**zehn**	ten
kein	no, none	**zwei**	two
machen	to make, do		

3

1. Genitive

The genitive articles are: **des, der, des; der**

das Werkzeug des Arbeiters[1]	*the worker's tool*
der Verlauf der Reaktion	*the course of the reaction*
die Farbe des Eisens[1]	*the color of iron*
der Einfluß der Kirchen	*the influence of the churches*

The genitive expresses possession.

2. Dative

The dative articles are: **dem, der, dem; den**

Die Sonne gibt der Erde Wärme. *The sun gives the earth warmth.*
Wir zeigen dem Besucher das neue Laboratorium.
We are showing the visitor the new laboratory.

The dative case expresses the indirect object.

3. Plural of Nouns

Noun plural endings, which exist in great variety in German, are not an important factor in accurate reading or translating. You need not memorize the plural ending of each noun. Lesson 1 cited a rule for determining the number of the subject. Later we will give you a few more rules for determining the plural of most nouns you will meet in your reading.

In vocabularies and dictionaries, you will normally find plurals indicated with the symbols given in the right-hand column of the

---

[1] Observe that nouns, too, may have case endings. For the moment, it is not essential for you to be able to recognize such endings in order to comprehend what you read. Later we will analyze these endings fully.

13

following list. Study the various plural endings and the symbols used to indicate them. Make it a practice to learn the plural form of any noun you look up in the vocabulary.

SINGULAR	PLURAL	CHANGE	DICTIONARY SYMBOL
der Verfasser (*author*)	die Verfasser	no change	-
der Versuch (*experiment*)	die Versuche	e added	-e
der Sohn (*son*)	die Söhne	e plus umlaut	≏e
der Mann (*man*)	die Männer	er plus umlaut	≏er
das Lied (*song*)	die Lieder	er added	-er
der Gedanke (*thought*)	die Gedanken	n added	-n
das Auto (*auto*)	die Autos	s added	-s
die Frau (*woman*)	die Frauen	en added	-en

4. Past Tense of Regular Verbs and of **haben**

sagen	antworten	haben
ich sagte	ich antwortete	ich hatte
du sagtest	du antwortetest	du hattest
er sagte	er antwortete	er hatte
sie sagte	sie antwortete	sie hatte
es sagte	es antwortete	es hatte
wir sagten	wir antworteten	wir hatten
ihr sagtet	ihr antwortetet	ihr hattet
sie sagten	sie antworteten	sie hatten

Verbs whose stem ends in **d** or **t** (**antworten**) add an **e** before the past tense ending to facilitate pronunciation.

Do not confuse the present and the past tenses:

PRESENT	er sagt	sie sagen	sie hat
PAST	er sagte	sie sagten	sie hatte

5. Meanings of the Past Tense

er sagte   *he said, he was saying, he did say*

Note that the past tense may also have three English meanings. Use the one that best fits the context.

Translation Practice:

1. wir sagen

2. der Student sagte
3. Er hat ein Auto.
4. Sie antworteten nicht.
5. Ich hatte eine Frage.
6. Die Studenten hatten Autos.
7. Der Phosphor leuchtet.
8. Die Frauen sagten kein Wort (*word*).
9. Ich habe keine Zeit (*time*).
10. Sie hat keine Zeit.
11. Der Professor antwortet.
12. das Buch des Studenten
13. die Bücher der Studenten
14. Ich gebe (*give*) das Buch dem Studenten.
15. Ich gebe das Buch den Studenten.

EXERCISES

1. Friedrich der Große sagte: „Der Fürst (*ruler*) ist der erste Diener (*servant*) des Staates."
2. Der Chemiker filtrierte die Flüssigkeit.
3. Der erste Teil des Buches behandelt die Hybridmaiszüchtung (. . . *corn growing*).
4. A. Köhler baute sein (*his*) bekanntes Ultraviolett-Mikroskop im Jahre 1901.
5. Die Holzindustrie (*lumber industry*) beschäftigte 1955 etwa 120 000 Arbeiter.
6. Ein Amerikaner bestätigte die Spaltung (*splitting*) des Plutoniums.
7. Der Versuch machte den Forschern große Schwierigkeit.
8. Die Studenten studierten Einsteins Relativitätstheorie.
9. Wir untersuchten den Einfluß der Luft auf die Farbe der Flüssigkeiten.
10. Die Bedeutung der Erfindung war den Forschern bekannt.

1. **Friedrich der Große** Frederick the Great
2. **filtrieren** to filter
4. **bauen** to build
5. **beschäftigen** to employ
6. **bestätigen** to confirm
7. **Forscher**(*m.*),- researcher, scientist

Schwierigkeit (*f.*), -en difficulty
9. **Farbe** (*f.*), -n color
10. **Bedeutung** (*f.*), importance, significance -en
Erfindung (*f.*), -en invention

11. Die Studenten der Universität schenkten dem bekannten Physiker das alte Buch.
12. Das Verfahren dient der Entfernung des Salzes.
13. Die kalte Luft entzieht dem warmen Wasser Wärme.
14. Bunting in Oxford untersuchte den Einfluß der Bodentemperaturen (*soil* . . .) auf die Keimung (*germination*).
15. Die Zeitung ist ein Spiegel (*mirror*) der Zeit, ein Spiegel des Heute.
16. Eine Theorie von (*of*) Gamow im Jahre 1929 lieferte einen sehr wesentlichen Beitrag zum Verständnis (*to the understanding*) der Vorgänge im Atomkern (. . . *nucleus*).
17. Michelangelo hatte als Maler (*painter*), Bildhauer (*sculptor*) und Baumeister (*architect*) einen bedeutenden Einfluß auf die Renaissance in Italien.
18. Perikles war ein großer Staatsmann des alten griechischen Stadtstaates Athen.
19. Das Buch liefert einen Beitrag zur (*to the*) Geschichte des Staates.

11. **schenken**	to give, donate	**wesentlich**	important
12. **Verfahren**		**Beitrag** (*m.*),	
(*n.*), -	process	⁼e	contribution
dienen	to serve	**Vorgang** (*m.*),	
Entfernung		⁼e	process, event
(*f.*), -en	removal	17. **bedeutend**	significant, important
Salz (*n.*), -e	salt	18. **Staatsmann**	
13. **entziehen**	to withdraw, remove	(*m.*), ⁼er	statesman
Wärme (*f.*)	warmth, heat	**griechisch**	Greek
15. **Zeitung** (*f.*),		**Stadt** (*f.*), ⁼e	city
-en	newspaper	19. **Beitrag** (*m.*),	
16. **liefern**	to supply	⁼e	contribution

The combinations may consist of several nouns,[1] or nouns plus other words. The key part of the compound is the last element, with the preceding elements usually functioning as modifiers.

The last component determines the gender of the compound and takes both plural ending and umlaut, if an umlaut is indicated.

Motor (*m.*)	*motor*
Rad (*n.*)	*wheel, cycle*
Motorrad (*n.*), ⸗er	*motorcycle*
PLURAL **Motorräder**	*motorcycles*

When two or more compound nouns have the same final component, a hyphen is used to avoid repetition:

Morgen- und Abendzeitung	*morning and evening newspaper*
Straßen-, Luft- und Wasserverkehr	*road, air, and marine traffic*

EXERCISES

1. Die Mitteilung enthält Geschwindigkeitsvorschriften.
2. Das Lehrbuch beschreibt die neuen Versuche.
3. Anilin entsteht aus Benzol (*benzene*) und Ammoniak und ist eine farblose Flüssigkeit.
4. „Der Mensch ist, was er ißt", sagte Ludwig Feuerbach.
5. Der amerikanische Wetterdienst (*weather service*) unterhält viele Niederschlagmeßstellen (*precipitation measuring stations*).
6. Der Talmud enthält die Lehren und Gesetze für den jüdischen Gottesdienst (*divine service*), Vorschriften für die Lebensführung des jüdischen Volkes und geschichtliche, geographische und mathematische Lehren.
7. Die Intelligenz ist keine einfache seelische Funktion.

1. **Mitteilung** (*f.*), **-en**	communication	6. **Lehre** (*f.*), **-n**	teaching
2. **Lehrbuch** (*n.*), ⸗er	textbook	**Gesetz** (*n.*), **-e**	law
3. **entstehen aus**	to arise from, be made of	**jüdisch**	Jewish
		Volk (*n.*), ⸗er	people
5. **unterhalten**	to maintain, entertain	**Lebensführung**	conduct of life
		geschichtlich	historical
		7. **seelisch**	psychical, psychic

---

[1] Occasionally, **s** is inserted between nouns of a compound; for example, the compound **Gesundheitsregel** is composed of **Gesundheit** (*health*) and **Regel** (*rule*).

Zahlen von zehn bis hundert

Heute lernen wir (*we learn*) die Zahlen von zehn bis hundert. Sie sind sehr einfach. Von zehn an zählen wir: elf, zwölf, dreizehn, vierzehn, fünfzehn, sechzehn, siebzehn, achtzehn, neunzehn, zwanzig, einundzwanzig, zweiundzwanzig usw. Herr Schmidt ist in einer Buchhandlung und kauft einige wissenschaftliche Bücher.   5
Sie kosten 92 DM (zweiundneunzig Deutsche Mark). Hat Herr Schmidt genug Geld? Er zählt seine (*his*) Zehnmarkscheine (10-mark bills): zehn, zwanzig, dreißig, vierzig, fünfzig, sechzig, siebzig, achtzig, neunzig, hundert. Ja, er hat genug Geld. Er gibt (*gives*) dem Verkäufer die hundert Mark. Der Verkäufer gibt   10
Herrn Schmidt drei Markstücke (1-mark coins) und einen Fünfmarkschein (5-mark bill) und zählt: „dreiundneunzig, vierundneunzig, fünfundneunzig, hundert". Dann sagt der Verkäufer: „Vielen Dank und auf Wiedersehen." Herr Schmidt nimmt (*takes*) die Bücher und sagt auch: „Auf Wiedersehen."   15

zählen	to count	**Verkäufer** (*m.*), -	salesman, clerk
Buchhandlung (*f.*), **-en**	bookstore	**Dank** (*m.*)	thanks
wissenschaftlich	scientific	**Auf Wiedersehen**	good-by, see you again
kosten	to cost		
Geld (*n.*)	money	**usw.** (*abbrev. for und so weiter*)	and so on
ja	yes		

VOCABULARY

auf	on, upon	**Masse** (*f.*), **-n**	mass
Buch (*n.*), ⸗er	book	**sagen**	to say
dann	then	**Staat** (*m.*), **-en**	state
Einfluß (*m.*), ⸗sse	influence	**Stadt** (*f.*), ⸗e	city
einige	some, a few	**Teil** (*m.*), **-e**	part
erst	first	**untersuchen**	to investigate, examine
etwa	about		
genug	enough	**Versuch** (*m.*), **-e**	attempt, experiment
Geschichte (*f.*), **-n**	story, history		
Luft (*f.*), ⸗e	air	**Zeit** (*f.*), **-en**	time

4

1. Indefinite Article **ein**

	M	F	N
NOMINATIVE	ein	eine	ein
GENITIVE	eines	einer	eines
DATIVE	einem	einer	einem
ACCUSATIVE	einen	eine	ein

Note that the indefinite article has the same case endings as the definite article (**des - eines, dem - einem, den - einen, der - einer**), except in the three forms underscored in the table above. Note that these three forms have no ending at all.

2. Ein-Words

Ein-words are limiting adjectives and are declined like **ein**. The **ein**-words are **kein** (*no, not any*) and the possessive adjectives.

	SINGULAR			PLURAL
	M	F	N	ALL GENDERS
NOMINATIVE	kein	keine	kein	keine
GENITIVE	keines	keiner	keines	keiner
DATIVE	keinem	keiner	keinem	keinen
ACCUSATIVE	keinen	keine	kein	keine

The possessive adjectives are:

SINGULAR		PLURAL	
mein	*my*	unser	*our*
dein	*your*	euer	*your*
sein	*his, its*	ihr	*their*
ihr	*her, its*	Ihr	*your*

3. Present Tense of Irregular Verbs

Some German irregular verbs have a vowel change in the second and third persons singular of the present tense.

stoßen (*to push*)	sehen (*to see*)	geben (*to give*)	laufen (*to run*)
ich stoße	ich sehe	ich gebe	ich laufe
du stößt	du siehst	du gibst	du läufst
er stößt	er sieht	er gibt	er läuft
sie stößt	sie sieht	sie gibt	sie läuft
es stößt	es sieht	es gibt	es läuft
wir stoßen	wir sehen	wir geben	wir laufen
ihr stoßt	ihr seht	ihr gebt	ihr lauft
sie stoßen	sie sehen	sie geben	sie laufen

Changes in the second and third persons singular occur in some verbs having **e, a, au,** or **o** in their stem syllable. The vowels change as follows:

e to ie or i	sehen (*to see*)	er sieht
	geben (*to give*)	er gibt
a to ä	backen (*to bake*)	er bäckt
au to äu	laufen (*to run*)	er läuft
o to ö	stoßen (*to push*)	er stößt

Note: Some dictionaries list irregular forms only in an appended verb list. Thus, if you wish to find out what **spricht** means and do not find it in the alphabetical listing of your dictionary, check the list of irregular verbs for a verb beginning with **spr.** In the column marked present indicative, you will find **spricht**. The infinitive is **sprechen,** which, of course, is listed in the dictionary proper.

4. Compound Nouns

Lehrbuch	*textbook* (teaching book)
Kalbfleisch	*veal* (calf meat)
Stadtbevölkerung	*urban population* (city population)
Sommersonnenschein	*summer sunshine*
Überschallgeschwindigkeit	*supersonic speed* (above-sound speed)
Unterseeboot	*submarine* (under-water boat)
Gesundheitsregel	*health rule*

Compound nouns are very common in German because it is possible in German to form an almost unlimited number of word combinations. Many of these compounds, as such, are not listed in dictionaries, and you will need to break them up into their component parts and then check the meaning of each component.

8. Die Stadtbevölkerung in Schweden beträgt 3,1 Millionen, also 45% der Gesamtbevölkerung.

9. Der junge Kuckuck (*cuckoo*) wirft die Eier seiner Pflegeeltern (*foster parents*) aus dem Nest.

10. Das Innere des Atoms, das Massenzentrum (. . . *center*), hat eine bestimmte Ladung (*charge*).

11. Die Kernphysik ist keine einfache Wissenschaft.

12. Wir verändern unsere Umwelt (*environment*) durch unsere Tätigkeit.

13. Phillip und seine Mitarbeiter untersuchten das Problem.

14. Die Geschwindigkeit des Schalles (*sound*) in der Luft beträgt 332 m in der Sekunde.

15. Der Religionsunterricht ist Pflichtfach in allen Schulen in der Bundesrepublik (*federal* . . .) und steht unter der Aufsicht (*supervision*) der Kirchen.

16. Sonnen-, Wasser- und Sanduhren sind alte Uhrenformen.

17. Die Mutter und ihre Tochter (*daughter*) waren in der Kirche.

18. Dein Mitarbeiter bestätigt unsere neuen Resultate nicht.

8. **Bevölkerung** (*f.*)	population	15.	**Religionsunterricht**	religious
gesamt	total, entire		(*m.*)	instruction
9. **jung**	young		**Pflichtfach** (*n.*)	compulsory
werfen	to throw			subject
10. **Innere** (*n.*)	interior		**Kirche** (*f.*), **-n**	church
11. **Kernphysik** (*f.*)	nuclear physics	16.	**Uhr** (*f.*), **-en**	clock, watch
12. **verändern**	to change		**Form** (*f.*), **-en**	form, type, kind
Tätigkeit (*f.*), **-en**	activity	18.	**bestätigen**	to confirm
			Resultat (*n.*), **-e**	result

Kurze Geschichte der deutschen Universitäten

Einige deutsche Universitäten sind sehr alt. Kaiser Karl IV. gründete die erste deutsche Universität in Prag im Jahre 1348. Prag ist heute natürlich nicht in Deutschland, sondern in der Tschechoslowakei. Die zweitälteste (*second-oldest*) deutsche Uni-
5   versität ist in Wien (1365), also auch nicht im heutigen Deutschland. Die älteste Universität Deutschlands[1] ist in Heidelberg (1386). Deutschland hatte sechzehn Universitäten im Jahre 1500. Die Hauptlehrfächer der Universitäten waren das römische (*Roman*) and kanonische Recht (*law*), Theologie, Philosophie und
10   Medizin.

Die Bundesrepublik hat heute sechzehn Universitäten, acht Technische Hochschulen, sieben Spezialhochschulen und viele andere Bildungsanstalten (*educational institutions*), wie z.B. Musikhochschulen und Pädagogische Akademien.

gründen	to found	**Hauptlehrfach**	main field of study,
Wien (*n.*)	Vienna	(*n.*), ⁼er	main subject
heutig	present, present-day	**spezial**	special
ältest	oldest	**andere**	other
		z.B. (**zum Beispiel**)	for example

---

[1] The genitive of proper nouns is usually formed by the addition of **s**, as in English, but without the apostrophe.

VOCABULARY

also	therefore	**kein**	no, not any, none
auch	also	**kurz**	short, brief
aus	of, from, out of	**Mitarbeiter** (*m.*),-	co-worker
beschreiben	to describe	**neu**	new
bestimmt	certain	**nur**	only
betragen	to amount to	**Schule** (*f.*), -n	school
durch	through, by	**sein**	his, its
Ei (*n.*), -er	egg	**sondern**	but
einfach	simple	**stehen**	to stand, to be
einige	some, a few	**unser**	our
enthalten	to contain	**unter**	under
essen	to eat	**unterhalten**	to maintain, entertain
er ißt	he eats	**untersuchen**	to examine, investigate
für	for		
Geschichte (*f.*), -n	history, story	**Vorschrift** (*f.*), -en	rule, direction
Geschwindigkeit (*f.*), -en	speed, velocity	**was**	what
Hochschule (*f.*), -n	university, college	**wie**	as, how

5

1. Der-Words

	SINGULAR			PLURAL
	M	F	N	ALL GENDERS
NOMINATIVE	dieser	diese	dies(es)	diese
GENITIVE	dieses	dieser	dieses	dieser
DATIVE	diesem	dieser	diesem	diesen
ACCUSATIVE	diesen	diese	dies(es)	diese

The **der-**words have the same case endings as the definite articles **der, die, das.** Learn the meanings of the **der-**words:

dieser	*this, this one*	**mancher**	*many a;* pl. *some*
alle pl.	*all*	**solcher**	*such*
jener	*that, that one*	**welcher**	*which, what*
jeder	*each, every*		

When **dieser** and **jener** occur in the same sentence, they frequently mean *the latter* and *the former:*

Washington und Lincoln waren amerikanische Präsidenten. Jener war der erste, dieser der sechzehnte (*16th*) **Präsident.**

2. Past Tense of Irregular Verbs

German, as well as English, has two types of verbs, regular and irregular. English *to like* has the same stem vowel in all tenses: *like, liked, have liked.* English *sing* (*sang, have sung*), an irregular verb, has vowel changes in the past tense and past participle.

Compare the past tense of regular and irregular verbs:

REGULAR VERB	IRREGULAR VERBS	
sagen (*to say*)	**finden** (*to find*)	**gehen** (*to go*)
ich sagte	<u>**fand**</u>	**ging**
du sagtest	**fandest**	**gingst**

24

er sagte	<u>fand</u>	<u>ging</u>
sie sagte	<u>fand</u>	<u>ging</u>
es sagte	<u>fand</u>	<u>ging</u>
wir sagten	fanden	gingen
ihr sagtet	fandet	ginget
sie sagten	fanden	gingen

Note that irregular verbs have no ending in the first and third persons singular. Characteristic of irregular verbs is the vowel change in the past tense. Many types of vowel changes occur. Hence, if you cannot find a verb form in the dictionary and suspect that it might be of an irregular verb, check the list of irregular verbs and determine the infinitive first.

Translation Practice:

sie gibt	es goß	ich gab
es kam	er besuchte	sie geben
es enthält	wir erwiesen	es geschah

3. Word Order

a. Important Element at End of Sentence

Die Cellulose ist in Wasser und verdünnten Säuren unlöslich.
Cellulose is insoluble in water and diluted acids.

Read the complete sentence before translating. A predicate adjective or some other important element may stand at the end of the sentence but is translated immediately after the verb.

b. Normal and Inverted Word Order

Normal:

Präsident Roosevelt verkündete die vier Freiheiten im Jahre 1941.
President Roosevelt proclaimed the four freedoms in   1941.

Inverted:

Im Jahre 1941 verkündete Präsident Roosevelt die vier Freiheiten.
Die vier Freiheiten verkündete Präsident Roosevelt im Jahre 1941.

In declarative sentences, the verb is always in second position. In normal word order, the subject is in initial position. In inverted word order, an element other than the subject is in initial position for emphasis, and the subject usually stands immediately after the verb.

Translation Hints:

1. When a German sentence begins with an adverb or adverbial phrase, translate the adverb or phrase first, then the subject and verb.

2. When a direct object begins a sentence, either translate the subject first and proceed in regular order or begin with the object and follow with a passive construction: *The four freedoms were proclaimed by President Roosevelt in 1941.*

3. When an indirect object is the initial element, it is best to begin with the subject:

Den Forschern machte der Versuch große Schwierigkeiten.
The experiment caused the scientists great difficulties.

EXERCISES

1. Die Lösung jenes Problems ist schwierig.
2. Manche Krankheiten sind epidemisch.
3. Die Ergebnisse dieser Versuche sind von (*of*) praktischer Bedeutung.
4. In den Vereinigten Staaten hat fast jede Familie ein Auto.
5. Die Arbeiten von Pasteur bestätigen diese Befunde.
6. Wir fanden solche Probleme auf (*in*) allen Gebieten der Naturwissenschaften.
7. Manche Zucker haben eine geringe Kristallisationstendenz.
8. Der Staat fördert die Entwicklung solcher Einrichtungen (*institutions*).
9. Der Wind beeinflußte alle unsere mechanischen Beobachtungen.

1. **schwierig**	difficult	7. **Zucker** (*m.*), -	sugar
2. **Krankheit** (*f.*),		**gering**	slight, small
-en	illness, disease	**Tendenz** (*f.*), **-en**	tendency
3. **praktisch**	practical	8. **fördern**	to promote, further
Bedeutung (*f.*),	meaning,	**Entwicklung**	
-en	significance	(*f.*), **-en**	development
4. **Vereinigte**			
Staaten (*pl.*)	United States		

10. Etwa 80 v.H. aller Schüler in Deutschland besuchen nur die Volksschule.
11. Nun besprechen wir die chemische Natur der Antitoxine.
12. Die Schüler gingen jeden Tag in die Schule.
13. Das Pferd zog einen schweren Wagen.
14. Diesem Punkte (*point*) a auf der Linie AB entspricht Punkt *n* auf der Linie NM.
15. Das Wasser wurde zu Wein.
16. Durch seine Bibelübersetzung erwies Luther der deutschen Sprache einen großen Dienst.
17. Im Frühling kamen die Vögel wieder nach dem Norden.
18. Der Chemiker goß die rote Flüssigkeit in ein anderes Gefäß (*vessel*).
19. Nach jedem Versuch schrieb er die Ergebnisse in sein Notizbuch.
20. Die Messung der Gammastrahlenenergie geschah auf (*in*) drei verschiedene Weisen.
21. Den Studenten erklärte Einstein nicht alle Einzelheiten seiner Theorie.

10. **Schüler** (*m.*), -	pupil		**Dienst** (*m.*), **-e**	service
besuchen	to visit, attend	17.	**Frühling** (*m.*)	spring
Volksschule			**Vogel** (*m.*), ꞊	bird
(*f.*), **-n**	grade school		**Norden** (*m.*)	north
11. **besprechen**	to discuss	18.	**gießen**	to pour
13. **Pferd** (*n.*), **-e**	horse	19.	**Notizbuch** (*n.*),	
ziehen	to pull		꞊**er**	note book
schwer	heavy, difficult	20.	**Messung** (*f.*),	measurement,
14. **Linie** (*f.*), **-n**	line		**-en**	measuring
entsprechen	to correspond		**Strahl** (*m.*), **-en**	ray
16. **Bibelübersetzung**	bible		**Weise** (*f.*), **-n**	way, manner
(*f.*), **-en**	translation	21.	**erklären**	to explain
erweisen	to render, show		**Einzelheit** (*f.*),	
Sprache (*f.*), **-n**	language		**-en**	detail

Die Völkerwanderung

Vor der Völkerwanderung lebten nur wenige germanische Stämme in Westeuropa. Die Geschichte erzählt von den Cimbern (*Cimbri*) und Teutonen (*Teutons*) und ihren Kriegen mit den Römern (*Romans*) von ungefähr 100 v. Chr. (vor Christi) bis etwa
5 100 n. Chr. (nach Christi).
Die große Flut der Germanen nach Mittel- und Westeuropa kam nach 375 n. Chr. Die Ursache der Völkerwanderung ist nicht ganz klar. Vielleicht gab es (*there were*) verschiedene wichtige Gründe, wie z.B. Landarmut, Hungersnot und die Hunnen
10 (*Huns*). Die Hunnen, ein kriegslustiges und tapferes Volk, verdrängten die Germanen aus dem Gebiet zwischen dem Rhein und der Elbe, und viele germanische Stämme zogen dann in Gebiete, wo ihre Nachkommen ihre heutigen Wohnsitze haben. Die Angelsachsen wanderten nach England, die Frankonen nach dem heu-
15 tigen Westfrankreich, die Bajuwaren (*Bavarians*) und Allemannen nach dem heutigen Bayern und Österreich, die Longobarden (*Lombards*) nach Norditalien. So schuf die Völkerwanderung die Grundlagen für die staatlichen Entwicklungen in Mittel- und Westeuropa.

Völkerwanderung (*f.*)	migration of nations, period of migrations	**tapfer**	brave
leben	to live	**Volk** (*n.*), ⸗er	people
germanisch	Germanic	**verdrängen**	to displace, push out
Stamm (*m.*), ⸗e	tribe; trunk	**zwischen**	between
erzählen	to tell, narrate	**ziehen**	to pull, move
Krieg (*m.*), -e	war	**Nachkomme** (*m.*), –n	descendant
Flut (*f.*), -en	flood	**heutig**	present
Germane (*m*), -n	Teuton	**Wohnsitz** (*m.*), -e	home
Ursache (*f.*), -n	cause	**Frankreich** (*n.*)	France
vielleicht	perhaps	**Bayern** (*n.*)	Bavaria
wichtig	important	**schaffen**	to create, make, prepare
Grund (*m.*), ⸗e	cause, reason		
Landarmut (*f.*)	scarcity of land	**Grundlage** (*f.*) -n	basis
Hungersnot (*f.*)	starvation, famine	**staatlich**	political
kriegslustig	bellicose		

VOCABULARY

beeinflussen — to influence
Befund (*m.*), -e — finding
Beobachtung (*f.*), –en — observation
bestätigen — to confirm
dann — then
Ergebnis (*n.*), -se — result
etwa — about, approximately
fast — almost
finden — to find
ganz — whole, entirely, very, quite
Gebiet (*n.*), -e — field, area, region
gehen — to go
geschehen — to happen, take place
Grund (*m.*), ⸗e — reason, cause, ground
ihr — her, their
jener — that, those, the former

kommen — to come
Lösung (*f.*), -en — solution
mancher — some, many a
nach — after, to, according to
nun — now
nur — only
solch — such
ungefähr — about, approximately
verschieden — different, various
v.H. (vom Hundert) — per hundred, per cent
viel — much, many
vor — before
wenig — little
wenige — few
werden — to become
werden zu — to turn into
wieder — again
wo — where

REVIEW 1

Deutschland

Landesnatur

Deutschland hat drei große Landschaftszonen: das Norddeutsche Tiefland, die Deutschen Mittelgebirge und das Alpengebiet. Das Norddeutsche Tiefland ist die Fortsetzung des
5 Nordfranzösischen Tieflandes. Im Osten des Norddeutschen Tieflandes ist das Osteuropäische Tiefland. Die höchsten Erhebungen erreichen ein Höhe von 200 m bis 300 m. Im Norddeutschen Flachlande gibt es viele Seen und Moore, Sand- und Schotterflächen.
10 Die deutschen Mittelgebirgslandschaften sind sehr mannigfaltig. In diesem Teile Deutschlands finden wir viele Wälder und niedere Berge. Die höchsten Erhebungen liegen im Riesengebirge und erreichen eine Höhe von 1600 m.
Die Alpen sind im Süden des Landes. Der höchste Berg ist die
15 Zugspitze (2968 m). In diesem Gebiet sind zahlreiche Gebirgsseen, Flüsse und Wälder. Viele Touristen besuchen das Alpengebiet.

Landschaftszone
 (*f.*), **-n** — geographic region
Tiefland (*n.*), **-e** — lowland
Mittelgebirge (*n.*), **-** — central chain of mountains
Alpengebiet (*n.*), **-** — Alpine region
Fortsetzung (*f.*), **-en** — continuation
französisch — French
Osten (*m.*) — east
europäisch — European
höchst — highest
Erhebung (*f.*), **-en** — elevation
erreichen — to attain
Höhe (*f.*), **-n** — height
Flachland (*n.*), **-e** — flat land
gibt es — there (is) are

See (*m.*), **-n** — lake
Moor (*n.*), **-e** — swamp, moor
Schotter (*m.*), **-** — stone, slag, rock
Fläche (*f.*), **-n** — area, surface
Landschaft (*f.*), **-en** — scene, landscape
mannigfaltig — varied, manifold
Wald (*m.*), **⁼er** — forest
nieder — low
Berg (*m.*), **-e** — mountain
liegen — to lie, be situated
Riesengebirge (*n.*) — Riesengebirge, Giant Mountains
zahlreich — numerous
Fluß (*m.*), **⁼sse** — river
besuchen — to visit

Klima

Die meisten Teile Deutschlands haben ein kontinentales Klima, warme Sommer und kalte Winter. Im Osten Deutschlands sind die jährlichen Temperaturschwankungen bedeutend. Deutschland liegt in der gemäßigten Zone. Hier sind Westwinde und Niederschläge zu allen Jahreszeiten charakteristisch. Die Niederschlagsmenge beträgt im Gesamtdurchschnitt 690 mm, jedoch in den Alpen über 1000 mm.   20

Geschichte   25

Die Bewohner Deutschlands gehören zum germanischen Zweig der indogermanischen Sprachfamilie. Um Christi Geburt besetzten die Römer Teile des Landes. Die Bayern, Alemannen, Sachsen und Friesen kamen während der Völkerwanderung des 3.-5. Jahrhunderts in ihre heutigen Gebiete. Die Franken zogen weiter nach Westen.   30

Wir finden den Anfang des „deutschen" Staates im großfränkischen Reich Karls des Großen (768-814). Im Jahre 800 krönte der Papst Karl den Großen zum Kaiser in Rom. Die Blütezeit des mittelalterlichen Deutschlands fällt in die Epoche zwischen 900 und 1250. Von 1438 bis 1806 regierten die Habsburger als Kaiser des „Heiligen Römischen Reiches Deutscher Nation".   35

meist	most	**Sprachfamilie** (*f.*),	family of
jährlich	annual, yearly	**-n**	languages
Schwankung (*f.*),	variation,	**um**	around, about
-en	change	**Geburt** (*f.*), **-en**	birth
bedeutend	significant,	**besetzen**	to occupy
	important	**Römer** (*m.*), -	Roman
gemäßigt	moderate	**Bayer** (*m.*), **-n**	Bavarian
Niederschlag (*m.*),	rain,	**während**	during
=e	precipitation	**weiter**	farther, further
Menge (*f.*), **-n**	amount	**Anfang** (*m.*), **=e**	beginning
Gesamtdurchschnitt		**Reich** (*n.*), **-e**	empire
(*m.*), **-e**	total average	**krönen**	to crown
jedoch	however	**Papst** (*m.*), **=e**	pope
über	over, above	**Blütezeit** (*f.*), **-en**	golden age
gehören	to belong	**mittelalterlich**	medieval
zum	to the	**regieren**	to rule
Zweig (*m.*), **-e**	branch	**heilig**	holy

Im 18. Jahrhundert begann Preußens Aufstieg, und in dieses
40   Jahrhundert fällt auch die Blütezeit der „klassischen" deutschen
Dichtung. Nach dem siegreichen Krieg gegen Frankreich wurde
der preußische König, Wilhelm I., der erste Kaiser des Deutschen
Reiches (1871). Dieses Reich war ein Bundesstaat. Nun folgte
ein bedeutender politischer und wirtschaftlicher Aufstieg, be-
45   sonders in der Industrie. Großstädte entstanden, und Berlin
wurde zu einer Weltstadt. Der Lebensstandard des deutschen
Volkes stieg. Die deutschen wissenschaftlichen, technischen und
kulturellen Leistungen wurden in der ganzen Welt bekannt.

Nach dem Ersten Weltkrieg (1914-1918) wurde Deutschland
50   eine Republik. Die wirtschaftliche Depression und die innere
Schwäche der Republik, mit über dreißig Parteien, verhalfen Adolf
Hitler zur Macht. Hitlers Politik führte schließlich zum Zweiten
Weltkrieg. Er endete 1945 mit der totalen Niederlage Deutsch-
lands.

beginnen	to begin	**Weltstadt** (*f.*), ⸗e	metropolis
Preußen (*n.*)	Prussia	**Leben** (*n.*)	life, living
Aufstieg (*m.*), -e	rise, climb	**steigen**	to rise, climb
Dichtung (*f.*), -en	literature	**wissenschaftlich**	scientific
siegreich	victorious	**Leistung** (*f.*), -en	achievement
erst	first	**Schwäche** (*f.*), -n	weakness
Bundesstaat (*m.*),		**Partei** (*f.*), -en	(political) party
-en	federal state	**verhelfen**	to aid, help
folgen	to follow	**Macht** (*f.*), ⸗e	power
wirtschaftlich	economic	**Politik** (*f.*)	policy, politics
besonders	especially	**führen**	to lead
entstehen	to arise, develop	**schließlich**	finally, eventually

6

1. Prepositions

Observe the meanings of **von** in the following examples:

Ich komme von der Stadt.   *I am coming from the city.*
Im Kriege lebten diese Leute von Kartoffeln.   *During the war these people
   lived on potatoes.*
Diese Ergebnisse sind von praktischer Bedeutung.   *These results are of
   practical significance.*

German prepositions often have several distinct meanings, both
basic and idiomatic, each of which may affect the translation of a
sentence in a special way. You will need to determine from the context which meaning best fits the situation. Sometimes the dictionary
or verb and idiom lists will help you establish the most accurate
meaning.

Prepositions require dependent nouns or pronouns to be in the
genitive, dative, or accusative. You need not memorize what case
is used with what preposition. Learn the basic and some of the
idiomatic meanings of the following prepositions. Basic meanings
appear after the listed prepositions. Some idiomatic meanings are
illustrated in the examples.

an   *on, at, to*

Das Kind erkrankte an Influenza.   *The child became ill with influenza.*
Rußland ist reich an Mineralien.   *Russia is rich in minerals.*

auf   *on, upon*

Wir warten auf den Frühling.   *We are waiting for spring.*
Die Lebensverhältnisse auf dem Lande sind anders.   *Living conditions[1]
   in the country are different.*

---

[1] Note that German may use the definite article when English would not.

<u>Auf</u> diesem Gebiet habe ich keine Erfahrung. *In this field I do not have any experience.*

bei *at, with*

<u>bei</u> Salzen *in (the case of) salts*
<u>beim</u> (bei dem) Sieden *on (upon, when) boiling*

durch *through*

<u>Durch</u> diesen Versuch bewies er seine Theorie. *With this experiment he proved his theory.*

für *for*

Ich interessiere mich <u>für</u> die gotische Baukunst. *I am interested in Gothic architecture.*

nach *after*

Wir verfuhren <u>nach</u> der Methode von Weber. *We proceeded according to the method of Weber.*

um *at, around*

Dieses Stück ist <u>um</u> vier Zoll größer. *This piece is four inches larger.*

von *from, of*

Das Thema handelt <u>von</u> den Säugetieren. *The subject deals with the mammals.*

zu *to*

<u>Zur</u> (zu der) Reinigung des Wassers gebrauchen wir Chlor. *For the purification of water we use chlorine.*
<u>Zu</u> der Zeit war dies noch nicht bekannt. *At that time this was not yet known.*

2. Contraction of Prepositions

Prepositions are often contracted with certain definite articles.

am	an dem		im	in dem
aufs	auf das		ums	um das
beim	bei dem		vom	von dem
durchs	durch das		zur	zu der
fürs	für das		zum	zu dem
ins	in das			

3. Man

man sagt   *one says, people say, we say, it is said*

Als Katalysator verwendet man Platin.
We use (one uses) platinum as a catalyst.
Platinum is used as a catalyst.

Man is an indefinite pronoun meaning *one, they, people, we.* It occurs only in the nominative and is always the subject of the clause. **Man** is sometimes best expressed by an English passive construction.

EXERCISES

1. Alkoholgenuß vor oder während der Jagd vermeidet der vorsichtige Jäger.
2. Für den Bau dieser Strommesser (*ammeters*) benutzt man sowohl die magnetische Wirkung wie die Wärmewirkung des Stromes.
3. Man beobachtete Geschwindigkeiten bis zu 99,6% der Lichtgeschwindigkeit.
4. Man brachte den kranken Mann ins Krankenhaus (*hospital*).
5. Bei empfindlichen Instrumenten benutzt man einen Lichtzeiger.
6. Die Abbildung zeigt einen Versuch von Galvani aus dem Jahre 1791.
7. In Deutschland nennt man Amerika das Land der unbegrenzten Möglichkeiten.
8. Man verwendet auch chromatographische Methoden zur Bestimmung der verschiedenen Penicilline.
9. Die bekannten Antibiotica äußern ihre Wirkung fast immer nur gegen bestimmte Gruppen von Mikroorganismen.

1. **Alkoholgenuß** (*m.*)	alcohol consumption	**Lichtzeiger** (*m.*), -	light indicator
Jagd (*f.*), **-en**	hunt, hunting	7. **unbegrenzt**	unlimited
vermeiden	to avoid	**Möglichkeit** (*f.*), **-en**	possibility
vorsichtig	careful, cautious	8. **verwenden**	to use, employ
Jäger (*m.*), -	hunter	**Bestimmung** (*f.*), **-en**	determination, identification
2. **Wirkung** (*f.*)	effect	9. **äußern**	to show, exert, exhibit
Strom (*m.*), ⁼e	current, stream		
3. **beobachten**	to observe	**Gruppe** (*f.*), **-n**	group
Licht (*n.*), **-er**	light		
5. **empfindlich**	sensitive		

10. Zum Nachweis bzw. zur Messung schwacher Ströme gebraucht man Galvanometer.
11. Bei kernphysikalischen Prozessen betragen die Reaktionsenergien einige Millionen Elektronvolt (*MeV*).
12. Das Wasser besteht aus zwei Raumteilen Wasserstoff (*hydrogen*) und einem Raumteil Sauerstoff.
13. Mit unerbittlicher (*inexorable*) Schärfe schilderte Tolstoi die sozialen Mißstände (*abuses*) und die menschlichen Unzulänglichkeiten (*insufficiencies*). In der Rückkehr zum gläubigen, echten Christentum erblickte Tolstoi die einzige Rettung. Aus christlicher Nächstenliebe verteilte er sein großes Vermögen (*wealth*) an die Armen.

10. **Nachweis** (*m.*), -e	proof, detection	**gläubig**	devout, believing
gebrauchen	to use, employ	**echt**	genuine
11. **Prozeß** (*m.*), -sse	process	**Christentum** (*n.*)	Christianity
12. **bestehen aus**	to consist of	**erblicken**	to view, see
Raumteil (*m.*), -e	volume	**Rettung** (*f.*)	salvation
13. **Schärfe** (*f.*)	sharpness, severity	**Nächstenliebe** (*f.*)	love for one's fellow man, charity
schildern	to depict, describe		
Rückkehr (*f.*)	return	**verteilen**	to distribute
		arm	poor

Das Erste, Zweite und Dritte Reich

Etwa seit der Mitte des 13. Jahrhunderts entstanden auf dem Boden des Heiligen Römischen Reiches Deutscher Nation (*Holy Roman Empire*) ziemlich unabhängige Territorialstaaten. Das Deutsche Reich der folgenden Jahrhunderte war ein loser Staatenbund. Das Oberhaupt dieses Bundes war der habsburgische 5 Kaiser in Wien. Dieses erste Reich kam zu Ende im Jahre 1806, während der Napoleonischen Kriege.

Eine große Anzahl von souveränen Königreichen (*kingdoms*), Herzogtümern (*dukedoms*) und freien Reichsstädten folgte. Das zweite Deutsche Reich war das Werk Bismarks nach dem Deutsch-Französischen Krieg (1870-1871). Der König von Preußen wurde der neue deutsche Kaiser. Dieses Reich kam zu Ende nach der Revolution von 1918.

Im Jahr 1933 kam das nationalsozialistische Regime an die Macht. Man nannte es das „Dritte Reich" und auch das „Tausend- 15 jährige Reich". Es dauerte aber kaum zwölf Jahre.

entstehen	to arise	**Anzahl** (*f.*)	number
Boden (*m.*), ⁼	soil, ground, foundation	**frei**	free
		Reichsstadt (*f.*), ⁼e	imperial city
unabhängig	independent	**Preußen** (*n.*)	Prussia
los	loose	**Macht** (*f.*), ⁼e	power
Bund (*m.*), ⁼e	federation	**tausendjährig**	thousand-year
Oberhaupt (*n.*), ⁼er	head	**dauern**	to last

VOCABULARY

Abbildung (*f.*), -en	figure, illustration	**immer**	always
Bau (*m.*), -ten	structure, frame cultivation, construction	**Jahrhundert**(*n.*), -e	century
		kaum	scarcely, hardly
		menschlich	human
benutzen	to use, employ	**nennen**	to name, call, mention
bestimmt	certain, definite		
bringen	to bring, put, yield, place	**seit**	since, for
		sowohl ... wie	as well as, both ... and
bzw. (beziehungsweise)	respectively	**während**	during, for, while
dritt	third	**Werk** (*n.*), -e	work, plant
einzig	only, single	**zeigen**	to show, indicate, demonstrate
Ende (*n.*)	end, limit		
folgen	to follow, ensue	**ziemlich**	rather, fairly
gegen	toward, against, compared with	**zu**	to, for, too
		zweit	second

7

1. Adjective Endings

In previous lessons, you have translated a considerable number of adjectives without great difficulty, even though you may not have been aware of adjective endings. However, a knowledge of adjective endings is often essential for accurate translation.

a. Adjectives without endings

> **Das Eisen ist <u>hart</u>.** *Iron is hard.*
> **Das Wetter wurde <u>kalt</u>.** *The weather turned cold.*
> **Die Lebensverhältnisse waren <u>gut</u>.** *Living conditions were good.*

Note that predicate adjectives (after the verbs **sein** and **werden**) do not have adjective endings.

b. Adjectives with endings

> **das kalt<u>e</u> Wasser**   *the cold water*
> **ein groß<u>er</u> Chemiker**   *a great chemist*

Adjectives standing before a noun or used as nouns have special endings.

2. Declension of Adjectives

Some adjective endings may help you determine singulars, plurals, and cases. Learn to recognize the various types of adjective endings.

a. Unpreceded[1] adjectives

| | SINGULAR | | | PLURAL |
	M	F	N	ALL GENDERS
NOM.	gut<u>er</u> Stahl	gut<u>e</u> Methode	gut<u>es</u> Licht	gut<u>e</u> Eier
GEN.	gut<u>en</u> Stahls	gut<u>er</u> Methode	gut<u>en</u> Lichtes	gut<u>er</u> Eier

---

[1] Not preceded by an article or a **der-** or **ein-**word.

38

DAT.	gut<u>em</u> Stahl	gut<u>er</u> Methode	gut<u>em</u> Licht	gut<u>en</u> Eiern
ACC.	gut<u>en</u> Stahl	gut<u>e</u> Methode	gut<u>es</u> Licht	gut<u>e</u> Eier

Note that the endings of these adjectives are the same as those of the **der**-words, except for the genitive singular, which is practically never used.

b. Adjectives preceded by a definite article or **der**-word

SINGULAR

	M	F	N
NOM.	der gut<u>e</u> Stahl	die gut<u>e</u> Methode	das gut<u>e</u> Licht
GEN.	des gut<u>en</u> Stahls	der gut<u>en</u> Methode	des gut<u>en</u> Lichts
DAT.	dem gut<u>en</u> Stahl	der gut<u>en</u> Methode	dem gut<u>en</u> Licht
ACC.	den gut<u>en</u> Stahl	die gut<u>e</u> Methode	das gut<u>e</u> Licht

PLURAL, ALL GENDERS

NOM.	die gut<u>en</u> Eier
GEN.	der gut<u>en</u> Eier
DAT.	den gut<u>en</u> Eiern
ACC.	die gut<u>en</u> Eier

Observe: **der** with adjective -e ending: noun always singular.
die with adjective -en ending: noun always plural.

c. Adjectives preceded by **ein**-word

SINGULAR

	M	F
NOM.	mein guter Freund	meine gut<u>e</u> Freundin
GEN.	meines gut<u>en</u> Freundes	meiner gut<u>en</u> Freundin
DAT.	meinem gut<u>en</u> Freunde	meiner gut<u>en</u> Freundin
ACC.	meinen gut<u>en</u> Freund	meine gut<u>e</u> Freundin

N

NOM.	mein neu<u>es</u> Buch
GEN.	meines neu<u>en</u> Buches
DAT.	meinem neu<u>en</u> Buche
ACC.	mein neu<u>es</u> Buch

PLURAL, ALL GENDERS

NOM.	meine neu<u>en</u> Bücher
GEN.	meiner neu<u>en</u> Bücher
DAT.	meinen neu<u>en</u> Büchern
ACC.	meine neu<u>en</u> Bücher

Observe: A noun preceded by an **ein**-word ending in -e and an adjective ending in -en is plural: **meine guten Bücher** *my good books.*

Observe: Adjectives preceded by **ein**-words have endings identical with those preceded by **der**-words, except after the three *uninflected* **ein**-words (see boxes).

3. Adjectives Used as Nouns

Nouns formed from adjectives are not usually listed in the dictionary; you will need to look up the basic adjective.

MASCULINE		FEMININE	
der Kranke	*the sick man (boy)*	**die Kranke**	*the sick woman (girl)*
ein Kranker		**eine Kranke**	
der Starke	*the strong man (boy)*	**die Schöne**	*the beautiful woman (girl)*
ein Starker		**eine Schöne**	

NEUTER		PLURAL	
das Schöne	*the beautiful*	**die Kranken**	*the sick*
das Wesentliche	*the essential (thing)*	**die Deutschen**	*the Germans*

Adjectives used as nouns are capitalized. Masculine nouns denote males, feminine nouns females, and neuter nouns abstractions.

Translate the following:

etwas Neues	**das Neue**
viel Neues	**das Wichtige**
nichts Neues	**viel Interessantes**

EXERCISES

1. Die nachfolgende Tabelle gibt die Zusammensetzung einiger wichtiger Eisensorten.

1. **nachfolgend**	following	**Sorte** (*f.*), **-n**	type, kind, variety
Zusammensetzung (*f.*), **-en**	composition		

2. Wasserstoff (*hydrogen*) verbrennt im Chlor (*chlorine*) mit bläulicher Flamme.
3. In der Optik ist die Energie ausgestrahlter Lichtquanten mittels guter Spektrographen mit außerordentlicher Genauigkeit meßbar.
4. Man verwendet Filter zur Trennung fester und flüssiger Körper.
5. Ähnliches gilt auch für Metalle.
6. Das Gute an dem Buch ist nicht neu, und das Neue ist nicht gut.
7. Kupfer ist, außer Gold, das einzige farbige Metall und, außer Silber, der beste Leiter (*conductor*) für Wärme und Elektrizität.
8. Die höhere Schule öffnet den Weg für ein wissenschaftliches bzw. technisches Studium oder in eine Stellung der Wirtschaft oder des öffentlichen Lebens.
9. Farbloses Licht ist ein Gemisch von Lichtwellen verschiedener Längen.
10. Eine Reihe von chemischen und physikalischen Eigenschaften sind den Kohlenhydraten (*carbohydrates*) eigentümlich.
11. Die wirtschaftliche Entwicklung des letzten Jahrhunderts war sehr schnell.
12. Die Untersuchung ergab nichts Wichtiges.
13. Das ist natürlich nichts Neues, wir wissen es schon lange.
14. Etwas Ähnliches wußten schon die alten Griechen.
15. Etwas Endgültiges ist noch nicht bekannt.
16. Man bringt das Präparat ins Dunkle.

2. **verbrennen**	to burn	**Weg** (*m.*), **-e**	way, path
bläulich	bluish	**Studium** (*n.*)	study
3. **ausgestrahlt**	radiated	**Stellung** (*f.*), **-en**	position
Genauigkeit (*f.*)	exactness, accuracy	**öffentlich**	public
		9. **Gemisch** (*n.*), **-e**	mixture
meßbar	measurable	**Welle** (*f.*), **-n**	wave
4. **Trennung** (*f.*)	separation	14. **Grieche** (*m.*), **-n**	Greek
flüssig	fluid, liquid	15. **endgültig**	final, definitive
7. **Kupfer** (*n.*)	copper	**noch nicht**	not yet
8. **höher**	higher	16. **Dunkle** (*n.*)	darkness
höhere Schule	high school		

Aluminium*

Aluminium, ein silberweißes Metall, ist das wichtigste (*most important*) der Leichtmetalle. Es ist fast dreimal so leicht wie Eisen. Bauxit ist der wichtigste Ausgangsstoff für die technische Gewinnung des Aluminiums.

5   Etwa 35% des Aluminiumverbrauches entfällt auf das Verkehrswesen (*transportation*), einschließlich Flugzeugbau, Aluminiumfolien, Haushaltsgeräte (*household utensils*), Bauwesen (*building industry*) und unzählige Artikel des täglichen Bedarfes.

Die Welterzeugung betrug 1885 nur 13 000 t; sie stieg bis 1930
10   auf 270 000 t. Zwischen 1930 und 1938 war sie doppelt so hoch, und 1958 stieg sie bis auf 2 860 000 t.

Die Haupterzeugungsländer sind die Vereinigten Staaten und die Sowjetunion.

dreimal	three times	**einschließlich**	including
Ausgangsstoff (*m.*), -e	raw material	**Flugzeugbau** (*m.*)	airplane construction
technisch	industrial	**unzählig**	countless
Gewinnung (*f.*)	production	**Bedarf** (*m.*)	need, requirement
entfallen auf	to be allotted to	**doppelt**	double, twice

*Adapted from Der Große Brockhaus, 16. Auflage, F. A. Brockhaus, Wiesbaden.

VOCABULARY

ähnlich	analogous, similar	**leicht**	light, easy, slight
außer	outside of, beside, in addition, except	**letzt-**	last
		Licht (*n.*), **-er**	light
außerordentlich	unusual, extraordinary	**mittels**	by means of
		nichts	nothing
Eigenschaft (*f.*), **-en**	quality, property	**öffnen**	to open
eigentümlich	peculiar, characteristic	**Reihe** (*f.*), **-n**	row, series, number
Entwicklung (*f.*), **-en**	development, generating	**schnell**	fast, rapid
		schon	already, by this time, yet, even
ergeben	to yield, result, show	**steigen**	to mount, climb, rise
Erzeugung (*f.*)	production	**täglich**	daily
etwas	some, something	**Tier** (*n.*), **-e**	animal
farbig	colored, stained	**Untersuchung** (*f.*), **-en**	examination, investigation
fest	compact, solid		
geben	to give, yield, render, add	**Verbrauch** (*m.*)	consumption, use
		verwenden	to use
es gibt	there is, there are	**weiß**	white
gelten	to hold true, be true *or* valid	**Welt** (*f.*)	world
		wichtig	important, weighty
Haupt-	chief, main		
hoch	high, tall, intense	**Wirtschaft** (*f.*)	economy
Körper (*m.*), **-**	body	**wirtschaftlich**	economic
Länge (*f.*), **-n**	duration, length	**wissen**	to know
Leben (*n.*)	life, existence	**zwischen**	between, among

8

1. Adverbs

in **wahrhaft** tropischer Hitze *in truly tropical heat*
eine **leicht** lösliche Substanz *an easily soluble substance*
Der Fasan kam **ursprünglich** aus Asien. *The pheasant originally came from Asia.*
Die Flüssigkeit verdunstete **schnell**. *The liquid evaporated rapidly.*

Most German adjectives function also as adverbs and as such have no endings. Adverbs modify adjectives, verbs, or other adverbs.

2. Verbs with Separable and Inseparable Prefixes

Simple German verbs are often used to form compound verbs. Either separable or inseparable prefixes may be added to the simple verb.

a. Inseparable prefixes

Inseparable prefixes (**be-, emp-, ent-, er-, ge-, ver-, zer-**) are integral parts of the compound verb and are never separated from the simple verb. The addition of the prefix usually changes the meaning of the simple verb:

stehen	*to stand*
bestehen	*to exist*
entstehen	*to originate*
gestehen	*to admit*
verstehen	*to understand*

Some prefixes imply certain actions, but, because of numerous exceptions, check the meaning of each compound verb before you translate. Two prefixes have a fairly consistent meaning, which may help you determine the meaning of the compound verb:

ent *away from*

> **entfernen** *to remove*
> **entziehen** *to withdraw, take away*
> **entwässern** *to drain*

zer *to pieces*

> **zerbrechen** *to shatter* (**brechen** *to break*)
> **zerreißen** *to tear to pieces* (**reißen** *to tear*)
> **zerschlagen** *to break up* (**schlagen** *to strike*)

b. Separable prefixes

Die Vorlesung fängt um 9 Uhr an. *The lecture begins at nine o'clock.*

The verb in this sentence is **fängt . . . an,** its infinitive is **anfangen, an** being a separable prefix. Separable prefixes are detached from the simple verb in main clauses in the present and past tenses and stand last in the clause. Most separable prefixes are prepositions, but some are infinitives, adjectives, or adverbs. The most common separable prefixes are: **ab, an, auf, aus, ein, her, hin, mit, nach, vor, zusammen.**

Follow this procedure when translating German sentences containing verbs with separable prefixes; for example:

> **Wir ziehen diese Methode der alten vor.**
> *We prefer this method to the old one.*
> **Die Uhr blieb um zehn Minuten nach eins stehen.**
> *The clock stopped at ten minutes after one.*

Read the whole sentence before attempting to translate, and pay particular attention to the end of a clause. Frequently, the last word of a clause may be a separable prefix. Attach it to the stem of the simple verb and look up this combination in the dictionary. In the above sentences the infinitives of the compound verbs are **vorziehen** and **stehenbleiben.** Remember that lists of irregular verbs normally do not include compound verbs. You will have to determine the infinitive of the simple verb before checking the compound infinitive.

Translate the following verbs. Use the List of Irregular Verbs, if necessary, and the Vocabulary:

er zieht . . . . vor	er wies . . . . nach
er fing . . . . an	es kommt . . . . vor
er dachte . . . . nach	sie zogen . . . . vor
er fängt . . . . an	sie nahmen . . . . teil

3. Rules for Determining Singulars and Plurals of Nouns

a. Singular

1. When preceded by **das, des, dem;** by **ein-**words having no ending or **-es, -em** endings.
2. Subject noun, if verb does not have **-en** ending.
3. Feminine nouns ending in **-ung, -heit, -keit, -schaft, -ie, -ik, -ion, tät** (their plurals have **-en** endings).

b. Plural

1. **die** with obviously masculine noun: **die Stiere** (*bulls*).
2. **die** plus noun ending in **-en: die Klassen.**
3. **die** plus adjective ending in **-en: die hohen Löhne** (*the high wages*).
4. Subject noun, if verb ends in **-en** or is **sind.**
5. Noun without article is frequently plural. Check the context before deciding.

When these rules or the context do not help you, consult the vocabulary or a dictionary.

EXERCISES

1. Die Messung der Gammastrahlenergie geschieht auf drei verschiedene Weisen. Die erste Methode ist experimentell verhältnismäßig einfach.
2. Phosphor tritt in zwei Zustandsformen (*states*) auf, als weißer und als roter.
3. Nur der Süden des Landes ist ein landwirtschaftlich reiches Gebiet.

1. **Messung** (*f.*), **-en**	measurement, measuring	**3. Süden** (*m.*) south
Strahl (*m.*), **-en**	ray	**landwirtschaftlich** agricultural

4. Jod (*iodine*) schmilzt nicht, sondern geht sofort aus der festen Form in Dampf und auch aus dem Dampf sofort in die feste Form über.

5. Elektrische Thermometer zeigen die Temperatur durch thermo-elektrische Ströme (*currents*) an.

6. Der Staat unterstützt die außergewöhnlich schnelle Mechanisierung der Landwirtschaft in Schweden.

7. Wir weisen auf den bedeutenden Einfluß des Wetters hin.

8. Keine Addition oder Veränderung des Moleküls findet hier statt.

9. Diese Methode ist experimentell verhältnismäßig einfach.

10. Der Biologe wandte die radioaktiven Indikatoren (*tracers*) ebenfalls mit Erfolg an.

11. Lichtwellen verschiedener Längen rufen in unserem Auge den Eindruck verschiedener Farben hervor.

12. Im Jahre 1900 stellten Rutherford und Soddy die Zerfallstheorie auf.

13. Eisen besitzt technisch äußerst wichtige Eigenschaften.

14. 1895 gab Röntgen seine große Entdeckung bekannt.

15. Man bemerkt zunächst drei physikalisch ganz verschiedenartige Strahlen.

16. Ein Magnet übt auf einen anderen Magneten und auf weiches Eisen mechanische Kräfte aus.

17. Die Atome sind gewöhnlich elektrisch neutral.

18. Bei einigen Stoffen beobachtet man keine äußerlich sichtbaren oder direkt registrierbaren Funktionsänderungen.

4. schmelzen	to melt		**Eindruck** (*m.*), **=e**	impression
Dampf (*m.*), **=e**	steam, vapor	**12.**	**aufstellen** (*sep.*)	to formulate, set up, postulate
übergehen (*sep.*)	to change, transform		**Zerfall** (*m.*)	disintegration, decomposition
6. außergewöhnlich	extraordinary			
Mechanisierung		**14.**	**bekanntgeben**	to make known
(*f.*)	mechanization		(*sep.*)	announce
Landwirtschaft(*f.*)	agriculture	**15.**	**bemerken**	to notice
7. Wetter (*n.*)	weather	**18.**	**äußerlich**	external
10. ebenfalls	also		**sichtbar**	visible
11. Auge (*n.*), **-n**	eye		**registrierbar**	recordable

Der Blitz

Der Blitz ist ein großer elektrischer Funke (*spark*). Er springt
von einer Wolke (*cloud*) zur anderen oder von einer Gewitter-
wolke zu einem Punkte der Erdoberfläche (z.B. Haus, Baum).
Diese Entladung (*discharge*) gleicht die entgegengesetzten Elek-
5   trizitäten aus.
Die Dauer des Blitzes ist außerordentlich kurz. Ein Physiker
schätzte die Dauer des Blitzes auf 1/1000 bis 1/10 000 Sekunde.
Der Blitz nimmt immer den Weg des geringsten Widerstandes
(*resistance*). Er bevorzugt Metalle und feuchte Körper. Er zieht
10   daher den feuchten Boden dem trockenen Boden vor. Manchmal
schlägt der Blitz auch in anscheinend trockenen Boden ein. Man
findet aber unter der anscheinend trockenen Oberschicht (*surface*)
feuchte Schichten an. Diese feuchten Schichten ziehen den Blitz an.

Blitz (*m.*), -e	lightning	**schätzen**	to estimate
springen	to spring, jump	**geringst**	smallest, least
Gewitter (*n.*), -	storm	**feucht**	moist
Punkt (*m.*), -e	point	**trocken**	dry
Erdoberfläche (*f.*)	surface of the earth	**manchmal**	sometimes
Baum (*m.*), ⸗e	tree	**einschlagen** (*sep.*)	to strike
ausgleichen (*sep.*)	to equalize, neutralize	**anscheinend**	apparent
entgegengesetzt	opposite	**anfinden** (*sep.*)	to find
Dauer (*f.*)	duration	**Schicht** (*f.*), -en	layer

VOCABULARY

Änderung (*f.*), -en	change, alteration	**hinweisen** (*sep.*)	to refer, point, indicate
anwenden (*sep.*)	to employ, use, apply		
anzeigen (*sep.*)	to indicate, show	**Kraft** (*f.*), ⸗e	power, force, strength
anziehen (*sep.*)	to attract		
auftreten (*sep.*)	to appear, occur	**nehmen**	to take, receive, get
äußerst	extreme, very	**reich**	rich, abundant
ausüben (*sep.*)	to practice, exert, carry out	**sofort**	immediately
		stattfinden (*sep.*)	to take place, occur, happen
bedeutend	significant, important		
beobachten	to observe, examine	**Stoff** (*m.*), -e	substance, matter
besitzen	to possess, have	**unterstützen**	to support
daher	hence, therefore	**Veränderung** (*f.*), -en	change, transformation
Eisen (*n.*)	iron		
Erfolg (*m.*), -e	success	**verhältnismäßig**	relatively
Farbe (*f.*), -n	color, dye	**vorziehen** (*sep.*)	to prefer
gewöhnlich	usual, common, customary	**weich**	soft, tender
		Weise (*f.*), -n	manner, way
hervorrufen (*sep.*)	to call forth, bring about, produce	**auf diese Weise**	in this way
		zunächst	next, first of all

9

1. Perfect Tenses

In English, perfect tenses consist of forms of the auxiliary verb *to have* plus the past participle of the main verb: *he has seen* (present perfect), *he had seen* (past perfect). In German, the perfect tenses consist of forms of **haben** or **sein** plus the past participle.[1]

PRESENT PERFECT

er, sie, es hat gesagt	er, sie, es ist gekommen
sie haben gesagt	sie sind gekommen

PAST PERFECT

er, sie, es hatte gesagt	er, sie, es war gekommen
sie hatten gesagt	sie waren gekommen

2. Meanings of the Perfect Tenses

The German present perfect is usually equivalent to the English past tense; occasionally, however, the English present perfect may be better:

er hat gesagt   *he said* (*has said*)

In the past perfect, **hatt-** and **war-** are usually equivalent to *had:*

er hatte gesagt   *he had said*
er war gekommen   *he had come*

3. Word Order

Viele deutsche Revolutionäre <u>sind</u> in den Jahren 1848 und 1849 nach Amerika <u>gekommen</u>. *Many German revolutionists came to America in 1848 and 1849.*

---

[1] Only third-person forms will be illustrated in this and subsequent lessons, since such forms most frequently occur in reading. Other forms of **haben** and **sein** may be reviewed in Lessons 1, 2, and 3.

The complete verb in this sentence is **sind gekommen** (*came*). Note that the past participle stands at the end of the main clause. The auxiliary (**sind**), here the *finite* verb, stands in second position.

The finite verb is the inflected or conjugated form of the verb indicating person, number, and tense. In simple tenses, it is the verb itself, in compound tenses, the auxiliary. Remember: When you come to a form of **haben** or **sein**, *check the end of the clause for a past participle to see whether the form of* **haben** *or* **sein** *is an auxiliary of a perfect tense.* If it is, translate the complete verb as a unit.

4. Past Participles

a. Regular verbs

PAST PARTICIPLE	COMPONENTS	INFINITIVE
1. gesagt	ge-sag-t	sagen
2. bezahlt	bezahl-t	bezahlen
3. verzeichnet	verzeichn-et	verzeichnen
4. filtriert	filtrier-t	filtrieren
5. ausgedrückt	aus-ge-drück-t	ausdrücken

Dictionaries do not ordinarily list past participles. You must, therefore, be able to derive the infinitive of a verb by analyzing the past participle. Observe that the past participles of regular verbs end in **-t** or **-et.** To determine the infinitive of a regular verb, drop the prefix **ge-** (where used) and the ending **-(e)t,** and add **-en** to the stem.

Note the following:

1. **gesagt**   Simple verbs, with the exception of those with infinitive in **-ieren,** have **ge-** as prefix in the past participle.

2. **bezahlt**   Verbs with inseparable prefixes have no past-
3. **verzeichnet**   participle prefix.

4. **filtriert**   Verbs in **-ieren** have no past-participle prefix.

5. **ausgedrückt**   In verbs with separable prefixes, **ge-** stands between the separable prefix and the stem of the verb in the past participle.

b. Irregular verbs

PAST PARTICIPLE	COMPONENTS	INFINITIVE
gesungen	ge-sung-en	singen
begonnen	begonn-en	beginnen
angefangen	an-ge-fang-en	anfangen

The past participles of irregular verbs end in **-en.** Simple verbs have **ge-** as prefix in the past participle, verbs with inseparable prefix **(beginnen)** do not. In verbs with separable prefixes, **ge-** stands between the separable prefix and the stem.

To determine the infinitive of an irregular verb, check the List of Irregular Verbs. Simple verbs can be found under the initial letter of the stem **(gesungen** under **s).**

To determine the infinitive of a compound verb, find the infinitive of the simple verb, then add the separable or inseparable prefix.

EXERCISES

1. Die Hybridmaiszüchtung (. . . *corn growing*) hat für jede Gegend geeignete Maistypen entwickelt.
2. In den Jahren nach dem letzten Kriege ist in Deutschland eine große Anzahl von wissenschaftlichen Arbeiten erschienen.
3. Die Elektrizität war noch vor hundert Jahren eine reine Spielerei (*plaything*) der Gelehrten gewesen.
4. Der Professor ist nicht in seinem Laboratorium gewesen.
5. Die wirtschaftliche Entwicklung des letzten Jahrhunderts hat die Gesetzgebung, die Verwaltung und den moralischen Druck des Staates unerwartet gesteigert.
6. Durch seine Bibelübersetzung hat Luther der deutschen Sprache einen großen Dienst erwiesen.
7. Einstein hatte angenommen, daß . . .
8. Das Unglück war in wenigen Sekunden geschehen.

1. **Gegend** (*f.*), **-en**	region	**Druck** (*m.*), **-e**	pressure
geeignet	suitable, suited	**unerwartet**	unexpected
2. **Krieg** (*m.*), **-e**	war	6. **Übersetzung** (*f.*),	
5. **Gesetzgebung** (*f.*)	legislation	**-en**	translation
Verwaltung (*f.*)	administration	8. **Unglück** (*n.*), **-e**	accident, misfor-
moralisch	moral		tune

9. Die Energie des deutschen Idealismus hat auch die Universitäten umgestaltet.

10. In seiner „Kritik der reinen Vernunft" hat Kant die Grenzen aller menschlichen Erkenntnis untersucht und bestimmt.

11. Außer der Bibel hatte Jakob Böhme, der große deutsche Mystiker, nur einige mystische Schriften theosophischen und alchimistischen Inhalts gelesen.

12. W. König (1910) gab ein sehr anschauliches Verfahren zur Demonstration des Thomson-Effektes an.

13. Hegel hat[1] diesen Gedanken zuerst ausgesprochen und die Geschichte der Philosophie unter den Gesichtspunkt eines einheitlichen Prozesses gestellt.

14. Die Zellen haben[1] die nötigen Aufbaustoffe für den Stoffwechsel aus diesen Flüssigkeiten aufgenommen und die Stoffwechselschlacken an die Flüssigkeiten abgegeben.

9.	**umgestalten** (*sep.*)	to change	**Gesichtspunkt**	
10.	**Vernunft** (*f.*)	reason	(*m.*), **-e**	point of view
11.	**alchimistisch**	alchemical	14. **Zelle** (*f.*), **-n**	cell
	Inhalt (*m.*)	content	**Aufbaustoff** (*m.*),	building
12.	**anschaulich**	clear, concrete	**-e**	material
13.	**zuerst**	first	**Stoffwechsel** (*m.*)	metabolism
	aussprechen (*sep.*)	to pronounce	**Schlacke** (*f.*), **-n**	slag, waste

---

[1] Note that the auxiliary governs two past participles: **ausgesprochen** and **gestellt** (13), **aufgenommen** and **abgegeben** (14).

Die 4-H Bewegung in Österreich

Die 4-H Bewegung hatte ihren Ursprung in den Vereinigten Staaten und hat Anhänger in vielen anderen Ländern gefunden. Unterstützt von der amerikanischen Militärregierung (... *government*) hat sie auch in Österreich Fuß gefaßt.

Im Jahre 1949 gab es schon mehrere 4-H Klubs in der Amerika- 5 nischen Zone, in den Ländern Oberösterreich und Salzburg. Jedoch nach einigen Jahren hat eine äußere Umgestaltung der Bewegung stattgefunden. Die Bewegung trägt nun nicht mehr die amerikanische Bezeichnung „4-H Klub", sondern heißt die „Landjugendbewegung". Der Geist und die Ziele des amerika- 10 nischen Vorbildes sind jedoch dieselben (*the same*) geblieben.

Nach dieser verhältnismäßig kurzen Zeit hat der 4-H Gedanke schon viel zur Verbesserung der österreichischen Landwirtschaft beigetragen.

Anhänger (*m.*), -	adherent	**Bezeichnung** (*f.*),	
Fuß (*m.*), ⁼e	foot	**-en**	designation, term
Fuß fassen	to take hold, take root	**Jugend** (*f.*)	youth
		Geist (*m.*), **-er**	spirit, mind
Oberösterreich	Upper Austria	**Ziel** (*n.*), **-e**	goal
äußer-	outer, external	**Vorbild** (*n.*), **-er**	model
Umgestaltung (*f.*), **-en**	transformation, change	**Verbesserung** (*f.*), **-en**	improvement
tragen	to carry, wear, have	**beitragen** (*sep.*)	to contribute

VOCABULARY

abgeben (*sep.*)	to deliver	**Gedanke** (*m.*), -n	thought, idea
angeben (*sep.*)	to state, declare, quote, indicate, give	**Gelehrte** (*m.*), -n	learned man, scholar
		Grenze (*f.*), -n	limit, boundary
annehmen (*sep.*)	to accept, assume, suppose	**heißen**	to be called, named, mean
Anzahl (*f.*)	number	**jedoch**	however, yet
Arbeit (*f.*), -en	work, employment, investigation	**Krieg** (*m.*), -e	war
		lesen	to read
aufnehmen (*sep.*)	to raise, take up, absorb, accept	**mehr**	more
		nicht mehr	no longer
bestimmen	to determine, define	**mehrere**	several
Bewegung (*f.*), -en	motion, movement	**noch**	still, in addition to, even
bleiben	to remain, stay		
Dienst (*m.*), -e	service	**nötig**	necessary, needful
einheitlich	unified, uniform	**rein**	pure, clean
entwickeln	to develop	**Schrift** (*f.*), -en	writing, work
Erkenntnis (*f.*), -se	knowledge, perception, recognized fact	**Sprache** (*f.*), -n	speech, language
		steigern	to raise, increase
		stellen	to place, set
erscheinen	to appear	**Ursprung** (*m.*), ⸗e	origin, source
erweisen	to prove, show, render	**Verfahren** (*n.*), -	process, method
		wissenschaftlich	scientific

10

1. Present Participle

das siedende Wasser	*the boiling water*
die fliegende Untertasse	*the flying saucer*

The present participle is formed by adding **d** to the infinitive: **sieden - siedend, fliegen - fliegend.** Watch for words ending in **end** (plus adjective ending).

2. Participles Used as Adjectives and Adverbs

a. Adjectives

das verbotene Land	*the forbidden land*
siedendes Wasser	*boiling water*
Das ist verboten.	*That is forbidden.*

When used as adjectives before a noun, both past and present participles have endings in accordance with the outline for adjective endings given in Lesson 7.

b. Adverbs

siedend heißes Wasser   *boiling hot water*

Participles used as adverbs have no endings.

3. Past Participle Used with **sein**

1. **In der Tabelle sind die Ergebnisse wiedergegeben.**
   The results are shown in the table.
2. **In der Tabelle haben wir die Ergebnisse wiedergegeben.**
   We have shown the results in the table.
3. **Die Studenten sind ins Theater gegangen.**
   The students went to the theater.

Do not confuse the past participle used as a *predicate adjective* after a form of **sein** (1) with the *past participle* of a perfect tense (3).

Verbs that can take an object (**wiedergeben, sehen, geben**) form the perfect tenses with **haben** as an auxiliary (2). When a form of **sein** is used with a past participle of such verbs, the participle is a predicate adjective (1).

4. Participles Used as Nouns

das Gesagte	*what was said, that which has been said*
das oben Beschriebene	*what was described above, that which was described above*
der Verwundete	*the injured, wounded (person)*
das Folgende	*the following*

Participles used as nouns are capitalized and may have articles. Gender is determined by the function and meaning of the noun. Since many nouns derived from participles are not listed in the dictionary, their meaning must be determined from the infinitive.

5. Infinitives Used as Nouns

das Arbeiten	*work, working*
das Filtrieren	*the process of filtering, filtering*

Infinitives used as nouns are neuter.

6. Case Endings of Nouns

You have observed that nouns may have certain endings. Nominative plural endings were given in Lesson 3. Nouns may have endings in the various cases of the singular and plural. Knowing these endings may aid you in determining the function of some of the nouns in a sentence. Learn the following rules for case endings:

1. Feminine nouns have no endings in the singular.
2. Masculine and neuter noun endings in the singular are:

GENITIVE: -s, -(e)s, -en, -ens : des Vaters, Baum(e)s, Menschen, Herzens
DATIVE: -, (-e), -n, -en : dem Vater, Baum(e), Herrn, Menschen
ACCUSATIVE: -, -n, -en : den Baum, Herrn, Menschen

3. Only the dative plural may show a change from the nominative plural. All nouns not ending in **-n** or **-s** in the plural add **-n** in the dative plural.

EXERCISES

1. Friedrich von Gagern leitet sein bekanntes Werk „Birschen und Böcke" (*hunting and bucks*) mit den folgenden Worten ein: „Jagd ist Schauen, Jagd ist Sinnen, Jagd ist Ausruhen, Jagd ist Erwarten, Jagd ist Dankbarsein, Jagd ist Bereitung und Hoffnung."
2. Das Aufrechterhalten eines Magnetfeldes mit Hilfe von Elektromagneten bedingt eine andauernde Aufwendung von Energie.
3. Durchleiten von Luft beschleunigt das Abdampfen der Flüssigkeit.
4. Dieses fast ununterbrochene nördliche Tageslicht beschleunigt den Wachstumsrhythmus und drängt Blühen und Reifen auf wenige Monate zusammen.
5. „Zum Kriegführen sind dreierlei Dinge nötig: Geld, Geld, Geld", sagte Marschall Trivulzio zu Ludwig XII. von Frankreich.
6. Das Lösen in Salzsäure (*hydrochloric acid*) und Wiederausscheiden durch Ammoniak wiederholt man mehrfach.
7. Die Pflanzen sind aus Zellen aufgebaut.
8. Diese Wahrnehmung ist auch durch die besprochenen Versuche bestätigt.
9. Über diese neue Bewegung ist bisher wenig Authentisches erschienen.
10. Nach dem Kriege zeigte die deutsche Industrie eine überraschend schnelle Entwicklung.
11. Diese Ereignisse sind epochemachend.

1. **Jagd** (*f.*), **-en**	hunt, hunting	**abdampfen** (*sep.*)	to evaporate
schauen	to look, observe	4. **ununterbrochen**	uninterrupted
sinnen	to reflect	**nördlich**	northern
ausruhen (*sep.*)	to rest, relax	**Wachstum** (*n.*)	growth
erwarten	to expect	**zusammendrängen**	to compress,
dankbar sein	to be thankful	(*sep.*)	crowd together
Bereitung (*f.*),**-en**	preparation	**blühen**	to bloom
Hoffnung (*f.*),**-en**	hope	**reifen**	to mature, ripen
2. **aufrechterhalten**		5. **Kriegführen** (*n.*)	waging war
(*sep.*)	to maintain	**dreierlei**	three kinds of
Feld (*n.*), **-er**	field	6. **wiederausscheiden**	to separate
andauern	to last, endure	(*sep.*)	again
Aufwendung (*f.*)	supply,	**mehrfach**	several times
	expenditure	8. **Wahrnehmung**	
3. **durchleiten** (*sep.*)	to conduct	(*f.*), **-en**	observation
	through, pass	11. **Ereignis** (*n.*), **-se**	event
	through		
beschleunigen	to accelerate,		
	hasten		

12. Der Erkrankte ist nach einigen Stunden gestorben.
13. Die Abwesenden erhielten keinen Lohn.
14. Feste Stoffe dringen nur in gelöster Form in die Pflanze ein.
15. Wie die Universität als Ganzes, so genießt auch der einzelne Professor in Deutschland die vollkommene Freiheit im Denken, Lehren und Handeln.
16. Die Cellulose ist in Wasser, verdünnten Säuren (*acids*) und verdünnten Alkalien, ebenso in organischen Lösungsmitteln (*solvents*) unlöslich.
17. Die oben angeführten Ergebnisse sind in Abb. 5 wiedergegeben.

12. erkranken	to become sick	16. verdünnen	to dilute
sterben	to die	ebenso	likewise, also
13. abwesend	absent	unlöslich	insoluble
Lohn (*m.*), ⁼e	wage, pay	17. anführen (*sep.*)	to cite, give
14. eindringen (*sep.*)	to penetrate	Abb.	
15. genießen	to enjoy	(Abbildung)	illustration
vollkommen	complete, perfect		

Eine drollige Geschichte

Im Forest Ranger Büro im Yellowstone National Park war
großer Alarm. Ein brauner Bär war uneingeladen in eine Touri-
stenhütte (*tourist cabin*) eingedrungen. Einige Rangers eilten aus
dem Büro und sahen viele Leute vor der Hütte stehen.
Eine aufgeregte Frau mit zwei kleinen Kindern berichtete   5
Folgendes:
„Wir waren beim Frühstück (*breakfast*). Ein großer, hungriger
Bär hat die Spiegeleier und den Speck gerochen und ist ins
Haus und in die Küche gekommen. Ich und meine beiden Kinder
sind schnell aus dem Haus gelaufen."   10
Einer der Rangers bemerkte ein großes Loch in der Fliegentür
(*screen door*) und sagte teilnahmsvoll zu der Frau: „Ja, man sieht
wo der Bär hineinging."
Die Frau antwortete schnell: „Nein, so war das nicht. Da kamen
wir heraus."   15

drollig	droll, humorous	**riechen**	to smell
braun	brown	**Küche** (*f.*), **-n**	kitchen
Bär (*m.*), **-en**	bear	**laufen**	to run
uneingeladen	uninvited	**bemerken**	to notice
eilen	to hurry	**Loch** (*n.*), **=er**	hole
aufregen (*sep.*)	to excite	**teilnahmsvoll**	sympathetic
klein	small	**hineingehen** (*sep.*)	to go into, enter
Kind (*n.*), **-er**	child	**nein**	no
hungrig	hungry	**herauskommen**	
Spiegelei (*n.*), **-er**	fried egg	(*sep.*)	to come out
Speck (*m.*)	bacon		

VOCABULARY

antworten	to answer	**Freiheit** (*f.*)	freedom
aufbauen (*sep.*)	to build up, erect, synthesize	**Ganze** (*n.*)	whole, whole number
bedingen	to require	**Geld** (*n.*)	money
beide	both	**handeln**	to act, trade
die beiden	the two	**Hilfe** (*f.*)	aid, help
berichten	to inform, report	**ja**	yes, of course
besprechen	to discuss	**lehren**	to teach, instruct
Bewegung (*f.*), **-en**	motion, movement	**Leute** (*pl.*)	people, persons, men
bisher	till now	**lösen**	to dissolve, solve
da	there, then	**Monat** (*m.*), **-e**	month
denken	to think	**oben**	above, overhead
einleiten (*sep.*)	to introduce	**Pflanze** (*f.*), **-n**	plant
einzeln	single, individual, singly	**sehen**	to see, look
erhalten	to keep, obtain, preserve, maintain, receive	**Stunde** (*f.*), **-n**	lesson, hour
		überraschen	to surprise
		wiedergeben (*sep.*)	to reproduce, show
Frau (*f.*), **-en**	woman, wife, Mrs.	**wiederholen**	to repeat
		Wort (*n.*), **-e**	word, term

Die Bewohner Österreichs

Die völkische Entwicklung der Österreicher ist sehr interessant. Wegen seiner geographischen Lage ist Österreich schon immer ein strategisch wichtiges Land gewesen und viele Völker sind durch das Land gezogen auf der Suche nach festen und guten Wohnsitzen. 5

In den letzten Jahren der Eiszeit sind die Kelten vom Westen nach dem Alpengebiet gekommen, verdrängten die einheimischen Illyrer und gründeten das Königreich Noricum. Später sind dann die römischen Legionen vom Süden durch die Alpenländer gezogen und sind bis an die Donau vorgedrungen. An der Donau 10 haben die Römer Kastelle und Festungen gebaut. Diese sicherten die nordöstlichen Grenzen des Römischen Reiches gegen die Germanen am anderen Ufer der Donau.

Auf dem Wege nach dem Süden sind die Zimbern durch dieses Gebiet gezogen und sind mit den Römern in der Schlacht von 15 Noreja (113) zusammengestoßen. Dieser Zusammenstoß war einer der ersten zwischen den germanischen Völkern und den Römern. Fünfzig Jahre später überquerten die Markomannen die Donau und sind bis nach Venezien vorgedrungen, aber der römische Kaiser Mark Aurel hat sie wieder über die Donau 20 zurückgetrieben.

Die römischen Donauprovinzen sind schließlich in der Völkerwanderung gefallen. Germanische Stämme fielen in das Land ein

Bewohner (*m.*), -	inhabitant	**verdrängen**	to push out, crowd
völkisch	ethnic, racial		out
wegen	because of	**einheimisch**	native
Lage (*f.*), -n	position, location	**gründen**	to found
Suche (*f.*)	search	**Königreich** (*n.*), -e	kingdom
fest	solid, permanent	**später**	later
Wohnsitz (*m.*), -e	domicile, abode	**dann**	then
Eiszeit (*f.*)	glacial period	**Donau** (*f.*)	Danube

und zogen nach dem Westen und Süden. Die Ostgoten drangen
25 bis nach Spanien vor, die Longobarden haben das nördliche
Italien besetzt. Auch die Hunnen, unter ihrem großen König
Attila, die Avaren, ein kriegerisches Reitervolk von finnisch-
türkischer Herkunft, und Slawen fielen in die Donaugebiete und
sogar in die Alpentäler ein.
30 Vom 10. bis zum 13. Jahrhundert hat wieder eine starke Ein-
wanderung von Bayern und Franken die deutsche Besiedlung
Österreichs gefördert. Am Ende des 12. Jahrhunderts war Wien
schon eine bedeutende Stadt geworden und wurde später die
Residenzstadt der Habsburger. Die Habsburger regierten Öster-
35 reich von 1282 bis 1918. Vom Jahre 1438 bis 1806 haben die
österreichischen Kaiser auch die deutsche Kaiserkrone getragen.
Vor dem Zusammenbruch der österreichisch-ungarischen
Monarchie im Jahre 1918 bestand die Bevölkerung dieses Reiches
aus Deutschen, Ungarn, Tschechen, Slowaken, Polen, Kroaten,
40 Slowenen und Italienern. Das heutige Österreich hat fast dieselben
Grenzen wie nach dem Ersten Weltkrieg. Heute zählt das Land
ungefähr 7 Millionen Einwohner. Davon sprechen 95,3% Deutsch.
Es gibt auch noch einige tausend Ungarn, Slowenen, Italiener

vordringen (*sep.*)	to penetrate	**sogar**	even
Kastell (*n.*), **-e**	stronghold, castle	**stark**	strong, large
Festung (*f.*), **-en**	fort, fortress	**Einwanderung** (*f.*),	
bauen	to build	**-en**	immigration
sichern	to secure, safeguard	**Besiedlung**(*f.*),**-en**	settlement
Ufer (*n.*), **-**	shore	**fördern**	to further, advance,
Weg (*m.*), **-e**	way, path		help
Zimber (*m.*), **-n**	Cimbrian	**Wien** (*n.*)	Vienna
Schlacht (*f.*), **-en**	battle	**Kaiserkrone** (*f.*),	
zusammenstoßen		**-n**	imperial crown
(*sep.*)	to clash	**tragen**	to wear, carry
überqueren	to cross	**Zusammenbruch**	
zurücktreiben(*sep.*)	to drive back	(*m.*), **⸗e**	collapse
fallen	to fall	**bestehen** (**aus**)	to consist (of)
Stamm (*m.*), **⸗e**	tribe	**Bevölkerung** (*f.*),	
einfallen (*sep.*)	to invade	**-en**	population
Ostgote (*m.*), **-n**	East Goth,	**dieselbe**	the same
	Ostrogoth	**zählen**	to count, have
besetzen	to occupy	**davon**	of them
kriegerisch	bellicose	**sprechen**	to speak
Reitervolk(*n.*),**⸗er**	tribe of horsemen	**tausend**	thousand
Herkunft (*f.*)	origin		

und Polen, aber diese Nationalitäten haben volle politische Freiheit und auch kulturelle Autonomie. Seit dem letzten Kriege hat   45
Österreich auch viele Flüchtlinge aus den kommunistischen Ländern aufgenommen.

Die geographische Lage Österreichs und seine geschichtliche Entwicklung haben einen bedeutenden Einfluß auf die Zusammensetzung und Herkunft des österreichischen Volkes gehabt. Von   50
allen Seiten sind verschiedene Völker in das Land eingezogen, und einige haben hier ihre Wohnsitze aufgeschlagen. Trotzdem sind die Kultur, die Traditionen und die Sprache größtenteils deutsch geblieben.

voll	full	**einziehen** (*sep.*)	to enter
Flüchtling (*m.*), -e	refugee	**aufschlagen** (*sep.*)	to set up, take up
aufnehmen (*sep.*)	to take up, absorb	**trotzdem**	nevertheless
Zusammensetzung		**Sprache** (*f.*), -n	speech, language
(*f.*), -en	composition	**größtenteils**	for the most part
Seite (*f.*), -n	side		

11

1. Comparison of Adjectives and Adverbs

The three degrees of comparison are the positive (*long*), comparative (*longer*), and superlative (*longest*). The corresponding German forms are similar.

POSITIVE	COMPARATIVE	SUPERLATIVE
schnell (*fast*)	schneller	schnellst-
warm (*warm*)	wärmer	wärmst-
hart (*hard*)	härter	härtest-
heiß (*hot*)	heißer	heißest-

a. Comparative

The common element of the comparative degree is the **-er** ending. Words of one syllable also take an umlaut if the stem vowel is **a, o,** or **u.**

b. Superlative

The **-st** ending is characteristic of the superlative.
Adjectives ending in **s, ß,** or **t** add **-est.**
Words of one syllable take an umlaut if the stem vowel is **a, o,** or **u.**

2. Irregular Comparisons

gut (*good*)	besser	best-
groß (*large*)	größer	größt-
hoch, hoh- (*high*)	höher	höchst-
nah (*near*)	näher	nächst-
edel (*noble*)	edler	edlest-
viel (*much, many*)	mehr	meist-
gern[1]	lieber	am liebsten

---

[1] **Er geht gern ins Kino.** *He likes to go to the movies.*
Er geht lieber zum Fußballspiel. *He prefers to go to the football game.*
Er geht am liebsten ins Theater. *He likes best to go to the theater.*

3. Translation of Comparatives and Superlatives

Learn to recognize the characteristic endings of comparative and superlative forms of adjectives.

a. Comparative

Determine whether **er** is a comparative ending, an adjective ending, or part of the stem of the word:

1. **Diese Methode ist schneller.**   *This method is faster.*
2. **ein schneller Dampfer**   *a fast steamer*
3. **die schnellere Methode**   *the faster method*
4. **Dieser Generator ist einfacher gebaut.**   *This generator is constructed more simply.*
5. **ein schwerer Hammer**   *a heavy hammer*
6. **ein schwererer Hammer**   *a heavier hammer*
7. **eine schneller siedende Flüssigkeit**   *a faster boiling liquid*

Note (comparative endings are underscored): Predicate adjectives ending in **-er** (1) are usually comparative. Attributive adjectives ending in **-er** (2) are usually not comparative; **er** is an adjective ending. Adverbs ending in **er** (4, 7) are usually comparative. In some words, **er** may be part of the word itself (5, **schwer**).

Watch for **er** before adjective endings. If **er** is not part of the word, it is a comparative ending (3, 6).

b. Superlative

> **die schnellsten Maschinen**   *the fastest machines*
> **das schönste Bild**   *the most beautiful picture*

Watch for **-st** preceding adjective endings.

4. Special Uses of the Comparative and Superlative

a. Comparative

1. Comparative followed by **als**

   Der Mond ist kleiner als die Erde.   *The moon is smaller than the earth.*

2. **Immer** plus comparative

   immer schneller   *faster and faster*
   immer größer   *larger and larger*

Not involving a comparative, but following the pattern is:

immer wieder *again and again*

3. Comparative used with **je, desto, umso**

je größer, je (desto, umso) stärker *the larger, the stronger*

Je größer der Fleiß, desto höher der Lohn. *The greater the effort, the higher the reward.*

Diese Droge ist umso wertvoller, je weniger Holzteile sie enthält. *This drug is the more valuable, the fewer wood particles it contains.*

4. Comparison merely implied

eine größere Menge *a fairly large amount*
längere Zeit *a rather long period of time*
Es ist uns schon länger bekannt, daß . . . *It has been known to us for some time, that . . .*

b. Superlative

1. **am**-superlatives

> **am schnellsten** *fastest*
> **am schönsten** *most beautiful*

Das Pferd ist schnell, das Auto ist schneller, das Flugzeug ist am schnellsten. *The horse is fast, the automobile is faster, the airplane is fastest.*

A form consisting of **am** + the superlative with **-en** is used as a predicate adjective or as an adverb.

2. No actual comparison involved

A few frequently used superlatives have special meanings:

> **äußerst langsam** *very (extremely) slow*
> **höchst lehrreich** *very (most) instructive*
> **möglichst schnell** *as fast as possible*

Der Vortragende behandelte ein äußerst interessantes Thema. *The lecturer discussed an extremely interesting subject.*

5. **Comparatives and Superlatives Used as Nouns**

> **das Wichtigste** *the most important thing*

der Größte	the biggest (man, boy)
der Kleinere	the smaller one
das Wesentlichste	the most important thing
die Schönste	the most beautiful one (woman)

What was said concerning adjectives used as nouns (Lesson 7) also applies to these nouns.

EXERCISES

1. Stahl ist härter, fester und spröder als Schmiedeeisen.
2. Neuere Untersuchungen haben ergeben, daß ...
3. Dies ist ein äußerst einfaches Problem.
4. Die Viren sind kleiner als die Bakterien.
5. Die Affen sind die klügsten und menschenähnlichsten Tiere.
6. Die modernen Autos fahren immer schneller.
7. Die ältesten Uhrenformen sind Sonnen-, Wasser- und Sanduhren.
8. Die Grenzfrequenz ist umso höher, je kleiner die Partikel sind, und je stärker das Magnetfeld ist.
9. Die wichtigsten Bodenschätze der Sowjetunion sind: Erdöl, Kohle, Eisen, Kupfer, Mangan und Gold.
10. Je energiereicher die Gammastrahlung ist, desto geringer ist die Absorption.
11. In der Nähe des Erdbodens nimmt die elektrische Spannung zwischen Luft und Erde um mehr als 100 Volt je Meter Höhe zu.
12. Plato war einer der größten Denker aller Zeiten.
13. Diese Mitteilung enthält Hinweise auf den günstigsten Zeitpunkt zur Bekämpfung von Pflanzenkrankheiten.

1. Stahl (m.)	steel	Erdöl (n.)	petroleum
spröde	brittle	Mangan (n.)	manganese
Schmiedeeisen (n.)	wrought iron	11. Erdboden (m.)	surface of the earth
4. Virus (m.), Viren	virus		
5. Affe (m.), -n	monkey, ape	Spannung (f.), -en	voltage
klug	smart, clever, intelligent	13. Hinweis (m.), -e	reference, direction
menschenähnlich	anthropoid	günstig	favorable
8. Grenzfrequenz (f.), -en	boundary frequency	Zeitpunkt (m.), -e	period, time
Partikel (f.), -	particle	Bekämpfung (f.)	control
9. Bodenschätze (pl.)	(mineral) resources		

14. Röntgenstrahlen haben eine viel kürzere Wellenlänge als das Licht.
15. Der kleinere Affe war für diese Versuche am besten geeignet.
16. In wässeriger Salzsäure ist Chlor löslicher als in Wasser.
17. Das Wachstum ist bei Y am langsamsten und bei X am schnellsten.
18. Die Gleichstrom-Generatoren sind einfacher gebaut als Wechsel-strommaschinen.
19. Diese Fälle kommen immer wieder vor.

14. **Röntgenstrahlen**		16. **Salzsäure** (*f.*)	hydrochloric acid
(*pl.*)	X rays	18. **Geichstrom** (*m.*)	direct current
Wellenlänge (*f.*),		**Wechselstrom** (*m.*)	alternating cur-
-n	wave length		rent

Die Erforschung des Meeresbodens

In den letzten Jahrzehnten erreichten Taucher (*divers*) immer größere Tiefen in ihren Erforschungen des Meeresbodens. Noch vor ungefähr dreißig Jahren waren den Tauchern ohne Sauerstoffgeräte nur sehr geringe Tiefen zugänglich. Aber mit der Erfindung des Taucheranzuges (*diving suit*) erreichten sie Tiefen von etwa 100 m.   5

Die Bathysphäre von Barton und Beebe ging schon viel tiefer. Im Jahre 1934 erreichten die beiden Forscher eine Tiefe von 923 m. 1948 verbesserte Barton den Rekord auf 1370 m. 1953 stießen A. und J. Piccard sogar bis auf 3150 m hinunter. Im Januar   10 1960 erreichten Walsh und J. Piccard die bisher größte Tiefe von 11 500 m. Diese Tiefe liegt wesentlich tiefer unter dem Meeresspiegel (*sea level*), als Mount Everest (8850 m) über dem Meeresspiegel liegt.

In neuester Zeit verwenden Forscher auch unbemannte, an   15 Kabeln hängende Geräte. Diese Geräte sind mit Photoapparaten und Fernsehgeräten ausgerüstet.

Meeresboden (*m.*)	bottom of the ocean	**unbemannt**	unmanned
zugänglich	accessible	**Kabel** (*n.*), -	cable
Bathysphäre (*f.*),		**Photoapparat**	
-n	bathysphere	(*m.*), -e	camera
sogar	even	**Fernsehgerät**	television
hinunterstoßen		(*n.*), -e	device
(*sep.*)	to get down to		

VOCABULARY

bauen	to build, construct, erect, cultivate, till	**klein**	small, little, short
dreißig	thirty	**langsam**	slow
enthalten	to contain, include	**löslich**	soluble
Erfindung (*f.*), **-en**	invention	**Mitteilung** (*f.*), **-en**	communication
Erforschung (*f.*), **-en**	investigation, exploration	**Nähe** (*f.*)	nearness, vicinity
erreichen	to reach, attain	**in der Nähe**	near (to)
fahren	to ride, travel	**ohne**	without
Fall (*m.*), **=e**	case	**Sorte** (*f.*), **-n**	sort, kind, variety, type
Forscher (*m.*), **-**	investigator	**stark**	strong, extensive, large
geeignet	suited, specific, qualified, suitable	**tief**	deep, profound
Gerät (*n.*), **-e**	equipment, device, apparatus	**Tiefe** (*f.*), **-n**	depth
		um	by
gering	small, slight	**um mehr als**	by more than
hangen, hängen	to hang, cling	**verbessern**	to improve
Höhe (*f.*), **-n**	altitude, height	**vorkommen** (*sep.*)	to occur, happen, be found
Jahrzehnt (*n.*), **-e**	decade		
je	always; per	**Wachstum** (*n.*)	growth
je . . . desto,		**wässerig**	watery, aqueous
je . . . um so	the . . . the	**Welle** (*f.*), **-n**	wave
		zunehmen (*sep.*)	to increase, grow

12

1. Werden

The basic meaning of **werden** is *to become*. It may function as an independent verb or as an auxiliary in the future tense and the passive voice (Lesson 13).

PRESENT	PAST	PRESENT PERFECT	PAST PERFECT
ich werde	wurde	bin geworden	war geworden
du wirst	wurdest	bist geworden	warst geworden
er wird	wurde	ist geworden	war geworden
sie wird	wurde	ist geworden	war geworden
es wird	wurde	ist geworden	war geworden
wir werden	wurden	sind geworden	waren geworden
ihr werdet	wurdet	seid geworden	wart geworden
sie werden	wurden	sind geworden	waren geworden

Note the different stem vowels in the present and past; remember the **u** in **wurde(n)** as characteristic of the past tense of **werden**.

Der Name Ford wurde in der ganzen Welt bekannt.
The name Ford became known in the whole world.
Das Wasser ist zu Eis geworden. *The water turned (in)to ice.*

Werden + **zu** is best translated: *to turn (in)to.*

2. Future Tense

SINGULAR	PLURAL
ich werde arbeiten	wir werden arbeiten
du wirst arbeiten	ihr werdet arbeiten
er wird arbeiten	
sie wird arbeiten	sie werden arbeiten
es wird arbeiten	

Werden is the auxiliary in future tenses. The present tense of **werden** used with an infinitive is your clue for the future tense.

Wir werden nun diesen Versuch wiederholen.
We will now repeat this experiment.

Observe the word order in this example. Since **werden** is the finite verb, it is the second element in a main clause. The infinitive, like the past participle, stands at the end of a main clause. In translating, follow the same procedure as with **sein** and **haben**. Determine first whether **werden** is the main verb or an auxiliary.

3. Future Perfect Tense

The future perfect is formed by **werden** used with the past infinitive of a verb:

> **er wird beendet haben**   *he will have finished*
> **er wird gekommen sein**   *he will have come*

The past infinitive of a verb consists of the past participle plus the infinitive of **haben** or **sein**:

beendet haben	*to have finished*
gesagt haben	*to have said*
gekommen sein	*to have come*
gewesen sein	*to have been*

Die Studenten werden die Versuche in einer Woche beendet haben. *The students will have finished the experiments in a week.*

The future perfect is rare in German.

4. Future Tenses Used to Express Probability

In German the future and future perfect are used to express probability.

Das wird wohl das Ende dieser Arbeit sein. *This is probably the end of this work.*
Er wird das Buch schon kennen. *He probably knows the book.*
Er wird die Antwort wohl nicht gewußt haben. *He probably did not know the answer.*
Er wird wohl gestern gekommen sein. *He probably came yesterday.*

The future tense expresses probability in reference to the present, and the future perfect expresses probability in reference to the past. The words **wohl, doch, schon** are frequently used in these constructions.

EXERCISES

1. Ihr werdet sein wie Gott und wissen, was gut und böse ist.
2. Für uns ist die Praxis wichtiger geworden als die Theorie.
   (Note the position of the past participle in this comparison.)
3. Das wird wohl der Herr Direktor gewesen sein.
4. Die Flüssigkeit wurde durch Schütteln mit 50-100 g Kieselgur klar und ohne Verlust filtrierbar.
5. Im folgenden werden wir hauptsächlich lineare Ströme besprechen.
6. Die Prüfung wird jetzt wohl schon beendet sein.
7. Seit dem Ende des Zweiten Weltkrieges sind nur wenige neue Baugedanken sichtbar geworden.
8. Am 15.9.1949 wurde Dr. Konrad Adenauer Bundeskanzler der Bundesrepublik Deutschland.
9. Viele Genies sind im engsten Sinne des Wortes geisteskrank gewesen oder sind es später geworden.
10. Ferner werden wir in diesem Kapitel voraussetzen, daß . . .
11. Dieses Werk wird für jeden Erzieher sehr nützlich sein.
12. Während des letzten Krieges wurde in Deutschland fast jeder taugliche Mann Soldat.
13. Edison wird das wohl nicht gewußt haben.
14. Der Nährstoffreichtum eines Bodens wird natürlich zum Teil von seiner physikalischen und petrographischen Beschaffenheit abhängen.
15. Die Atomkraft wird dem Menschen wahrscheinlich eine sehr nützliche Kraftquelle werden.
16. Der Student tauchte ein Stück Lackmuspapier in eine Lösung von Ammoniak, und das Papier wurde blau.

1. böse	evil	geisteskrank	mentally ill, insane
2. Praxis (f.)	practice, practical experience	10. Kapitel (n.), -	chapter
4. schütteln	to shake	voraussetzen (sep.)	to assume, presuppose
g (Gramm) (n.)	gram		
Kieselgur (f.)	siliceous earth	11. Erzieher (m.), -	educator
filtrierbar	filterable	12. tauglich	fit
6. Prüfung (f.), -en	test, examination	Soldat (m.), -en	soldier
7. Baugedanke (m.), -n	building idea	14. Nährstoffreichtum (m.)	abundance of nutrients
8. Bundeskanzler (m.), -	federal chancellor	15. Quelle (f.), -n	source, spring
9. Genie (n.), -s	genius	16. tauchen	to dip, dive
		Stück (n.), -e	piece

17. Durch anstrengende Arbeit werden die Muskeln eines jungen
    Menschen immer stärker.
18. Während dieses Prozesses war ein Teil der erzeugten Wärme frei
    geworden.
19. In dieser Mitteilung werden wir die wichtigsten Ergebnisse unserer
    Untersuchungen angeben.

17. anstrengend	strenuous
Muskel (*m.*), **-n**	muscle

Die Vermehrung der Bevölkerung der Erde

Die immer zahlreicher werdende Bevölkerung der Erde wird
wahrscheinlich zu immer größeren Problemen führen. Im Jahre
1850 betrug die Weltbevölkerung etwa 1,2 Milliarden, 1900 war
sie etwa 1,5 Milliarden. Heute leben ungefähr 2,5 Milliarden
Menschen auf der Erde. In 50 Jahren wird die Zahl der Menschen   5
fast doppelt so hoch sein. Wie lange wird die Bevölkerung weiter
ansteigen?
Überbevölkerung, sagen manche Soziologen, wird zu einem
gedrückten Lebensstandard führen. Andere sind einer entgegengesetzten Meinung. Nach ihren Theorien wird die Produk-   10
tion der nötigen Lebensunterhaltsmittel mit dem Bevölkerungszu-
wachs Schritt halten oder wird ihn (*it*) sogar übertreffen.

Vermehrung (*f.*)	increase	**entgegengesetzt**	opposite
Milliarde (*f.*), **-n**	billion	**Lebensunterhaltsmittel**	means of sustain-
doppelt	double, twice	(*n.*), -	ing life
wie	how	**Zuwachs** (*m.*)	increase
ansteigen (*sep.*)	to increase	**Schritt halten**	to keep in step,
Überbevölkerung (*f.*)	overpopulation		keep pace
Soziologe (*m.*), **-n**	sociologist	**übertreffen**	to surpass
gedrückt	depressed, lower		

VOCABULARY

abhängen (*sep.*) **von**	to depend upon
beenden	to conclude, finish
Beschaffenheit (*f.*), **-en**	nature, character, quality
Bevölkerung (*f.*), **-en**	population
blau	blue
eng(e)	narrow, close
erzeugen	to produce
ferner	further, farther, besides
frei	free, uncombined
führen	to lead, conduct
Gott (*m.*), ⸗**er**	God
hauptsächlich	mainly, chiefly, essentially
Herr (*m.*), **-en**	master, Mr.
jetzt	now
jung	young
klar	clear, distinct
Mann (*m.*), ⸗**er**	man, husband
Meinung (*f.*), **-en**	opinion, belief, idea
nützlich	useful
Papier (*n.*), **-e**	paper
sichtbar	visible, evident
Sinn (*m.*), **-e**	mind, sense
sogar	even
spät	late
Strom (*m.*), ⸗**e**	current, stream
Verlust (*m.*), **-e**	loss, casualty
wahrscheinlich	probable, likely, plausible
Wärme (*f.*)	heat, warmth
weiter	farther, further, additional
wohl	well, perhaps, indeed, probably, no doubt
Zahl (*f.*), **-en**	number, figure
zahlreich	numerous

13

1. Passive Voice

The tenses studied so far have all been in the active voice. In the active voice, the subject performs the action expressed by the verb:

The scientist performs the experiment.

In the passive voice the subject is acted upon, hence is passive:

The experiment is (being) performed by the scientist.

2. Present and Past Tenses of the Passive Voice

PRESENT

er, sie, es wird behandelt *he, she, it is (being) treated*
sie werden behandelt *they are (being) treated*

PAST

er, sie, es wurde behandelt *he, she, it was (being) treated*
sie wurden behandelt *they were (being) treated*

The German passive voice consists of the auxiliary **werden** plus the past participle of the verb. The tense of **werden** determines the tense of the passive voice.

Der Friedensvertrag wurde von den Staatsmännern unterzeichnet.
The peace treaty was signed by the statesmen.
Dieses Gas wurde durch Erhitzen eines festen Körpers gewonnen.
This gas was obtained by heating a solid body.

The prepositions **von, durch,** and occasionally **mit,** are equivalent to English *by*.

As in other compound tenses, the past participle is separated from the finite verb and stands at the end of the main clause. Check the end of the clause and translate the complete verb.

77

3. Three Uses of **werden**

a. **werden** used as main verb—basic meaning *to become* (Lesson 12, 1)
b. **werden** plus infinitive — Future Tense (Lesson 12, 2)
c. **werden** plus past participle — Passive Voice (Lesson 13, 2)

4. Personal Pronouns

From the conjugation of verbs, you are acquainted with the nominative case of personal pronouns. The full declension follows (genitive forms occur rarely):

SINGULAR

NOM.	**ich**	*I*	**du**	*you*
GEN.	**(meiner)**		**(deiner)**	
DAT.	**mir**	*(to) me*	**dir**	*(to) you*
ACC.	**mich**	*me*	**dich**	*you*

NOM.	**er**	*he, it*	**sie**	*she, it*	**es**		*it*
GEN.	**(seiner)**		**(ihrer)**		**(seiner)**		
DAT.	**ihm**	*(to) him, it*	**ihr**	*(to) her, it*	**ihm**	*(to) it*	
ACC.	**ihn**	*him, it*	**sie**	*her, it*	**es**		*it*

PLURAL

NOM.	**wir**	*we*	**ihr**	*you*	**sie**		*they*
GEN.	**(unser)**		**(euer)**		**(ihrer)**		
DAT.	**uns**	*(to) us*	**euch**	*(to) you*	**ihnen**	*(to) them*	
ACC.	**uns**	*us*	**euch**	*you*	**sie**		*them*

SINGULAR AND PLURAL

NOM.	**Sie**	*you*
GEN.	**(Ihrer)**	
DAT.	**Ihnen**	*(to) you*
ACC.	**Sie**	*you*

5. Agreement of Pronoun and Antecedent

Gott hat die Welt erschaffen, aber sie ist nicht göttlich.
God created the world, but it is not divine.
Man erhitzt den Stein und stellt ihn dann ins kalte Wasser.
The stone is heated and then is placed in cold water.

The third-person pronoun (**er, sie, es; sie**) agrees with its antecedent (the noun) in gender and number. In translating the pronoun, remember that in English inanimate objects are neuter, while in German they may be masculine, feminine, or neuter.

EXERCISES

1. Die Wettervorhersage wird über Presse und Funk verbreitet.
2. Die Viren sind Erreger von ansteckenden Krankheiten bei Menschen, Tieren und Pflanzen. Sie sind noch kleiner als Bakterien und im Lichtmikroskop nicht sichtbar.
3. Der Äther wird aus Äthylalkohol und Schwefelsäure hergestellt. Er dient als Lösungsmittel für Fette und zum Töten von Insekten. In der Medizin verwendet man ihn als Betäubungsmittel.
4. Petrus wurde wahrscheinlich im Jahre 67 in Rom gekreuzigt.
5. Die Astronomie wird auch Himmelskunde oder Sternkunde genannt. Sie ist die Wissenschaft von den Himmelskörpern und ihren Bewegungen.
6. Die außergewöhnlich schnelle Mechanisierung der Landwirtschaft in Schweden wurde durch staatliche Hilfen unterstützt.
7. Im nächsten Brief werde ich Ihnen einen genauen Bericht erstatten.
8. Die Menschen sind Bestien, sie haben nichts gelernt und nichts vergessen.
9. In der Biologie werden radioaktive Indikatoren ebenfalls mit Erfolg angewandt.
10. In meinem letzten Briefe habe ich Sie auf die Folgen Ihres unverantwortlichen Betragens aufmerksam gemacht. Sie werden mir eines Tages dankbar sein.

1. Wettervorhersage (*f.*)	weather forecast	5. Himmelskunde (*f.*)	study of the heavens
Funk (*m.*)	radio	Sternkunde (*f.*)	study of the stars
verbreiten	to spread, disseminate	Himmelskörper (*m.*), -	celestial body
2. Erreger (*m.*), -	exciter, producer	7. erstatten	to give, make
ansteckend	contagious	8. Bestie (*f.*), -n	beast
3. Schwefelsäure (*f.*)	sulphuric acid	9. Indikator (*m.*), -en	indicator, tracer
Lösungsmittel (*n.*), -	solvent	10. Folge (*f.*), -n	consequence
Betäubungsmittel (*n.*), -	anesthetic	unverantwortlich	irresponsible
4. kreuzigen	to crucify	Betragen (*n.*)	behavior
		dankbar	thankful

11. Lichtwellen werden von durchsichtigen Substanzen gebrochen.
12. Wie du mir, so ich dir.
13. Der Nobelpreis wurde von Alfred Nobel gestiftet. Jedes Jahr werden fünf Preise für hervorragende Leistungen verliehen, und zwar die Preise für Physik, Chemie, Medizin, Literatur und der Friedenspreis. Die Nobelpreisträger für die vier Wissenschaften werden durch die Schwedische Akademie in Stockholm ausgewählt. Die norwegische Volksvertretung bestimmt den Träger des Friedenspreises.

11. **durchsichtig**	transparent	**Friede** (*m.*)	peace
brechen	to break, refract	**Träger** (*m.*), -	carrier, winner
13. **Preis** (*m.*), **-e**	prize	**auswählen** (*sep.*)	to select
stiften	to found, donate	**Volksvertretung**	
hervorragend	outstanding	(*f.*), **-en**	parliament

Sturm und Drang (*Storm and Stress*)

Sturm und Drang ist eine Bewegung in der deutschen Literatur.
Die Bewegung hatte eine verhältnismäßig kurze Dauer, von
ungefähr dem Ende der 60er bis in den Anfang der 80er Jahre des
18. Jahrhunderts. Sie wurde von vielen einheimischen und ausländischen Einflüssen angeregt. Von den letzteren werden wir nur   5
den Engländer Edward Young und den Franzosen Jean-Jacques
Rousseau erwähnen.

Die jungen Sturm und Drang Dichter protestierten gegen die
Herrschaft des abstrakten Verstandes und gegen zeitlos gültige
Regeln und Gesetze. Von ihnen wurden u.a. die schöpferische   10
Kraft der leidenschaftlichen Gefühle, der Subjektivismus, das
Individuelle und Irrationale verherrlicht.

Goethes „Die Leiden des jungen Werthers" und Schillers
„Die Räuber" werden als repräsentative Werke dieser Periode
angesehen.   15

einheimisch	native	**schöpferisch**	creative
ausländisch	foreign	**leidenschaftlich**	passionate, rapturous
anregen (*sep.*)	to stimulate	**Gefühl** (*n.*), -e	feeling
protestieren	to protest	**verherrlichen**	to glorify
Herrschaft (*f.*)	rule, dominance	**Leid** (*n.*), -en	sorrow
zeitlos	timeless, universal	**Räuber** (*m.*), -	robber

VOCABULARY

Anfang (*m.*), ⸗e	beginning, origin	**Krankheit** (*f.*), -en	illness, disease
ansehen (*sep.*)	to regard, look at	**Landwirtschaft** (*f.*)	agriculture
aufmerksam	attentive, courteous	**Leistung** (*f.*), -en	work, achievement, performance
aufmerksam machen auf	to call (someone's) attention to		
außergewöhnlich	unusual, extraordinary	**lernen**	to learn
		letzt–	latter, last
		nächst	next
Bericht (*m.*), -e	report	**Regel** (*f.*), -n	rule
Brief (*m.*), -e	letter	**u.a. (unter anderem, unter anderen)**	among other things, among others
Dauer (*f.*)	duration	**über**	above, over, across, about
dienen	to serve		
ebenfalls	likewise, also	**vergessen**	to forget
erwähnen	to mention	**verleihen**	to confer, bestow, grant
Gesetz (*n.*), -e	law		
gültig	valid	**Verstand** (*m.*)	reason
herstellen (*sep.*)	to produce, make, prepare	**zwar**	indeed, to be sure, that is

14

1. Perfect Tenses of the Passive Voice

PRESENT PERFECT

er, sie, es ist behandelt worden   *he, she, it has been (was) treated*
sie sind behandelt worden   *they have been (were) treated*

PAST PERFECT TENSE

er, sie, es war behandelt worden   *he, she, it had been treated*
sie waren behandelt worden   *they had been treated*

Note that, in the perfect tenses of the passive voice, the past participle of **werden** is **worden** (not **geworden,** the past participle of **werden** when it means *to become:* **Es ist kalt geworden**):

Die Versuche sind im ersten Kapitel des Buches beschrieben <u>worden</u>. *The experiments were described in the first chapter of the book.*

Remember this rule: When you come to a form of **sein, haben,** or **werden,** check the end of the clause: **worden** stands at the end of a main clause, preceded by the past participle of the main verb.

2. Infinitive of the Passive Voice

PRESENT INFINITIVE: **geliebt werden**   *to be loved*
PAST INFINITIVE: **geliebt worden sein**   *to have been loved*

3. Future Tense of the Passive Voice

Die Preise werden erhöht werden.   *The prices will be raised.*

The future passive consists of the auxiliary **werden** and the passive infinitive of a verb.

4. Future Perfect of the Passive Voice

er wird behandelt worden sein   *he will have been treated*

The future perfect passive is rarely used, except to express probabilty:

Dieses Buch wird wohl schon besprochen worden sein.
This book probably has already been discussed.

5. Word Study

a. Cognates

In the preceding lessons, you have read many German words that you could translate without consulting the vocabulary. These words are identical, or nearly so, in German and English. Some of these words go back to a common parent language, while others may have been adopted from Greek, Latin, or French:

die **Hypnose**	der **Winter**	die **Tonne**
die **Mathematik**	der **Sommer**	das **Liter**
die **Demokratie**	der **Sonntag**	die **Physik**
die **Biologie**	der **Freitag**	die **Industrie**
die **Geologie**	der **Mai**	das **Glas**
die **Gasmaske**	die **Elektrizität**	die **Theorie**
der **Zylinder**	das **Metall**	die **Substanz**

b. Suffix -er

The **-er** suffix frequently denotes an occupation.

der **Physiker**	*the physicist*	der **Lehrer**	*the teacher*
der **Arbeiter**	*the worker*	der **Priester**	*the priest*
der **Bäcker**	*the baker*	der **Ansager**	*the announcer*
der **Chemiker**	*the chemist*	der **Apotheker**	*the druggist*

With the infinitive stem of a verb, the **-er** suffix denotes a person engaged in the activity indicated by the verb.

der **Leser**	*the reader*	der **Finder**	*the finder*
der **Lenker**	*the driver*	der **Sucher**	*the searcher*
der **Trinker**	*the drinker*	der **Erfinder**	*the inventor*

Occasionally, the **-er** suffix denotes an instrument.

der **Zeiger**	*the pointer, hand (of a dial)*
der **Hörer**	*the receiver*
der **Rührer**	*the stirrer, stirring rod*

der Bohrer	*the drill*
der Schalter	*the switch*
der Geigerzähler	*the Geiger counter*

EXERCISES

1. Die landwirtschaftliche Produktion ist durch den Mechanisierungsprozeß gesteigert worden.
2. Die wesentlichen Grundgedanken der heutigen Atomphysik waren schon von den alten Griechen geschaffen worden.
3. Die Chemie war an der Entwicklungsgeschichte der Kernphysik maßgebend beteiligt. Durch die Chemie war man vorwiegend zu der Entdeckung der Elemente Po, Ra, Rn, Ac, Pa und zahlreicher Isotopen geführt worden.
4. Im Spätsommer werden Blätter (*leaves*), Stengel (*stems*) und Wurzeln dieser Pflanze getrennt geerntet werden.
5. Das wird später gezeigt werden.
6. Die Größe der Faradayschen Spannung ist zuerst von J. Cl. Maxwell berechnet worden.
7. Die ersten Raketen sind von einem Sauerstoff-Alkoholgemisch angetrieben worden.
8. Die wesentlichsten technischen und theoretischen Voraussetzungen für den Wolkenkratzer (*skyscraper*) waren in drei Ländern aufgestellt worden: England, Frankreich und den Vereinigten Staaten.
9. Alle tierischen Zellen werden von wässerigen, eiweißhaltigen (*albumen-containing*) Flüssigkeiten, dem Blut und der Lymphe, umspült.
10. Die meisten dieser Spekulationen werden wohl schon verwirklicht worden sein.

2. **Grundgedanke** (*m.*), **-n**	basic idea, basic concept	**getrennt**	separate
		ernten	to harvest
3. **maßgebend**	decisive	6. **berechnen**	to calculate
beteiligt sein	to be engaged, involved; to participate	7. **Gemisch** (*n.*), **-e**	mixture
		antreiben (*sep.*)	to drive, propel
vorwiegend	especially, mainly	8. **Voraussetzung** (*f.*), **-en**	assumption, prerequisite
4. **Wurzel** (*f.*), **-n**	root	9. **umspülen**	to bathe

11. Viele von diesen Ideen werden[1] von anderen Autoren aufgenommen, durch neue Beobachtungen ergänzt und bereichert werden.
12. In der nahen Zukunft werden die meisten Unterseeboote mit Atomkraftwerken ausgestattet sein.
13. Charles Lindbergh ist durch seinen Alleinflug über den Atlantischen Ozean berühmt geworden.

11. **Autor** (*m.*), **-en**	author	**bereichern**	to enrich
ergänzen	to complete, add to	12. **Kraftwerk** (*n.*), **-e**	power plant
		13. **Alleinflug** (*m.*), **≠e**	solo flight

---

[1] Note that **werden** is the auxiliary of three past participles.

Die Hessen im Amerikanischen Freiheitskrieg

In amerikanischen Geschichtsbüchern sind die Hessen schon immer als „mercenaries" bezeichnet worden. Diese Bezeichnung ist ungenau und verewigt die lang gehegte Voreingenommenheit gegen diese Soldaten.

5   Im engeren Sinne des Wortes verkauft ein Söldling (*mercenary*) seine eigenen Dienste und eventuell sein Leben. Dies war jedoch bei den hessischen Soldaten nicht der Fall. Sie sind der Tyrannei und Geldsucht ihrer Fürsten zum Opfer gefallen. Ganze Regimenter deutscher Soldaten sind von ihren Landesvätern an höchst-

10   bietende fremde Länder, besonders England verkauft worden. Dieser Abschnitt deutscher Geschichte ist von Friedrich Kapp in seinem Buch „Der Soldatenhandel deutscher Fürsten nach Amerika: ein Beitrag zur Kulturgeschichte des achtzehnten Jahrhunderts" (Berlin, 1874) eingehend beschrieben worden.

(Fortsetzung folgt)

Hesse (*m.*), **-n**	Hessian	**Geldsucht** (*f.*)	mania for money
Freiheitskrieg (*m.*),	war of inde-	**Opfer** (*n.*), **-**	victim
-e	pendence	**zum Opfer fallen**	to fall victim to
ungenau	inaccurate	**Landesvater** (*m.*), **⸗**	father of the coun-
verewigen	to perpetuate		try, ruler
hegen	to nourish, cher-	**höchstbietend**	highest bidding
	ish, feel	**Handel** (*m.*)	trade, commerce,
Voreingenommenheit			traffic
(*f.*), **-en**	prejudice	**Beitrag** (*m.*), **⸗e**	contribution
Tyrannei (*f.*)	tyranny		

VOCABULARY

Abschnitt (*m.*), **-e**	part, section, chapter
aufstellen (*sep.*)	to set up, prepare, advance, formulate
ausstatten (*sep.*)	to equip, supply, endow
besonders	especially
bezeichnen	to denote, call
eigen	own, individual
etwas	some, something, somewhat
eventuell	perhaps, possibly
Fortsetzung (*f.*), **-en**	continuation
fremd	foreign, strange
Fürst (*m.*), **-en**	prince, ruler
Größe (*f.*), **-n**	size, magnitude
heutig	of today, present
Idee (*f.*), **-n**	idea
landwirtschaftlich	agricultural
nah(e)	near, close
schaffen	to create, work, produce
Sommer (*m.*)	summer
tierisch	animal
Trennung (*f.*), **-en**	division, separation
verwirklichen	to realize, materialize
wesentlich	essential, substantial, important
zuerst	at first, first of all
Zukunft (*f.*)	future

15

1. Reflexive Pronouns

DIRECT OBJECT

ich habe	<u>mich</u> verletzt	*I injured myself*
du hast	<u>dich</u> verletzt	*you injured yourself*
wir haben	<u>uns</u> verletzt	*we injured ourselves*
ihr habt	<u>euch</u> verletzt	*you injured yourselves*

INDIRECT OBJECT

ich kaufe	<u>mir</u> einen Hut	*I am buying myself a hat*
du kaufst	<u>dir</u> einen Hut	*you are buying yourself a hat*
wir kaufen	<u>uns</u> ein Haus	*we are buying a house (for ourselves)*
ihr kauft	<u>euch</u> ein Haus	*you are buying a house (for yourselves)*

German does not have special forms for the first and second persons singular and plural of the reflexive pronoun, but uses the regular personal pronouns (see Lesson 13). The reflexive pronouns may be direct or indirect objects of the verb or may be used with a preposition:

wir haben von <u>uns</u> gesprochen   we spoke about ourselves

Note the form of the reflexive pronoun in the third person singular and plural:

er hat	<u>sich</u> verletzt	*he injured himself*
sie hat	<u>sich</u> verletzt	*she injured herself*
sie haben	<u>sich</u> verletzt	*they injured themselves*
Sie haben	<u>sich</u> verletzt	*you injured yourself (yourselves)*
sie hat	<u>sich</u> einen Hut gekauft	*she bought herself a hat*
sie haben	<u>sich</u> ein Haus gekauft	*they bought (themselves) a house*

In the third person singular and plural the reflexive pronoun is **sich;** it is used both as the direct and indirect object.

2. Reflexive Verbs

> **er hat ihn verletzt** *he injured him*
> **er hat sich verletzt** *he injured himself*

Many German verbs become reflexive by adding reflexive pronouns. Some German reflexive verbs are idiomatic, and the reflexive pronoun is not necessarily translated. Dictionaries usually indicate such verbs as follows:

> **erinnern** *to remind;* **sich** — *to remember*
> or **erinnern,** v.t. *to remind;* v.r. *to remember*[1]

3. Conjugation of the Reflexive Verb

> **ich erinnere mich** *I remember*
> **du erinnerst dich** *you remember*
> **er, sie, es erinnert sich** *he, she, it remembers*
> **wir erinnern uns** *we remember*
> **ihr erinnert euch** *you remember*
> **sie erinnern sich** *they remember*

4. Position of the Reflexive Pronoun in Main Clauses

Dieses Buch befaßt sich mit der Kolonialpolitik Englands. *This book deals* (**sich befassen**) *with the colonial policy of England.*

Wir befassen uns mit einem schwierigen Problem. *We are dealing with a difficult problem.*

In diesem Behälter hat sich ein Gas gebildet. *In this container a gas was formed* (**sich bilden**).

Die westlichen Staaten der Vereinigten Staaten haben sich in den letzten Jahrzehnten äußerst schnell entwickelt. *The western states of the United States have developed* (**sich entwickeln**) *very rapidly in the last few decades.*

In main clauses, the reflexive pronoun normally follows immediately after the *finite* verb. Note that, in compound tenses, the reflexive pronoun follows the auxiliary while the main verb stands at the end of the clause.

---

[1] v.t. = transitive verb, v.r. = reflexive verb, indicating different meanings and usages.

5. Verb Basis of Compound Words

Many verbs form the basis for compound words. If you know the meanings of suffixes added to verbs, you can determine the meaning of many of these compounds:

a. Suffix **-bar**

The suffix **-bar** corresponds to English *-able* or *-ible:*   **trennbar** (**trennen**   *to separate*)   *separable.*

Give the meanings of the following adjectives:

denkbar	(**denken**	*to think*)
teilbar	(**teilen**	*to divide*)
eßbar	(**essen**	*to eat*)
meßbar	(**messen**	*to measure*)
brauchbar	(**brauchen**	*to use*)
sichtbar	(**sehen**	*to see*)
tragbar	(**tragen**	*to carry*)
waschbar	(**waschen**	*to wash*)

b. Suffix **-lich**

The suffix **-lich** is added to verbs, nouns, and adjectives. The corresponding English suffixes are usually *-able* after verbs and *-ly* after nouns and adjectives. The suffix **-lich** may cause an umlaut in the stem vowel of the word: **Jahr — jährlich.**

Give the meanings of the following adjectives:

lieblich	(**lieben**	*to love*)
veränderlich	(**verändern**	*to change*)
glaublich	(**glauben**	*to believe*)
löslich	(**lösen**	*to solve*)
erhältlich	(**erhalten**	*to obtain*)
nützlich	(**nutzen**	*to use*)
sterblich	(**sterben**	*to die*)
gänzlich	(**ganz**	*whole*)
schwerlich	(**schwer**	*hard*)
stündlich	(**Stunde**	*hour*)
monatlich	(**Monat**	*month*)
mündlich	(**Mund**	*mouth*)

EXERCISES

1. Der weiße (oder gelbliche) Phosphor ist wachsweich und entzündet sich oberhalb 50 Grad, also auch beim Reiben.
2. Ähnlich wie die Erde bewegen sich auch die anderen Planeten um die Sonne.
3. Das gefrierende Wasser dehnt sich aus.
4. Ich habe mir gestern ein äußerst interessantes Buch gekauft.
5. Besonders gut eignen sich zu diesem Versuch Zellen mit gefärbtem Zellsaft.
6. Nach der Niederlage (*defeat*) haben sich die meisten Soldaten ergeben, einige haben sich getötet, während andere sich durch Flucht gerettet haben.
7. Die Psychiatrie beschäftigt sich mit seelischen Krankheiten.
8. Ammoniak zersetzt sich in drei Teile Wasserstoff (*hydrogen*) und einen Teil Stickstoff (*nitrogen*).
9. In sehr großen Höhen verwandelt sich die Luftfeuchtigkeit in Eiskristalle.
10. Der elektrische Widerstand eines Leiters ändert sich mit der Temperatur; er nimmt mit wachsender Temperatur bei metallischen Leitern zu.
11. Zu dieser Arbeit zwinge ich mich; sie ist nicht sehr angenehm.
12. Der Phosphor löst sich in Schwefelkohlenstoff (*carbon disulfide*).
13. Wir bedienen uns hier absichtlich einer etwas primitiven Ausdrucksweise.
14. Die Berliner Humboldt-Universität befindet sich im Ostsektor.
15. In diesem Werke werden wir uns nur mit den religiösen Bewegungen befassen.

1. gelblich	yellowish	9. Feuchtigkeit (*f.*)	moisture, damp-ness
wachsweich	soft as wax		
entzünden (sich)	to ignite	Eis (*n.*)	ice
reiben	to rub	10. Widerstand (*m.*),	
3. gefrieren	to freeze	⸗e	resistance
4. gestern	yesterday	Leiter (*m.*), -	conductor
5. gefärbt	dyed, colored	11. zwingen	to force
Zellsaft (*m.*), ⸗e	cell sap	12. lösen (sich)	to dissolve
6. ergeben (sich)	to surrender	13. absichtlich	intentional
töten (sich)	to commit suicide	Ausdrucksweise	manner of expres-
Flucht (*f.*)	flight	(*f.*), -n	sion, style
retten	to save	14. Ost, Osten (*m.*)	east
8. zersetzen (sich)	to decompose		

16. In den dunklen Rassen haben sich Zwergvölker (*pygmies*) entwickelt; sie werden im Durchschnitt nicht über 150 cm groß.
17. Die beiden Preußenkönige Friedrich Wilhelm I. und Friedrich II. hatten sich für den Aufbau Preußens großen Ruhm (*fame*) erworben.

16. **Rasse** (*f.*), **-n**	race		17. **König** (*m.*), **-e**	king
Durchschnitt			**Preußen** (*n.*)	Prussia
(*m.*), **-e**	average, section		**erwerben**	to acquire

Die Hessen im Amerikanischen Freiheitskrieg (*Fortsetzung*)

Im Juli 1776 kamen 7000 deutsche Soldaten, aus Hessen und verschiedenen anderen Fürstentümern, unter dem Befehl des Generalleutnants von Heister in Staten Island an. Sie wurden dem Kommando des Generals Howe unterstellt. In den nächsten Jahren stieg die Zahl bis auf fast 30 000. Von diesen kehrten   5
jedoch nur ungefähr 17 000 wieder in ihre Heimat zurück. Fast 13 000 sind in Amerika geblieben, entweder als Tote oder als Ansiedler. Von den Deserteuren und Kriegsgefangenen haben sich viele in Pennsylvania und Virginia niedergelassen und sind gute amerikanische Bürger geworden.   10
Ein zeitgenössischer Protest gegen dieses schändliche Blatt in der Geschichte der deutschen Kleinstaaten befindet sich in Schillers Drama „Kabale und Liebe", Akt 2, Szene 2.

Fürstentum (*n.*), **⸗er**	principality	**Kriegsgefangene**	
Befehl (*m.*), **-e**	command	(*m.*), **-n**	prisoner of war
Generalleutnant		**niederlassen (sich)**	
(*m.*), **-e**	lieutenant general	(*sep.*)	to settle
unterstellen	to place under	**anscheinend**	apparently
bis auf	to, up to	**zeitgenössisch**	contemporary
Heimat (*f.*)	native land	**schändlich**	shameful, disgrace-
zurückkehren (*sep.*)	to return		ful
tot	dead	**Kabale** (*f.*), **-n**	intrigue
Ansiedler (*m.*), **-**	settler	**Liebe** (*f.*)	love
Deserteur (*m.*), **-e**	deserter		

VOCABULARY

ändern (sich)	to change, alter	**bewegen (sich)**	to move
ankommen (*sep.*)	to arrive	**Blatt** (*n.*), **⸗er**	leaf, page
Aufbau (*m.*)	building, synthesis, development	**Bürger** (*m.*), **-**	citizen
		dunkel	dark, dim
ausdehnen (sich)		**eignen (sich)**	to be suitable, suited
(*sep.*)	to expand, extend	**entweder**	either
bedienen	to serve, employ; *v. r.* to use, avail oneself of	**entwickeln (sich)**	to develop
		etwas	some, something, somewhat
befassen (sich)	to concern oneself, deal (with)	**Grad** (*m.*), **-e**	degree
		oberhalb	above
befinden (sich)	to be, feel, find oneself, be located	**seelisch**	psychic
		verwandeln (sich)	to transform, change
beschäftigen	to employ, occupy; *v. r.* to deal (with)	**wachsen**	to grow, increase

Paracelsus

Theophrastus Bombastus von Hohenheim (1493-1541), genannt Paracelsus, ist eine der interessantesten Persönlichkeiten der Frührenaissance. Er wird als Gelehrter, Arzt, Forscher und Schriftsteller in verschiedenen Wissenschaften als Bahnbrecher
5 angesehen. Er verachtete Bücherwissen und sah in der Erforschung der Natur die dringlichste Aufgabe der Wissenschaftler. Für Paracelsus war der Mensch der Mittelpunkt der Welt, der Spiegel des Makrokosmos. Erkenntnis des Makrokosmos, der großen Welt, bedeutete ihm daher auch Erkenntnis des Mikrokosmos, des
10 Menschen.

Paracelsus wird als einer der Begründer der modernen Chemie angesehen. Als Arzt bereitete er die meisten seiner Arzneien im eigenen Laboratorium zu. In seiner alchemistischen Küche fand er neue Heilmittel, besonders metallische und mineralische. Diese
15 waren bisher als giftig angesehen worden. Paracelsus empfahl z.B. Salz mit starkem Jodgehalt als Heilmittel gegen den Kropf. Mit

Persönlichkeit (*f.*), -en	personality
Frührenaissance (*f.*)	early Renaissance period
Arzt (*m.*), ⁼e	doctor, physician
Schriftsteller (*m.*), -	writer, author
Bahnbrecher (*m.*), -	pioneer
ansehen (*sep.*)	to regard, look at
verachten	to despise
Bücherwissen (*n.*)	book learning
Erforschung (*f.*), -en	investigation, study
dringlich	pressing
Aufgabe (*f.*), -n	lesson, task

Mittelpunkt (*m.*), -e	center
Spiegel (*m.*), -	mirror
bedeuten	to mean, signify
Begründer (*m.*), -	founder
zubereiten (*sep.*)	to prepare
Arznei (*f.*), -en	medicine
alchemistisch	alchemical
Küche (*f.*), -n	kitchen
Heilmittel (*n.*), -	remedy
giftig	poisonous
empfehlen	to recommend
z.B. (zum Beispiel)	for example
Salz (*n.*), -e	salt
Jodgehalt (*m.*)	iodine content
Kropf (*m.*), ⁼e	goiter

der Einführung chemischer Arzneimittel wurde er der Vater der modernen Chemotherapie.

Mit seiner Schrift „Von der Bergsucht" legte Paracelsus den Grund für die moderne Lehre von Gewerbekrankheiten und   20
Gewerbehygiene. Er studierte die eigenartigen Krankheiten der Bergbauarbeiter und suchte auch entsprechende Heilmittel für sie. Durch seine vielen Versuche mit Quecksilber ist Paracelsus selbst an einer gewerbsmäßigen Vergiftung gestorben.

Als Arzt machte sich Paracelsus auch in der Chirurgie verdient.   25
Damals wurden Operationen nicht von akademisch gebildeten Ärzten ausgeführt, sondern von Badern. Paracelsus hingegen wirkte nicht nur als beratender Arzt, sondern auch als Chirurg. Er führte Operationen selbst aus. Damit verhalf er der Chirurgie zu einem gewissen Ansehen. Als Chirurg waren ihm seine außeror-   30
dentlichen Kenntnisse in der Anatomie sehr wertvoll, denn die Bader und auch die meisten Ärzte verstanden wenig von der Anatomie. Dieses Studium war damals noch weithin verpönt.

Auch in der Psychologie und in der Psychiatrie hat Paracelsus grundlegende Arbeit geleistet. Er hat auch schon psychologische   35
Heilmittel befürwortet. Als erster machte er einen Unterschied

Einführung (*f.*),		**ausführen** (*sep.*)	to carry out, perform
-en	introduction	**Bader** (*m.*), -	barber
Vater (*m.*), =	father	**hingegen**	on the other hand
Schrift (*f.*), **-en**	work	**wirken**	to act
Bergsucht (*f.*)	miner's disease	**beraten**	to advise
Lehre (*f.*), **-n**	teaching, science	**Chirurg** (*m.*), **-en**	surgeon
Gewerbekrankheit	occupational	**damit**	with that
(*f.*), **-en**	disease	**verhelfen**	to help, aid
eigenartig	peculiar,	**gewiß**	certain
	characteristic	**Ansehen** (*n.*)	respect, reputation,
Bergbauarbeiter			prestige
(*m.*), -	miner	**wertvoll**	valuable
suchen	to search, seek	**denn**	for
entsprechend	corresponding	**verstehen**	to understand
selbst	himself	**wenig**	little
gewerbsmäßig	professional,	**weithin**	to a large extent
	occupational	**verpönt**	taboo
Vergiftung (*f.*)	poisoning	**grundlegend**	basic
sterben	to die	**leisten**	to perform
Chirurgie (*f.*)	surgery	**befürworten**	to propose,
verdient machen	to merit		recommend
(**sich**)	distinction	**Unterschied** (*m.*),	
damals	at that time	**-e**	difference
gebildet	educated, trained		

zwischen Teufelsbesessenheit und Irrsinn. Dies hat wahrscheinlich manchem Irrsinnigen das Leben gerettet, denn während des Mittelalters wurden viele „Teufelsbesessene" hingerichtet.

40   In manchen Beziehungen war Paracelsus noch ein mittelalterlicher Mensch. Aber in seinen wissenschaftlichen und sozialen Anschauungen wird er vielfach als eine der hervorragendsten Gestalten der Frührenaissance angesehen.

Teufelsbesessenheit (*f.*)	being possessed by the devil	**Beziehung** (*f.*), **-en**	respect, relationship
Irrsinn (*m.*)	insanity	**Anschauung** (*f.*), **-en**	view, idea(s)
Irrsinnige (*m.*), **-n**	insane person	**vielfach**	often
retten	to save	**hervorragend**	outstanding
Mittelalter (*n.*)	Middle Ages	**Gestalt** (*f.*), **-en**	figure, shape
hinrichten (*sep.*)	to execute		

16

1. Modal Auxiliaries

German modal auxiliaries, unlike English modals, have a complete conjugational system like other irregular verbs. Learn to recognize the various forms of these modals:

INFINITIVE	PRESENT	PAST	PAST PARTICIPLE	MEANING
müssen	muß	mußte	gemußt	*to have to, must*
dürfen	darf	durfte	gedurft	*to be allowed to, may*
können	kann	konnte	gekonnt	*to be able to, can*
mögen	mag	mochte	gemocht	*to like to*
sollen	soll	sollte	gesollt	*to be supposed to, should*
wollen	will	wollte	gewollt	*to want to*

2. Conjugation of the Modals

a. Present tense

	müssen	dürfen	können	mögen	sollen	wollen
ich	muß	darf	kann	mag	soll	will
du	mußt	darfst	kannst	magst	sollst	willst
er	muß	darf	kann	mag	soll	will
sie	muß	darf	kann	mag	soll	will
es	muß	darf	kann	mag	soll	will
wir	müssen	dürfen	können	mögen	sollen	wollen
ihr	müßt	dürft	könnt	mögt	sollt	wollt
sie	müssen	dürfen	können	mögen	sollen	wollen

b. Past tense

ich mußte	*I had to*
er mußte	*he had to*
wir mußten	*we had to*
sie mußten	*they had to*

97

In the past tense, modals are conjugated like regular verbs.

3. Modals and the Dependent Infinitive

a. Modals with present infinitives

An einem klaren Abend kann man viele Sterne sehen.
On a clear evening one can see many stars.
Wir wollten heute mit dem Versuch fortfahren.
Today we wanted to continue with the experiment.

Modals are normally used with an infinitive. In main clauses, the modal auxiliary, as the finite verb, stands in second position, while the infinitive stands at the end. Follow the same procedure used with other auxiliaries (**haben, sein, werden**): Check the end of the clause.

b. Modals with past infinitives

Er kann diese Tatsache nicht gewußt haben.
He cannot have known this fact.
Diese Nachricht muß wahr gewesen sein.
This news must have been true.

c. Modals with passive infinitives

Die Beobachtungen von Steinhardt konnten bestätigt werden.
The observations of Steinhardt could be confirmed.
Die Beobachtungen von Steinhardt müssen bestätigt worden sein.
The observations of Steinhardt must have been confirmed.

EXERCISES

1. Der rote Phosphor ist unlöslich und kann darum nicht als Gift wirken.
2. Uran 239 kann in den Atomsprengstoff (. . . *explosive*) Plutonium umgewandelt werden.
3. Ich will Ihnen keine Schwierigkeiten bereiten.
4. Die Welt will betrogen sein.
5. Im Schweiße (*sweat*) deines Angesichts sollst du dein Brot essen.

2. **umwandeln** (*sep.*)	to change, transform	4. **betrügen**	to fool, cheat, swindle
3. **bereiten**	to prepare	5. **Angesicht** (*n.*)	face, countenance

6. Denn du bist Erde und sollst zu Erde werden.
7. Schließlich müssen wir in diesem Zusammenhang noch die Dünge-mittelpreise (*fertilizer* . . .) erwähnen.
8. Salben (*salves*) müssen von gleichmäßiger Beschaffenheit und dürfen nicht ranzig (*rancid*) sein.
9. Soll ich meines Bruders Hüter (*keeper*) sein?
10. Das Problem mußte von allen Seiten beleuchtet werden.
11. Der Jäger soll nicht nur die Lebensweise (*habits*) des Wildes kennen, sondern auch seine Entwicklung und Entstehung (*origin*); er soll seinen Hund führen können, eine entsprechende Schießfertigkeit (*marksmanship*) besitzen und endlich das jagdliche Brauchtum kennen, lieben und beobachten.
12. Bei dem heute bestehenden Konkurrenzkampf in der Industrie muß eine Senkung der Produktionskosten erreicht werden, sie darf aber nicht auf Kosten der Qualität durchgeführt werden.
13. Der weiße Phosphor entzündet sich oberhalb 50 Grad, also auch beim Reiben. Er darf deshalb nur unter Wasser geschnitten und nur mit der Zange (*pincers*) angefaßt werden.

8. **gleichmäßig**	homogeneous, equal	12. **bestehen**	to exist
9. **Bruder** (*m.*), ⸚er	brother	**Konkurrenz-kampf** (*m.*), ⸚e	competition
10. **beleuchten**	to illuminate, view	**Senkung** (*f.*), -en	lowering, decrease
11. **Wild** (*n.*)	game animals	13. **entzünden** (sich)	to ignite
Hund (*m.*), -e	dog	**reiben**	to rub
entsprechend	corresponding, adequate	**schneiden**	to cut
		anfassen (*sep.*)	to seize, grasp, take hold of
jagdliche Brauchtum	hunting customs		

Ein Brief

Lafayette, den 30.10.1960

Lieber Arnold!

Ich wollte Dir schon früher schreiben, konnte aber bisher keine Zeit dazu finden. Nun will ich Dir zuerst über meine Eindrücke als
5 Austauschstudent an einer amerikanischen Universität berichten. In vielen Beziehungen ist das Universitätsleben hier viel mehr geregelt aber auch viel reichhaltiger als in Deutschland. Dies gilt sowohl für den Unterricht als auch für das persönliche Leben der Studenten. Der amerikanische Student muß tägliche Hausauf-
10 gaben machen, und in einigen Unterrichtsstunden gibt es sogar tägliche Tests. Er darf auch nur eine gewisse Anzahl von Vorlesungen schwänzen, denn der Besuch der Vorlesungen ist obligatorisch.

Die Universität sorgt auch für die Freizeitgestaltung der
15 Studenten. Sie können sich in hervorragend ausgestatteten Turnhallen sportlich betätigen, Konzerte und Theatervorstellungen besuchen oder sich in den verschiedenartigsten Klubs und Vereinigungen betätigen. Im nächsten Brief werde ich Dir mehr davon erzählen.

20   (Fortsetzung folgt)

Brief (*m.*), -e	letter	**schwänzen**	to cut (a class)
lieb	dear	**Besuch** (*m.*), -e	visit, attendance
dazu	for it	**sorgen (für)**	to care (for), provide
Eindruck (*m.*), ⸚e	impression	**Freizeitgestaltung**	
Austauschstudent		(*f.*), -en	leisure activity
(*m.*), -en	exchange student	**Turnhalle** (*f.*), -n	gymnasium
regeln	to regulate	**betätigen (sich)**	to engage (in)
reichhaltig	rich, abundant,	**sich sportlich b.**	to engage in sports
	varied	**Theatervorstellung**	theatrical
persönlich	personal	(*f.*), -en	performance
Hausaufgabe (*f.*),		**verschiedenartig**	varied
-en	homework	**Vereinigung** (*f.*),	society,
Unterrichtsstunde		-en	organization
(*f.*), -n	class	**davon**	about it

VOCABULARY

besuchen	to visit, attend	**kennenlernen**	to become
Beziehung (*f.*), **-en**	respect, connection, relationship	(*sep.*)	acquainted with
		Kosten (*pl.*)	costs
Brot (*n.*), **-e**	bread	**lieben**	to love, like
darum	about it, therefore	**schließlich**	in conclusion, finally
denn	for	**schreiben**	to write
deshalb	therefore, for that reason	**Schwierigkeit** (*f.*), **-en**	difficulty
durchführen (*sep.*)	to carry out	**Seite** (*f.*), **-n**	side, page
endlich	finite, final	**sogar**	even
erzählen	to tell, relate	**Unterricht** (*m.*), **-e**	instruction
gewiß	certain, sure	**Vorlesung** (*f.*), **-en**	lecture, class
Gift (*n.*), **-e**	poison	**wirken**	to effect, produce, act
hervorragend	outstanding, excellent	**Zusammenhang** (*m.*), **ᵆe**	connection, relationship
kennen	to know		

17

1. Perfect Tenses of Modals

a. Er hat es gemußt. *He had to (do it).*
Er hat es gedurft. *He was allowed to (do it).*

b. Wir haben eine andere Methode benutzen müssen.
We (have) had to use another method.
Kolumbus hatte seine Theorie nicht beweisen können.
Columbus had not been able to prove his theory.

The perfect tenses of all six modals are formed with **haben.** Note that modals have two forms for the past participle: (a) a regular form used when a dependent infinitive (usually **tun**) is not expressed, but understood; (b) a form identical with the infinitive, which is used when a dependent infinitive is expressed. This construction is commonly called a "double infinitive."[1]

When you see a "double infinitive" at the end of a clause, remember that the infinitive of the modal actually represents a past participle. Check the end of the clause when you come upon a form of **haben** and pick up the "double infinitive" before rendering the entire verb unit.

2. Double Infinitive with Other Verbs

Lassen (*to let*), **hören** (*to hear*), and **sehen** (*to see*) also form perfect tenses with a "double infinitive":

Wir haben das Flugzeug kommen sehen. *We saw the plane coming.*
Sie haben den Verletzten auf der Straße liegen lassen.
They left the injured man lying in the street.

---

[1] Note that this "double infinitive" (**benutzen müssen**) is identical with the last two verb forms in a future construction:

> **Wir werden eine andere Methode benutzen müssen.**
> *We will have to use another method.*

3. Idiomatic Meanings of Modal Auxiliaries

In addition to their basic meanings, modals also have idiomatic meanings, some of which are given in the examples below:

dürfen (*to be allowed to*)

Man darf diese Tatsache nicht außer Acht lassen.
We may (must) not disregard this fact.
Man darf das Gemisch nicht zu schnell abkühlen.
The mixture must not be cooled too quickly. (**Dürfen** with **nicht** or **kein** usually means *must not.*)

können (*to be able to*)

Der Student kann Deutsch. *The student knows German.*
Das kann wahr sein. *That may be true.*
Es kann vorkommen, daß ... *It is possible that ...*

mögen (*to like to*)

Das mag stimmen. *That may be correct.*
Komme, was kommen mag! *Come what may!*

sollen (*to be supposed to*)

Diese Aufgabe soll sehr schwer sein. *This lesson is said to be very difficult.*
Der Versuch soll morgen unternommen werden.
The attempt is to be undertaken tomorrow.

wollen (*to want to*)

Die Russen wollen diese Erfindung gemacht haben.
The Russians claim to have made this invention.
Wir wollten eben anfangen. *We were just about to begin.*

4. Word Study

a. Suffix -lich

When added to colors, **-lich** indicates a lesser degree of the quality stated:

blau (*blue*)	**bläulich**	**grün** (*green*)	**grünlich**
rot (*red*)	**rötlich**	**weiß** (*white*)	**weißlich**

b. Suffix **-er**

The suffix **-er** may denote an inhabitant of a continent, state, city, etc.:

ein Amerikaner	ein Wiener	ein Rheinländer
ein Schweizer	ein Berliner	ein Pariser
ein Hamburger	ein Araber	ein Japaner

c. Suffix **-in**

When added to nouns denoting an occupation or an inhabitant, **-in** makes such nouns feminine:

die Amerikanerin	die Köchin	die Lehrerin
die Schweizerin	die Verkäuferin	die Wienerin

die Rheinländerinnen (pl.)   die Mitarbeiterinnen (pl.)

EXERCISES

1. Eine historische Notiz soll dieses Kapitel der Elektronen beschließen.
2. Die Russen wollen viele dieser Erfindungen gemacht haben.
3. An das Vorstehende wollen wir einige thermodynamische Betrachtungen über Thermoelektrizität anschließen.
4. Viele Forscher haben bei diesen Versuchen ihr eigenes Leben riskiert; wir dürfen es nie vergessen!
5. Was er kann, kann ich auch.
6. Der Student konnte sich in Deutschland verständigen — er konnte Deutsch.
7. Die Vorlesung sollte um acht Uhr im Großen Hörsaal (*lecture hall*) stattfinden.
8. Dieses Buch wurde mir empfohlen; es soll sehr anregend sein.
9. Ich will mit dem Versuch morgen anfangen.
10. Ich habe eben mit der Arbeit anfangen wollen.

1. **Notiz** (*f.*), **-en**	note		6. **verständigen**	to make oneself
beschließen	to conclude		**(sich)**	understood
2. **Russe** (*m.*), **-n**	Russian		8. **empfehlen**	to recommend
3. **vorstehen** (*sep*).	to precede, stand		**anregen** (*sep.*)	to stimulate
	before		9. **morgen**	tomorrow
anschließen(*sep.*)	to add		10. **eben**	now, just now
4. **riskieren**	to risk			

11. Aus diesem Grunde hat er die Arbeit einstellen müssen.
12. Im großen und ganzen sollen die Arbeitsverhältnisse hier bedeutend besser sein.
13. Elefanten sollen sich vor Mäusen fürchten.
14. Nach dem zweiten Unfall (*accident*) hat er nicht mehr fliegen wollen.
15. Wegen der Dunkelheit haben wir langsamer fahren müssen.
16. Es mag sein, daß in diesem Lande andere Zustände herrschen.
17. Die Erinnerung (*memory*) kann in der Hypnose ganz oder teilweise erhalten, sie kann vollständig erloschen, aber auch außerordentlich gesteigert sein.
18. Viele Leute mögen die moderne Musik nicht.

11. **Grund** (*m.*), **⸗e**	reason, ground	14. **nicht mehr**	no longer
aus diesem Grunde	for this reason, because of this	15. **Dunkelheit** (*f.*)	darkness
		fahren	to ride, drive
12. **im großen und ganzen**	on the whole	16. **herrschen**	to rule, prevail
13. **Elefant** (*m.*), **-en**	elephant	17. **Hypnose** (*f.*)	hypnosis
Maus (*f.*), **Mäuse**	mouse	**erhalten**	to maintain, receive
fürchten (**sich**)	to be afraid	**vollständig**	complete
		erloschen	extinguished

Ein Brief (*Fortsetzung*)

Nun ein kurzer Bericht über die Reise nach Amerika. Unser
Flugzeug sollte eigentlich die südliche Route über die Azoren
fliegen, aber schlechtes Wetter war vorhergesagt, und wir haben
daher die nördliche Route nehmen müssen. Das Wetter war aus-
5   gezeichnet. Auch die Passagiere waren sehr freundlich, besonders
die Stewardeß. Sie konnte Deutsch, Englisch und Spanisch; sogar
m e i n Englisch konnte sie verstehen. In Neufundland haben wir
eine Notlandung machen müssen — ein Motor hatte ausgesetzt
und mußte repariert werden. Nach einigen Stunden Aufenthalt
10   in Gander konnten wir wieder weiterfliegen und sind ohne weitere
Zwischenfälle am Idlewild-Flugplatz in Neuyork gelandet.

Das nächste Mal sollst Du einen ausführlicheren Brief erhalten!

Mit herzlichen Grüßen!

Dein Emil

Reise (*f.*), **-n**	trip	**reparieren**	to repair
südlich	southern	**Aufenthalt** (*m.*)	stay, sojourn
fliegen	to fly	**weiterfliegen** (*sep.*)	to fly on
vorhersagen (*sep.*)	to predict	**Zwischenfall** (*m.*),	
ausgezeichnet	excellent	**≈e**	incident, episode
Passagier (*m.*), **-e**	passenger	**landen**	to land
freundlich	friendly	**ausführlich**	full, detailed
Notlandung (*f.*),		**herzlich**	cordial
-en	emergency landing	**Gruß** (*m.*), **≈e**	greeting
aussetzen (*sep.*)	to stall		

VOCABULARY

acht	eight	**schlecht**	bad, ill, poor, evil
anfangen (*sep.*)	to begin, commence	**teilweise**	partially
Betrachtung (*f.*),	reflection,	**Verhältnis** (*n.*), **-se**	ratio, proportion, sit-
-en	observation		uation, circum-
eigentlich	true, real		stance, condition
einstellen (*sep.*)	to stop, halt	**verständlich**	intelligible, clear
fliegen	to fly	**wegen**	on account of, be-
Flugzeug (*n.*), **-e**	airplane		cause of
Kapitel (*n.*), **-**	chapter	**Wetter** (*n.*)	weather
nie	never	**Zustand** (*m.*), **≈e**	state, condition

1. Relative Pronouns

	M	F	N	PL	MEANING
NOM.	der	die	das	die	*who, which, that*
GEN.	dessen	deren	dessen	deren	*whose, of whom, of which*
DAT.	dem	der	dem	denen	*(to) whom, which, that*
ACC.	den	die	das	die	*whom, which, that*

	M	F	N	PL	MEANING
NOM.	welcher	welche	welches	welche	*who, which, that*
GEN.	(No genitive forms)				
DAT.	welchem	welcher	welchem	welchen	*(to) whom, which, that*
ACC.	welchen	welche	welches	welche	*whom, which, that*

2. Recognizing Relative Clauses

1. **Der absolute Nullpunkt ist die tiefste Temperatur, die möglich ist.**
   Absolute zero is the lowest temperature (that is) possible.

2. **Die Nutzbarmachung der Energien, welche bei Kernprozessen frei werden, liegt noch in weiter Ferne.** *The utilization of the energies that are freed in nuclear processes still lies in the distant future.*

3. **Die Flüssigkeit, in der sich ein fester Stoff auflöst, heißt das Lösungsmittel.** *The liquid in which a solid substance dissolves is called a solvent.*

Note that a German relative clause is always set off from the main clause by commas. *The finite verb stands last in a relative clause.* If the finite verb is an auxiliary (**sein, haben, werden,** modal), the dependent infinitive or participle will stand immediately before the auxiliary:

Diese Geschichten, die von den meisten Kindern gelesen werden, sind sehr bekannt. *These stories, which are read by most children, are very well known.*

Der Zug, der vor fünf Minuten angekommen ist, kam aus Wien.
The train which arrived five minutes ago came from Vienna.

Important Rule: When a form of **der, die, das,** or **welch-** (or a preposition with one of these forms) directly follows a comma, check the end of the clause. If the finite verb is the last element, you are dealing with a relative clause.

3. Agreement of Relative Pronoun and Antecedent

der Mann, der . . .	**die Frau, die . . .**	**das Kind, das . . .**
die Männer, die . . .	**die Frauen, die . . .**	**die Kinder, die . . .**

Relative pronouns agree in gender and number with the nouns to which they refer. This agreement may occasionally help you determine singulars and plurals of the antecedents (In example 2, 2, above, the **-en** ending of **werden** indicates that **welche** is plural; hence **Energien** must also be plural.)

4. Case of the Pronoun

The case of the pronoun depends on its function in the relative clause:

Der Gelehrte, <u>der</u> ein neues Buch schrieb, . . . (subject)
The scholar, who was writing a new book, . . .
Der Gelehrte, <u>dessen</u> Buch ich gelesen habe, . . . (possessive)
The scholar, whose book I read, . . .
Der Gelehrte, <u>dem</u> das Buch bekannt war, . . . (indir. obj.)
The scholar, to whom the book was known, . . .
Der Gelehrte, <u>den</u> die ganze Welt kannte, . . . (dir. obj.)
The scholar, whom the whole world knew, . . .
Der Gelehrte, mit <u>dem</u> er arbeitete . . . (obj. of prep.)
The scholar with whom he worked . . .

Note the importance of recognizing **dem** or **den** as objects. Do not translate the verb of a relative clause until you have translated the subject.

5. **Was** as a Relative Pronoun

a. **Was** is used as a relative pronoun after neuter indefinites, such as **alles, vieles, nichts, etwas,** and others:

Alles, was ich weiß, . . .   *All that I know . . .*
Etwas, was nicht erlaubt ist, . . .   *Something that is not permitted . . .*

b. **Was** is used after a neuter superlative:

Das Interessanteste, was ich gehört habe, war . . .
The most interesting thing (that) I heard was . . .

c. **Was** is used as a relative pronoun when no specific antecedent exists:

Er erzählte uns, was schon jeder wußte.
He told us what everyone already knew.

d. **Was** is used as a relative pronoun referring to an entire preceding statement; **was** is then usually translated *a fact that, a thing that, something that:*

Er hat dieses Experiment allein durchgeführt, was man kaum glauben kann. *He carried out this experiment all by himself, something that one can hardly believe.*

EXERCISES

1. Im ersten Teil werden Versuche behandelt, die sich mit der Wirkung der Temperatur befassen.
2. Der rote Phosphor ist ein Pulver (*powder*), das sich erst bei 440 Grad entzündet.
3. Eine Bewegung, die durch keinen ausdrücklichen Willensimpuls entsteht, nennt man Spontanbewegung (*spontaneous* . . .).
4. Die amerikanischen Bauernhäuser ähneln städtischen Haushaltungen mit einem Komfort, der Europäern kaum vorstellbar ist.
5. Ein glimmender Holzspan (. . . *splinter*), den wir in das Glas tauchen, verbrennt mit heller Flamme.
6. Wir kennen eine Reihe von Reaktionen, mit deren Hilfe man Aldosen (*acetones*) und Ketosen (*ketones*) gut unterscheiden kann.

2. **entzünden (sich)**	to ignite		**Europäer** (*m.*), -	European
3. **ausdrücklich**	expressed, intentional		**vorstellbar**	imaginable, conceivable
4. **Bauernhaus** (*n.*), ⸗er	farm house		5. **glimmen**	to glow
ähneln	to be similar		**Holz** (*n.*), ⸗er	wood
Haushaltung (*f.*), -en	home		**tauchen**	to dip

7. Die erste der schönen Künste, die man im Mittelalter in Italien wieder aufblühen sah, war die Baukunst.

8. Die Menschenverluste, die dieser Krieg in den letzten Kriegs- und Nachkriegsjahren verursachte, konnten bisher noch nicht gezählt werden.

9. Der Höhepunkt des Vertikalstiles wurde in dem New York Daily News Building erreicht, welches von den Architekten Hood und Howells entworfen und im Jahre 1930 gebaut wurde.

10. Zu dieser Arbeit wurden Tiere verwendet, deren Eltern gegen diese Krankheit immun waren.

11. Wir erhielten auf diese Weise ein Präparat, dessen Schmelzpunkt bei 17 Grad lag.

12. Die Zahl der Antihistamine, die in den letzten Jahren in den Handel gekommen sind, ist außerordentlich groß.

7. schön	beautiful	**Stil** (*m.*), **-e**	style	
schöne Künste	fine arts	**entwerfen**	to design	
aufblühen (*sep.*)	to blossom, sprout, bloom	11. **Präparat** (*n.*), **-e**	preparation	
Baukunst (*f.*)	architecture	**Schmelzpunkt** (*m.*), **-e**	melting point	
8. Verlust (*m.*), **-e**	loss	12. **Handel** (*m.*)	trade	
verursachen	to cause	**in den Handel kommen**	to be put on the market	
noch nicht	not yet			
9. Höhepunkt (*m.*), **-e**	high point, zenith			

Überschallgeschwindigkeit*

Eine Geschwindigkeit, die größer als die Schallgeschwindigkeit des umgebenden Mediums (rund 1200 km /h) ist, heißt Überschallgeschwindigkeit.

Flugzeuge, die mit Propeller angetrieben werden, eignen sich nicht für Überschallgeschwindigkeitsflüge. Der Wirkungsgrad der 5
Propeller sinkt mit Annäherung an die Schallgeschwindigkeit zu stark ab. Heute durchbrechen Düsenflugzeuge die Schallmauer mit Leichtigkeit. C. Yeager (USA), der am 14.10.1947 auf einer Bell XS-1 eine Geschwindigkeit von 1630 km /h erreichte, führte den ersten Überschallgeschwindigkeitsflug eines bemannten Flug- 10
zeuges aus.

Überschallgeschwindigkeit (*f.*), -en	supersonic speed	Wirkungsgrad(*m.*),-e	efficiency
Schall (*m.*)	sound	absinken (*sep.*)	to decrease
umgeben	to surround	Annäherung (*f.*), -en	approach
rund	about, around	durchbrechen	to break through
antreiben (*sep.*)	to drive	Düsenflugzeug (*n.*),-e	jet plane
Flug (*m.*), ⸗e	flight	Schallmauer (*f.*)	sound barrier
		bemannt	manned

VOCABULARY

ausführen (*sep.*)	to carry out, execute	Mittelalter (*n.*)	Middle Ages
behandeln	to treat, discuss	städtisch	municipal, urban
entstehen	to arise, develop	unterscheiden	to distinguish, differentiate
hell	bright, clear, light		
Holz (*n.*), ⸗er	wood	verbrennen	to burn
Kunst (*f.*), ⸗e	art, skill	Wirkung(*f.*),-en	effect, action
Leichtigkeit (*f.*)	ease	zählen	to count
liegen	to lie, be placed *or* situated		

---

* Adapted from Der Große Brockhaus, 16. Auflage, F. A. Brockhaus, Wiesbaden.

19

1. Demonstrative Pronouns

a. Forms of **der, die, das; die** may be used as demonstrative pronouns and are then declined like relative pronouns (Lesson 18). As demonstrative pronouns, forms of **der, die, das; die** are used for emphasis:

> **Kennen Sie den neuen Lehrer? Nein, den kenne ich nicht.**
> *Do you know the new teacher? No, I don't know him.*
> **Die Beschreibung der Maschine und deren Gebrauch.**
> *The description of the machine and its use.*

Der, die, das; die, used as personal pronouns, mean *he, she, it, that, this, they,* etc.

b. Demonstrative forms of **der, die, das; die** are used as antecedents of relative pronouns:

> **Die Polizei kennt den, der das Auto gestohlen hat.**
> *The police knows the one who stole the car.*
> **Das ist nicht der, den wir suchen.**
> *That is not the one we are looking for.*
> **Das sind die Ansichten derer, die gegen uns sind.**
> *These are the views of those who are against us.*
> (As an antecedent, **derer** is used instead of **deren**.)

c. Forms of **der, die, das; die** may stand directly before a genitive article:

> **Die Gesetze Deutschlands und die der Vereinigten Staaten . . .** *The laws of Germany and those of the United States . . .*
> **Die Temperatur des Wassers und die des Eises . . .** *The temperature of water and that of ice . . .*

2. Other Demonstrative Pronouns

    a. derjenige, diejenige, dasjenige; diejenigen   *the one, he, it, she, those,* etc.

        Diejenigen, die nicht untersucht worden waren, . . .
        Those who had not been examined . . .
        Das Geld wird demjenigen gezahlt werden, der . . .
        The money will be paid to the one (him), who . . .

This pronoun is usually followed by a relative clause. The first part of the word is declined like a definite article, while the second part takes adjective endings.

    b. derselbe, dieselbe, dasselbe; dieselben   *the same (one), the same thing, he, she, it,* etc.

        Das Eisen hat dieselben Eigenschaften.   *Iron has the same properties.*
        Dasselbe wurde auch früher beobachtet.   *The same thing was also observed before.*
        Auch meine Mitarbeiter benutzen diese Methode, seit sie dieselbe kennen.   *My co-workers have also been using this method since they became acquainted with it.*

Derselbe, etc., is declined like **derjenige,** etc.

3. Word Study

    a. Suffix **-los** (*-less, without*)

brotlos	*breadless*		**arbeitslos**	*unemployed*
farblos	*colorless*		**furchtlos**	*fearless*
machtlos	*powerless*		**zahllos**	*countless*
geldlos	*without money*		**bewegungslos**	*motionless*
erfolglos	*unsuccessful*		**staatenlos**	*stateless*

    b. Suffix **-fach** (*-fold, times*)

zehnfach	*ten times*		**mehrfach**	*several times*
dreifach	*three times*		**vielfach**	*many times, manifold*

    c. Suffix **-mal** (*time, times*)

manchmal	*sometimes*		**einmal**	*once*
viermal	*four times*		**oftmals**	*frequently*
jedesmal	*everytime*		**keinmal**	*never*

EXERCISES

1. Den Pflanzen fehlen ein Muskelgewebe und auch ein Nervengewebe, die denen der Tiere ähnlich sind.
2. Was ich geschrieben habe, das habe ich geschrieben, sagte Pilatus.
3. Nur der verdient sich Freiheit wie das Leben,
   Der täglich sie erobern muß. (Faust)
4. Derjenige, der dieses äußerst dringliche und bedeutsame Problem zuerst löst, wird der Herr der Welt werden.
5. Die chemische Natur der Toxine ist ebensowenig bekannt wie die der Antitoxine.
6. Die amerikanischen Hochschulen lehren und forschen in Instituten, die sachlich reicher ausgestattet sind als die des europäischen Abendlandes.
7. Die allgemeine Methode war dieselbe wie in den vorhergehenden Studien.
8. In dieser Untersuchung wurden die Schulzeugnisse von über 1000 Kindern gesammelt und mit denen ihrer Eltern und Großeltern verglichen.
9. Die Strahlen der rechten Spektrumhälfte sind wirksamer als diejenigen der linken Hälfte.
10. Die Beobachtungen von Nelson, wie die der anderen Autoren, konnten von uns bestätigt werden.
11. Andere Methoden sind vorgeschlagen worden, z.B. die, die der nächste Abschnitt des Buches behandelt.
12. Die Höchstschußweite der 10,5 cm Haubitze (*howitzer*) ist ungefähr 10 000 m, die der 10,5 cm Kanone ungefähr 15 000 m. Über deren Aufgaben im Gefecht werden wir später sprechen.

1. **Gewebe** (*n.*), -	tissue, web	**Studie** (*f.*), -n	study
Nerv (*m.*), -en	nerve	8. **Schulzeugnis** (*n.*),	
3. **erobern**	to conquer, gain	-se	report card
	by fighting for	**sammeln**	to collect
4. **dringlich**	pressing	9. **wirksam**	effective
bedeutsam	important	11. **vorschlagen** (*sep.*)	to suggest
5. **ebensowenig**	just as little	12. **Höchstschußweite**	
6. **sachlich**	material	(*f.*), -n	maximum range
reich	rich	**Aufgabe** (*f.*), -n	task, lesson,
ausstatten (*sep.*)	to equip		mission
Abendland (*n.*)	West, Occident	**Gefecht** (*n.*), -e	battle
7. **vorhergehen** (*sep.*)	to precede		

Gifte*

Im allgemeinen bezeichnet man diejenigen Stoffe als Gifte, die zu Gesundheitsschäden bei Mensch und Tier führen. Im engeren Sinne sind Gifte unbelebte Stoffe, aber auch belebte Stoffe, z.B. die, die Krankheitserreger sind, werden als Gifte angesehen. Auch Arzneimittel, die in zu großer Menge oder in falscher 5 Weise dem Körper zugeführt werden, wirken als Gifte. Dasselbe gilt auch von Stoffen der täglichen Ernährung, z.B. Kochsalz, und vom Alkohol.

Maßgebend für jede Giftwirkung sind die Menge des Giftes, die Form und der Ort der Einführung. Neben der Menge ist 10 auch die Konzentration des Giftes von Bedeutung.

Gift (*n*.), -e	poison	**falsch**	false, wrong, incorrect
bezeichnen	to designate, call		
Gesundheitsschaden		**zuführen** (*sep.*)	to bring to, administer
(*m*.), ᴤ	injury to health		
unbelebt	inanimate, lifeless	**gelten**	to be true
Krankheitserreger	cause of disease,	**Ernährung** (*f*.)	diet, nutrition, food
(*m*.), -	pathogenic agent	**Kochsalz** (*n*.)	table salt
ansehen (*sep.*)	to look at, regard, consider	**maßgebend**	decisive
		Ort (*m*.), -e	place, location
Arzneimittel (*n*.), -	drug	**Einführung** (*f*.), -en	introduction

VOCABULARY

allgemein	general, common	**Muskel** (*m*.), -n	muscle
Bedeutung (*f*.),		**neben**	next to, in addition to
-en	meaning, importance	**recht**	right, true, quite
Eltern (*pl*.)	parents	**schreiben**	to write
fehlen	to be absent, lack	**sprechen**	to speak, talk
forschen	to investigate, search	**Strahl** (*m*.), -en	beam, ray
Hälfte (*f*.), -n	half	**verdienen**	to earn, deserve
Kind (*n*.), -er	child	**vergleichen**	to compare, check
link(s)	left	**wie**	how, as, like, as well as
Menge (*f*.), -n	amount		

---

* Adapted from Der Große Brockhaus, 16. Auflage, F. A. Brockhaus, Wiesbaden.

20

1. Co-ordinating Conjunctions

und	*and*	**entweder ... oder**	*either ... or*
aber	*but, however*	**allein**	*but, only*
sondern	*but*	**denn**	*for*
oder	*or*	**jedoch**	*however*

Co-ordinating conjunctions connect words, phrases, or clauses of equal value, and have no effect on word order.

2. Subordinating Conjunctions

a. Subordinating conjunctions introduce subordinate clauses. The most important subordinating conjunctions are given below, others are listed in the vocabulary.

als	*when*	**obgleich**	*although*
bis	*until*	**während**	*while*
da	*since*	**als ob**	*as if, as though*
daß	*that*	**damit**	*so that, in order that*
wann	*when*	**je nachdem**	*according as,*
wie	*as, how*		*depending on*
weil	*because*	**wenn**	*if, when*

b. Word Order

Es ist gewiß, daß er kommen wird.
It is certain that he will come.
Ich weiß nicht, ob das richtig ist.
I do not know whether that is correct.
Ich weiß nicht, wie dieser Versuch ausgeführt wird.
I do not know how this experiment is carried out.

In subordinate clauses, the finite verb is usually the last element. When a subordinating conjunction introduces a clause, look for the verb at the end of the clause. Check for possible predicate

116

adjectives, infinitives,[1] or past participles standing before the finite verb. *Subordinate clauses are always set off by commas.*

3. Learn to Differentiate

a. während (preposition)   *during*
 während (subordinating conjunction) *while*

Während dieser Zeit war ich in München. *During this time I was in Munich.*

Während Hans auf der Universität war, mußte Fritz seinem Onkel Sam dienen. *While Hans was at the university, Fritz had to serve his Uncle Sam.*

b. da (adverb)   *there, then*
 da (subordinating conjunction) *since*

Als die Tür geöffnet wurde, da wußte ich, daß . . . *When the door was opened, (then) I knew that . . .*

Da ich nicht wußte, wo ich war, bat ich einen Schutzmann um Auskunft. *Since I did not know where I was, I asked a policeman for information.*

c. damit (**da** plus preposition) *with it, with that*
 damit (subordinating conjunction) *so that, in order that*

Hier sind die neuen Werkzeuge. Damit werden wir besser arbeiten können. *Here are the new tools. With them we will be able to work better.*

Wir haben die neuen Werkzeuge gekauft, damit wir besser arbeiten können. *We bought the new tools so that we can work better.*

Während, da, and **damit** can be recognized as subordinating conjunctions by the position of the finite verb. If the finite verb is the last element of the clause, these words are subordinating conjunctions.

d. indem (subordinating conjunction)
 in dem (**in** plus pronoun or article)

Dies geschieht, indem man die Lösung erwärmt.
This is done by warming the solution.

---

[1] But note that a "double infinitive" always stands last in a clause; in a subordinate clause, the finite verb immediately precedes it:

Ich weiß nicht, ob er hat kommen können.
I don't know if he was able to come.

Das Experiment konnte kontrolliert werden, indem die Temperatur konstant gehalten wurde.
The experiment could be controlled by keeping the temperature constant.
Das Buch, in dem diese Theorie erklärt wird, . . .
The book in which this theory is explained . . .

Indem means *while, in that, due to the fact that*, or, often, *by* plus the *ing*-form of the verb (*by warming*).

EXERCISES

1. Die Kunst der Wurstherstellung ist älter als wir denken. Homer berichtet in seiner Odyssee, daß Odysseus eine schmackhafte (*tasty*) Blutwurst bestellte, als er nach seinen langen Irrfahrten (*wanderings*) glücklich wieder zu Hause angekommen war.
2. Als im Jahre 1901 A. Köhler sein bekanntes Ultraviolett-Mikroskop baute, hatte er zum ersten Male im Prinzip ein Fluroeszenzmikroskop geschaffen.
3. Das Innere des Atoms hat, wenn das Atom nicht ionisiert wird, eine ganz bestimmte Ladung.
4. Ob ein bestimmter Körper durch Reiben positiv oder negativ elektrisch wird, hängt von dem Partner ab, mit dem er gerieben wird.
5. Der Nachweis ist schwierig, da die rote Farbe des Hämoglobins die gewünschte Reaktion unmöglich macht.
6. Je nachdem man Gleichstrom oder Wechselstrom erzeugt, teilt man die elektrischen Generatoren in Gleichstromerzeuger und Wechselstromgeneratoren ein.
7. Wie schon vor 50 Jahren festgestellt wurde, verschwindet bei einigen Metallen der elektrische Widerstand in der Nähe der absoluten Temperatur völlig.

1. **Wurst** (*f.*), ⸗e	sausage	6. **je nachdem**	depending on
Herstellung (*f.*)	preparation, making, production		whether
		Gleichstrom (*m.*)	direct current
bestellen	to order, request	**Wechselstrom**	alternating
glücklich	happy, safe	(*m.*)	current
2. **Prinzip** (*n.*), **-ien**	principle	7. **schon**	already
3. **ionisieren**	to ionize	**vor 50 Jahren**	50 years ago
Ladung (*f.*), **-en**	charge	**Widerstand** (*m.*),	
5. **wünschen**	to wish, desire	⸗e	resistance

8. Als Gleichstrommotor kann jeder Gleichstrom-Generator benutzt werden, wenn man ihn an eine Gleichstromquelle anschließt.
9. Louis Pasteur wies durch seine Versuche nach, daß die Gärung (*fermentation*) durch die Lebenstätigkeit kleiner Pilze und Bakterien zustandekommt, und zeigte, wie man sie verhindern kann.
10. Da sich die Berliner Humboldt-Universität im Ostsektor befindet, wurde 1948 die Freie Universität Berlin gegründet.
11. Das Anlaufen des Kupfers kann man verhindern, indem man die Oberfläche mit einem Schellacküberzug versieht.
12. Der Versuch, in dem dieser Vorgang gezeigt wird, wurde auf S. 58 beschrieben.

8. **Quelle** (*f.*), **-n**	source, spring	11. **anlaufen** (*sep.*)	to tarnish
anschließen (*sep.*)	to connect	**Oberfläche** (*f.*),	
9. **Lebenstätigkeit**		**-n**	surface
(*f.*)	activity	**Schellacküberzug**	
Pilz (*m.*), **-e**	fungus, mushroom	(*m.*)	coating of shellac
10. **gründen**	to found	**versehen**	to provide, give

Das Verbreitungsgebiet von Pflanzen

Daß das Verbreitungsgebiet von Pflanzen von verschiedenen Faktoren abhängt, soll hier nur kurz erwähnt werden. Die wichtigsten Faktoren sind die geographische Breite, die absolute Höhe, d.i. die Höhe über dem Meeresspiegel, und der Wasservorrat.

5 Die geographische Breite ist von besonderer Bedeutung, weil mit der Entfernung vom Äquator Licht und Wärme geringer werden. Die absolute Höhe hat eine ähnliche Wirkung auf die Pflanzen wie die geographische Breite, da die Temperatur umso mehr abnimmt, je größer die Höhe ist. Der Wasservorrat im

10 Boden ist von äußerster Wichtigkeit für die Pflanzenwelt. Wenn viel Feuchtigkeit vorhanden ist, dann können Bäume und Wälder gedeihen. Grasland, z.b. Wiesen, Prärien und Steppen, gebraucht weniger Wasser als Wälder.

Die drei erwähnten Faktoren sind bestimmend für das Klima

15 einer Gegend und daher auch für die Art der Pflanzenwelt.

Verbreitungsgebiet (*n.*), -e	regional distribution	**Baum** (*m.*), ⸗e	tree
Breite (*f.*), -n	width, latitude	**Wald** (*m.*), ⸗er	forest
Höhe (*f.*), -n	height, elevation	**gedeihen**	to thrive
Meeresspiegel (*m.*)	sea level	**Wiese** (*f.*), -n	meadow
Vorrat (*m.*), ⸗e	supply	**bestimmend**	decisive, determining
Entfernung (*f.*), -en	distance	**Klima** (*n.*)	climate
abnehmen (*sep.*)	to decrease	**Gegend** (*f.*), -en	area, region

VOCABULARY

Art (*f.*), -en	manner, kind, sort, type, nature	**nachweisen** (*sep.*)	to detect, prove
besonder-	particular, special	**ob**	whether, if
Boden (*m.*), ⸗	soil, ground	**Ost, Osten** (*m.*)	east, Orient
da	there, present, then, as, since	**schwierig**	difficult
		unmöglich	impossible
d.i. (das ist)	that is	**verhindern**	to hinder, prevent
einteilen (*sep.*)	to divide, separate, classify	**verschwinden**	to disappear
		völlig	completely
feststellen (*sep.*)	to establish, determine	**Vorgang** (*m.*), ⸗e	process, reaction
		vorhanden	on hand, existing, present, available
Feuchtigkeit (*f.*)	moisture, humidity	**weil**	because, since
gebrauchen	to use, need	**Wichtigkeit** (*f.*)	importance
Innere (*n.*)	interior	**zustandekommen** (*sep.*)	to come about, produce
Nachweis (*m.*), -e	proof, detection		

Bienen fast so gefährlich wie Klapperschlangen?*

Die sprichwörtliche Gefährlichkeit der Giftschlangen wird offenbar überschätzt — jedenfalls im Vergleich zu den Gefahren, die dem Menschen von Bienen und von anderen Insekten drohen. Der Arzt Dr. Henry Parish von dem Medizin-College der Universität von Vermont in Burlington analysierte die Todesfälle, die 5
sich innerhalb von fünf Jahren in den USA durch giftige Tiere ereigneten. Er kam dabei zu dem Ergebnis, daß die Gefährdung durch Bienen und andere giftige Hautflügler aller Arten weit größer ist als die Bedrohung durch Schlangen. In dem untersuchten Zeitraum wurden in den Vereinigten Staaten insgesamt 10
215 Menschen durch Bisse und Stiche giftiger Tiere getötet. 71 Menschen fielen dem Biß von Schlangen aller Art — Klapperschlangen, Korallenottern und anderen Arten — zum Opfer. Die Hautflügler — Bienen, Ameisen, Wespen und Hornissen — da-

Biene (*f.*), -n	bee	ereignen (sich)	to take place
gefährlich	dangerous	dabei	thereby
Klapperschlange		Gefährdung (*f.*)	danger, peril
(*f.*), -n	rattlesnake	Hautflügler (*m.*), -	hymenopterous
sprichwörtlich	proverbial		insect
Gefährlichkeit (*f.*)	danger	weit	far, wide
Schlange (*f.*), -n	snake	Bedrohung (*f.*)	threat
offenbar	obvious, apparent	Zeitraum (*m.*), ⸗e	span of time, period
überschätzen	to overestimate	insgesamt	altogether
jedenfalls	at any rate, in any	Biß (*m.*), -sse	bite
	case	Stich (*m.*), -e	sting
Vergleich (*m.*), -e	comparison	fallen	to fall
Gefahr (*f.*), -en	danger	zum Opfer fallen	to fall victim (to)
drohen	to threaten	Korallenotter (*f.*), -n	coral snake
Todesfall (*m.*), ⸗e	death	Ameise (*f.*), -n	ant
innerhalb	within	Wespe (*f.*), -n	wasp
giftig	poisonous	Hornisse (*f.*), -n	hornet

* Orion, Heft 12, 1959.

15 gegen töteten 86 Menschen. Am gefährlichsten ist allerdings unter
den einzelnen Tierarten immer noch die Klapperschlange, der
55 Menschen zum Opfer fielen. Doch schon an zweiter Stelle folgt
die Biene, die nicht weniger als 52 Menschen tötete. Mit anderen
Worten: Bienen und Klapperschlangen sind sozusagen praktisch
20 gleich gefährlich. Allerdings liegt hier ein gewisser Trugschluß
vor, da nicht angegeben wird, wie viele Bienenstiche für die 52
Todesfälle verantwortlich waren, oder — besser gesagt — wie viele
Bienenstiche so gut wie harmlos verliefen, während die Zahl der
Klapperschlangenbisse wahrscheinlich nicht wesentlich höher war
25 als die der Todesfälle, die von diesen Bissen verursacht wurden.
Mit anderen Worten: in der Praxis sind für den Durchschnitts-
menschen Giftschlangenbisse natürlich weitaus gefährlicher als
Insektenstiche.

dagegen	on the other hand	**wie viele**	how many
allerdings	to be sure	**verantwortlich**	responsible
Stelle (*f.*), **-n**	place, position	**harmlos**	harmless
sozusagen	so to speak, as it were	**verlaufen**	to pass, turn out
		verursachen	to cause
gleich	equal	**Praxis** (*f.*)	practice
Trugschluß (*m*), ⁼sse	false conclusion, fallacy	**Durchschnitt** (*m.*), **-e**	average
		natürlich	natural
vorliegen (*sep.*)	to be present, be at hand	**weitaus**	by far

Die Ohrfeige

Wilhelm Busch, der beliebte deutsche Humorist, beschreibt „Ohrfeige" folgendermaßen:

> Hier strotzt die Backe voller Saft,
> Da hängt die Hand, gefüllt mit Kraft;
> Die Kraft, infolge der Erregung,   5
> Verwandelt sich in Schwungbewegung;
> Bewegung, die in schnellem Blitze
> Zur Backe eilt, wird hier zur Hitze;
> Die Hitze aber, durch Entzündung
> Der Nerven, brennt als Schmerzempfindung   10
> Bis in den tiefsten Lebenskern,
> Und dies Gefühl hat keiner gern.
> Ohrfeige heißt man diese Handlung,
> Der Forscher nennt es Kraftverwandlung.

Ohrfeige (*f.*), **-n**	slap in the face, box on the ear	**Hitze** (*f.*)	heat
beliebt	beloved, popular	**Entzündung** (*f.*), **-en**	inflammation
folgendermaßen	as follows	**Nerv** (*m.*), **-en**	nerve
strotzen	to abound (in)	**brennen**	to burn, smart
voller Saft	to be full of life	**Schmerzempfindung**	
strotzen		(*f.*), **-en**	sensation of pain
Backe (*f.*), **-n**	cheek	**Lebenskern** (*m.*)	core of life
infolge	due to	**Gefühl** (*n.*), **-e**	feeling
Erregung (*f.*), **-en**	excitation	**keiner**	no one
Schwungbewegung		**gern haben**	to like
(*f.*), **-en**	swinging motion	**Handlung** (*f.*), **-en**	action, act
eilen	to hurry, speed	**Verwandlung** (*f.*),	transformation,
Blitz (*m.*), **-e**	lightning	**-en**	change

21

1. Interrogatives

Common interrogatives are:

wann	*when*	**was für** (ein)	*what kind of*	**wieviel**	*how much*
warum	*why*	**welcher**	*which, what*	**wo**	*where*
was	*what*	**wer**	*who*	**wohin**	*where* (*to*)
		wie	*how*		

Wo finden wir diese Tiere? *Where do we find these animals?*
Was für ein Buch ist das? *What kind of a book is that?*
Was für Bücher sind das? *What kind of books are they?*

2. Wer, was Used as Interrogative and Relative Pronouns

a. As interrogative pronouns

NOM.	**wer**	*who*	**was**	*what*
GEN.	**wessen**	*whose*		
DAT.	**wem**	*(to) whom*	**was**	*(to) what*
ACC.	**wen**	*whom*	**was**	*what*

Wer ist dieser Mann? *Who is this man?*
Mit wem gehen Sie? *With whom are you going?*
Wen haben Sie gesehen? *Whom did you see?*
Was hat er gesagt? *What did he say?*

b. As relative pronouns

wer *he who, whoever*
was *what, whatever, that which, that*[1]

Wer nicht hören will, muß fühlen.
He who won't listen must suffer the consequences.
Was ich nicht weiß, macht mich nicht heiß.
What I don't know doesn't bother me.

---

[1] See also page 108, paragraph 5.

3. Verb-First Constructions

a. Questions

Gehen Sie heute ins Laboratorium?
Are you going to the laboratory today?
Konnten Sie die Abbildung im Buch finden?
Could you find the illustration in the book?

Questions not introduced by interrogatives begin with the finite verb. The presence of the question mark makes identification simple.

b. Omission of **wenn** in conditional clauses

Wenn man ein Stück Eisen erhitzt, so (dann) dehnt es sich aus.
Erhitzt man ein Stück Eisen, so (dann) dehnt es sich aus.
When a piece of iron is heated, it expands.
Wenn man Erfolg haben will, dann muß man arbeiten.
Will man Erfolg haben, dann muß man arbeiten.
If we want to be successful, then we must work.

In conditional clauses, **wenn** (*when, if*) may be omitted in favor of a verb-first construction. Conditional verb-first constructions are followed by result clauses usually introduced by **so** or **dann**.

4. Feminine Noun Suffixes

a. Suffix **-ung**

Added to verb stems, this suffix forms feminine nouns often corresponding to English nouns ending in *-ing*, *-tion*, *-ment*. Give the meanings of the following nouns:

beobachten	*to observe*	**Beobachtung**
bestimmen	*to determine*	**Bestimmung**
bewegen	*to move*	**Bewegung**
einführen	*to introduce*	**Einführung**
lösen	*to dissolve*	**Lösung**
trennen	*to separate*	**Trennung**
atmen	*to breathe*	**Atmung**
bezahlen	*to pay*	**Bezahlung**

b. Suffixes **-heit**, **-keit**, **-igkeit**

Added to adjectives, these suffixes form feminine abstract nouns corresponding to English nouns ending in *-ity*, *-ness*. Give the meanings of the following nouns:

ähnlich	*similar*	**Ähnlichkeit**
allgemein	*general*	**Allgemeinheit**
empfindlich	*sensitive*	**Empfindlichkeit**
fähig	*capable*	**Fähigkeit**
ewig	*eternal*	**Ewigkeit**
genau	*exact*	**Genauigkeit**
hilflos	*helpless*	**Hilflosigkeit**
krank	*sick*	**Krankheit**
möglich	*possible*	**Möglichkeit**

EXERCISES

1. Wer über gewisse Dinge den Verstand nicht verliert, der hat keinen zu verlieren.
2. Der Staat ist im letzten Jahrhundert so mächtig geworden, daß der Mensch sich heute fragen muß: „Was ist und wo ist noch Freiheit?"
3. Wenn der Religionslehrer einen Schüler fragt: „Was tust du, wenn du deinem Kameraden ein Butterbrot wegnimmst?" erwartet er die Antwort: „Ich stehle." Er soll sich aber nicht wundern, wenn ihm geantwortet wird: „Ich esse es."
4. Durchfließt in einem Transformator der Wechselstrom die Windungen der einen Spule, so entsteht in der anderen durch Induktion ein Wechselstrom mit anderer Spannung.
5. Werden mehrere Stromquellen so miteinander verbunden, daß alle positiven Pole an der einen Leitung (*circuit*) und alle negativen an der anderen Leitung sind, so sind sie parallel geschaltet.
6. Wer Theologie studiert, der will lernen, was bisher in der Kirche

1.	**Verstand** (*m.*)	reason, mind	**Windung** (*f.*), **-en**	winding
2.	**mächtig**	powerful	**Spule** (*f.*), **-n**	spool, coil
3.	**Kamerad** (*m.*), **-en**	pal, friend, comrade	**Spannung** (*f.*), **-en**	voltage
	Butterbrot (*n.*), **-e**	sandwich	5. **miteinander**	with each other, together
	wegnehmen (*sep.*)	to take away from		
	stehlen	to steal	**schalten**	to connect
4.	**durchfließen**	to flow through	6. **Kirche** (*f.*), **-n**	church
	Transformator (*m.*), **-en**	transformer		

von Gott erkannt und gelehrt worden ist, vor allem, was die Heilige Schrift von Gott zu erkennen gibt.

7. Wird ein Lichtstrahl durch ein Prisma geleitet, dann entsteht ein farbiges Band, das man Spektrum nennt.

8. Betrachtet man heute die politischen Zustände in den neuen afrikanischen Staaten, so muß man fast zweifeln, daß einige dieser Länder sich selbst regieren können.

9. Bringt man Quecksilberoxyd ins Probierglas und erhitzt es über einem Brenner auf über 400 Grad, so gibt es Sauerstoff ab.

10. Muß sich der Intellektuelle der Massenkultur anpassen? In welchen Formen kann er die Anpassung vollziehen?

11. Sind Sie der Meinung, daß die demokratische Gesellschaft eine Nivellierung der Kultur unvermeidlich mit sich bringt und damit zur Massenkultur führt?

erkennen	to recognize, learn	9. **Quecksilberoxyd** (*n.*)	mercuric oxide
zu erkennen geben	to reveal	10. **Intellektuelle** (*m.*), **-n**	intellectual
Heilige Schrift (*f.*)	Bible	**Massenkultur** (*f.*)	mass culture
8. **regieren**	to rule, govern	**vollziehen**	to carry out, accomplish
sich selbst	oneself, themselves	11. **Nivellierung** (*f.*) **unvermeidlich**	leveling (process) unavoidable

Der Intelligenz-Quotient*

Die experimentelle Psychologie hat verschiedene Tests entwickelt, die die Fähigkeiten messen, mit denen sich ein Prüfling
einer gegebenen Situation oder einer gewissen Anforderung
anpassen kann. Einer der gebräuchlisten Ausdrücke, der in
5   einigen dieser Tests gebraucht wird, ist der Intelligenz-Quotient.
Sie haben gewiß schon die Bezeichnung „I.Q." gehört. Wissen
Sie wie dieser Intelligenz-Quotient berechnet wird?

Der Intelligenz-Quotient ist das Verhältnis des Intelligenz-
alters zum Lebensalter, I.Q. $= \dfrac{\text{Intelligenzalter}}{\text{Lebensalter}}$. Ist z.B. ein Kind
10   10 Jahre alt und hat ein Intelligenzalter von 12 Jahren, so ist sein
I.Q. 120. Liegt er höher als 100, so ist das Kind dem Lebensalter
voraus, liegt er unter 100, dann wird die Intelligenz des Prüflings
als unter dem Durchschnitt angesehen. Fast alle Intelligenz-
Quotienten liegen zwischen den Extremen von 55 und 145.

Prüfling (*m.*), -e	examinee	**berechnen**	to calculate, figure
Anforderung (*f.*),		**Intelligenzalter**	
-en	demand	(*n.*), -	mental age
gebräuchlich	common, customary	**Lebensalter** (*n.*), -	chronological age

VOCABULARY

all	every, any	**fragen**	to ask
vor allem	above all	**Gesellschaft** (*f.*),	association, com-
anpassen (*sep.*)	to adapt, adjust	**-en**	pany, society
Anpassung (*f.*), -en	adjustment,	**gewiß**	sure, indeed, certain
	adaptation	**hören**	to hear
Ausdruck (*m.*), ⁼e	expression, term	**Lehrer** (*m.*), -	teacher
betrachten	to consider, observe	**leiten**	to conduct, lead
brauchen	to use, employ,	**messen**	to measure
	need	**Quelle** (*f.*), -n	source, spring
bringen	to bring, put, yield,	**Schüler** (*m.*), -	pupil
	place	**tun**	to do, act
mit sich bringen	to bring about	**verbinden**	to unite, connect
damit	therewith, by it; in	**verlieren**	to lose
	order that	**voraus**	ahead
Ding (*n.*), -e	thing, object	**wundern (sich)**	to be surprised
Durchschnitt (*m.*), -e	average	**zweifeln**	to doubt
erwarten	to expect	**zwischen**	between, among
Fähigkeit (*f.*), -en	ability, capability		

---

* Adapted from Der Große Brockhaus, 16. Auflage, F. A. Brockhaus, Wiesbaden.

22

1. Infinitives with **zu**

a. Verb complements

> **Der Professor scheint nicht in seinem Büro zu sein.**
> *The professor does not seem to be in his office.*
> **Nun beginnt die Flüssigkeit zu sieden.**
> *Now the liquid is beginning to boil.*

Infinitives with **zu** are used after some German verbs, such as **anfangen** (*to begin*), **beginnen, scheinen** (*to seem*), and others. These infinitives stand at the end of the clause but must be translated immediately after the verb.

b. Infinitive clauses

> **Kolumbus versuchte, einen neuen Weg nach Indien zu finden.**
> *Columbus tried to find a new route to India.*
> **Dieses Werk ist ein Versuch, die Entwicklung der Außenpolitik der Vereinigten Staaten darzustellen.**[1]
> *This work is an attempt to show the development of the foreign policy of the United States.*

Infinitive clauses are dependent on certain verbs or nouns and often have equivalent English constructions. Such verbs or nouns should lead you to anticipate these constructions. Note that infinitive clauses are set off by a comma and that the infinitive must be translated first.

Infinitive clauses may contain modifying clauses or phrases which

---

[1] When used with the infinitive of a separable verb (**darstellen** *to show*), **zu** stands between the prefix and the verb. When you look up the verb in the dictionary, leave out **zu.**

may separate the infinitive from the rest of the clause. Remember that such clauses are always set off by commas:

> **Dieses Werk ist ein Versuch, die Entwicklung der Außenpolitik der Vereinigten Staaten, wie sie von heutigen Geschichtsforschern verstanden wird, darzustellen.**
> *This work is an attempt to show the development of the foreign policy of the United States, as it is understood by present historians.*

c. With **um, ohne, (an)statt**

> **Um Eis von 0° in Wasser von 0° zu verwandeln, ist die Zufuhr einer bestimmten Wärmemenge erforderlich.**
> *To change ice of 0° into water of 0°, the addition of a certain amount of heat is necessary.*
> **Der Professor verließ das Zimmer, ohne ein Wort zu sagen.**
> *The professor left the room without saying a word.*
> **Anstatt seine Aufgabe zu machen, ging der Student ins Theater.**
> *Instead of doing his assignment, the student went to the theater.*

When you see a clause beginning with **um, ohne,** or **(an)statt,** check the end of the clause for **zu** plus infinitive. These constructions are translated as follows:

um . . . zu (zeigen)	*(in order) to (show)*
ohne . . . zu (zeigen)	*without (showing)*
(an)statt . . . zu (zeigen)	*instead of (showing)*

2. Verb-First Constructions

a. Imperative

Verb-first constructions also introduce an imperative (a command or request). Imperatives may be expressed in the **du, ihr,** or **Sie** form:

INFINITIVE:	sagen	gehen	geben	sein	werden
du FORM:	sag(e)![1]	geh(e)!	gib!	sei!	werde!
ihr FORM:	sagt!	geht!	gebt!	seid!	werdet!
	saget![2]	gehet!	gebet!		

---

[1] The **e** is frequently dropped.

[2] In elevated speech, an **e** may be added before **t**.

Note that the **ihr** form is identical with the second person plural of the present tense: **ihr sagt, geht, gebt, seid, werdet.**

Sie FORM:

Sagen Sie!   Gehen Sie!   Geben Sie!   Seien Sie!   Werden Sie!

The **Sie** form is the most frequent imperative form in reading. It is formed by inverting the word order of the formal **Sie** construction. Note that the imperative form of **sein** is irregular:

Sie gehen	**Gehen Sie!**
Sie sind	**Seien Sie . . . !**

Examples:

Fangen Sie an!	*Begin.*
Seien Sie still!	*Be quiet.*
Wiederholen Sie den Satz, bitte!	*Repeat the sentence, please.*

Note that the exclamation mark usually follows German imperatives.

b. Verb-first followed by **wir**

Fangen wir an!	*Let us begin.*
Nehmen wir an, daß . . . !	*Let us assume that . . .*
Versuchen wir diese Methode!	*Let us try this method.*

Wir following the verb in a verb-first construction is equivalent to English *Let us.* Such an imperative construction can be differentiated from a question or conditional clause because it normally ends in an exclamation mark:

Fangen wir heute an?	*Do we begin today?*
Nehmen wir das an, dann . . .	*If we assume that, then . . .*
Fangen wir an!	*Let us begin.*

3. Review of Verb-First Constructions

Verb . . . , **dann, so** . . .	*If . . . , (then) . . .*
Verb . . . ?	Question
Verb (**Sie**) . . . !	Imperative
Verb **wir** . . . !	*Let us . . .*

EXERCISES

1. In England wurde 1818 den Baumwollspinnereien verboten, Kinder bis zum Alter von neun Jahren zu beschäftigen.
2. Wir werden im folgenden nur physikalische Prinzipien betrachten, ohne auf technische Einzelheiten näher einzugehen.
3. Diese Ergebnisse scheinen mit denen des vorigen Jahres in Widerspruch zu stehen.
4. Willst du immer weiter schweifen?
   Sieh! das Gute liegt so nah.
   Lerne nur das Glück ergreifen,
   Denn das Glück ist immer da.   (Goethe)
5. Wenden wir uns dem Begriff des Perpetuum mobile (*perpetual motion*) zu! Im wörtlichen Sinne verstehen wir unter diesem Ausdruck etwas, das sich fortdauernd bewegt.
6. Ehret die Frauen! Sie flechten und weben
   Himmlische Rosen ins irdische Leben.   (Schiller)
7. Röntgenstrahlen sind imstande, undurchsichtige Körper zu durchdringen.
8. Um bei einem Blitzeinschlag Brände und sonstige Zerstörungen an Gebäuden zu vermeiden, bringt man an diesen Blitzableiter an.
9. Das Ziel der Vereinten Nationen ist, den Frieden und die Sicherheit unter den Nationen zu sichern.
10. Suchet, so werdet ihr finden!
11. Betrachten wir jetzt das folgende Beispiel!
12. Verstehen Sie nun, warum dieses Gesetz wichtig ist?

1. **Baumwollspinnerei**		**weben**	to weave
(*f.*), **-en**	cotton mill	**himmlisch**	heavenly
2. **eingehen** (*sep.*)	to go into, enter	**Rose** (*f.*), **-n**	rose
3. **vorig-**	previous	**irdisch**	earthly, human
Widerspruch (*m.*),		7. **undurchsichtig**	opaque
⸗e	contradiction	**durchdringen**	to penetrate
4. **schweifen**	to roam	8. **Blitzeinschlag** (*m.*),	
Glück (*n.*)	luck, happiness, good fortune	**⸗e**	lightning strike
		sonstig-	other
ergreifen	to seize, take hold	**Zerstörung** (*f.*), **-en**	destruction
5. **wörtlich**	literal	9. **Vereinten Nationen**	
fortdauernd	continuous	(*pl.*)	United Nations
6. **ehren**	to honor	**Sicherheit** (*f.*)	security
flechten	to braid	**sichern**	to secure, safeguard

13. Folgen Sie Ihrem Gewissen, nicht Ihren Neigungen!
14. Viele Menschen arbeiten, um zu essen, einige dagegen essen, damit sie arbeiten können.
15. Der Jäger liebt sein Wild. Und was man liebt, das quält man nicht. Es ist daher eine Herzenssache, seinem Wild den Tod zu bringen, den man sich selbst wünscht: ahnungslos mitten aus dem Leben gerissen zu werden, ohne den todbringenden Knall (*report*) zu hören.

13. **Gewissen** (*n.*)	conscience	**ahnungslos**	unsuspecting
Neigung (*f.*), **-en**	inclination	**mitten aus**	from the midst
15. **quälen**	to torture		of
Herzenssache (*f.*), **-n**	matter of the heart		

Buchbesprechung[*]

Pioniere des Ackers von Adalbert Schindlmayr. 162 S. m. 18 Bild. J. F. Lehmann Vlg., München. Gln. DM 16,—, brosch. DM 13,—.

Die Reihe der Lebensbilder großer Ärzte und Ingenieure setzt
5 der J. F. Lehmann-Verlag nun mit A. Schindlmayrs Werk „Pioniere des Ackers" fort. Während auf der Schule viele Zahlen und Daten von Fürsten und Feldherren, Kriegen und Schlachten gelehrt werden, hören die Kinder nicht viel von den Männern der Wissenschaft, der Technik und Forschung, die der Menschheit
10 viel gaben und die das Gesicht der Erde grundlegend veränderten. Von Friedrich Wilhelm und Friedrich II., die versuchten, den Kartoffelanbau in Deutschland durchzusetzen, von Langen und von Cotta, deren Namen unzertrennlich mit der Geschichte der Forstwirtschaft verbunden sind, bis zu von Liebig, Charles
15 Darwin und Johann G. Mendel berichtet das Buch ebenso ausführlich wie über die Lebenswerke bedeutender Männer, die der Landwirtschaft halfen, ihren heutigen hohen Stand zu erreichen. Um objektiv zu bleiben, hat der Autor aber noch ein „Kleines Lexikon großer Männer" angegliedert, in dem kurz vom
20 Leben und Wirken weiterer 1053 Männer für die Landwirtschaft berichtet wird. 18 Bilder bedeutender Förderer der Landwirtschaft sind dem Buch beigegeben. Diese kleine Agrargeschichte ist für alle Land- und Forstwirte wie für Biologen, Tierärzte und Landtechniker eine willkommene Neuerscheinung.

---

[*] Orion, Heft 12, 1959.

Buchbesprechung (*f.*),		**grundlegend**	basic
-en	book review	**Kartoffelanbau** (*m.*)	raising of
Acker (*m.*), **-**	acre, agriculture		potatoes
S. (Seite) (*f.*), **-n**	page	**durchsetzen** (*sep.*)	to accomplish,
m. (mit)	with		bring about
Vlg. (Verlag) (*m.*), **-e**	publishing house,	**unzertrennlich**	inseparable
	publisher	**Forstwirtschaft** (*f.*)	forestry
Gln. (Ganzleinenband)		**ebenso**	just as, likewise
(*m.*), **⁼e**	cloth cover	**ausführlich**	detailed
brosch. (broschiert)	paper-covered	**angliedern** (*sep.*)	to add
Lebensbild (*n.*), **-er**	biography	**Wirken** (*n.*)	activity, action
Arzt (*m.*), **⁼e**	physician, doctor	**Förderer** (*m.*), **-**	promoter,
Feldherr (*m.*), **-en**	army command-		benefactor
	er, general	**beigeben** (*sep.*)	to add
Schlacht (*f.*), **-en**	battle	**Landwirt** (*m.*), **-e**	farmer
Forschung (*f.*), **-en**	research, investi-	**Forstwirt** (*m.*), **-e**	forester
	gation	**willkommen**	welcome
Menschheit (*f.*)	humanity	**Neuerscheinung** (*f.*),	new work, new
Gesicht (*n.*), **-er**	face	**-en**	publication

VOCABULARY

Alter (*n.*), **-**	(old) age	**Gebäude** (*n.*), **-**	building, structure
anbringen (*sep.*)	to attach, place,	**imstande sein**	to be able
	mount	**möglich**	possible, practicable
Begriff (*m.*), **-e**	conception, idea	**nah(e)**	near, close
Beispiel (*n.*), **-e**	example	**näher**	in greater detail
Bild (*n.*), **-er**	picture	**Prinzip** (*n.*), **-ien**	principle
Blitz (*m.*), **-e**	lightning flash	**reißen**	to tear
Blitzableiter		**suchen**	to seek, search, try
(*m.*), **-**	lightning rod	**verändern**	to change, alter
Brand (*m.*), **⁼e**	burning, fire,	**verbieten**	to forbid, prohibit
	combustion	**vermeiden**	to avoid, shun
dagegen	on the other hand	**verstehen**	to understand, know
Einzelheit (*f.*), **-en**	detail	**versuchen**	to try, attempt
folgendes	the following	**warum**	why
Friede (*m.*)	peace	**wünschen**	to wish
früh	early	**Ziel** (*n.*), **-e**	goal, object

1. Extended-Adjective Construction

Observe the following constructions:

Die in Neuyork wohnenden Menschen . . .
The people living in New York . . .
Dieses in Deutschland gebaute Flugzeug . . .
This plane, which was built in Germany . . .
Eine für viele Pflanzen charakteristische Eigenschaft . . .
A property (that is) characteristic of many plants . . .

In these constructions, the *adjectives* or *participles* preceding the nouns are modified by prepositional phrases (**in Neuyork, in Deutschland, für viele Pflanzen**); hence, are "extended." After translating the article or **der**-word, you cannot proceed with the prepositional phrase but must first translate the noun modified by that article or **der**-word. The adjective or participle is translated next (often as a relative clause), followed by the preceding modifiers.

2. Recognizing Extended-Adjective Constructions

The most common signals for these constructions are:

a. Limiting adjective (article, **ein**-word, **der**-word, **alle, viele,** numbers, and others) followed by a preposition (examples in paragraph 1).

b. Limiting adjective followed by another limiting adjective or a pronoun:

die unser Leben beherrschenden Kräfte
the forces controlling our lives
das die Natur liebende Kind
the child that loves nature; the nature-loving child
ein alle Freuden des Lebens genießender Mann
a man enjoying all the pleasures of life

ein sich täglich erweiterndes Gebiet
a field which is being extended daily

3. Translating the Extended-Adjective Construction

As soon as you recognize an extended-adjective construction, place an opening parenthesis after the limiting adjective. Then find the noun modified by the limiting adjective. This noun is preceded directly by an adjective or a participle. Place the closing parenthesis after this adjective or participle:

Die (im Jahre 1386 gegründete) Universität Heidelberg . . .

The words within the parenthesis constitute an extended adjective and modify **Universität Heidelberg.** In translating the extended adjective, begin with the last word (the adjective or participle) and work backward, translating as a unit words obviously belonging together (**im Jahre 1386**).

Observe the sequence of translation in the following sentence:

<pre>
1   2   3   4   7   6
Das U-Boot versenkte den (mit Waffen und Treibstoff schwer beladenen)
      5
Dampfer.
</pre>

The sub sank the steamer, which was heavily loaded with arms and fuel.

Examples:

1. **Das auf diesem Wege erhaltene Präparat . . .**
   The preparation obtained in this way . . .
2. **Unser ausländischer Freund kennt die in diesem Lande herrschenden Zustände.**
   Our foreign friend knows the conditions that exist in this country.
3. **Mein Mitarbeiter vollendete die von mir angefangene Arbeit.**
   My co-worker finished the work that I started.
4. **Diese von den alten Griechen geschaffenen Grundgedanken der heutigen Atomphysik . . .**
   These basic ideas of modern atomic physics, which were developed by the ancient Greeks . . .
5. **Außerordentlich groß ist die in den letzten Jahren in den Handel gekommene Zahl der Antihistamine.**
   The number of antihistamines placed on the market in the last few years is exceedingly large.

6. **Das Wort Ideal und die es zusammensetzenden Buchstaben** . . .
   The word ideal and the letters comprising it . . .
7. **Die uns von der Natur gegebenen Triebe** . . .
   The instincts given to us by nature . . .

EXERCISES

1. Die Anzahl der am Aufbau der organischen Verbindungen beteiligten Elemente ist verhältnismäßig gering.
2. Die beim Schmelzen des roten Phosphors entstehenden Dämpfe setzen sich (in Röhren) als weißer Phosphor ab.
3. Der mit diesem Wasser vorgenommene Versuch führte wieder zu dem gleichen Ergebnis wie der erste Versuch.
4. Die für die Mechanisierung nötigen Facharbeiter, die nicht in auftraglosen Zeiten entlassen werden können, müssen unproduktiv beschäftigt werden.
5. Uranerzlager werden mit dem Geigerzähler ausfindig gemacht, einem Instrument, das auf die von Uran ausgesendeten Gammastrahlen anspricht.
6. Das erste mit einem Motor ausgerüstete Luftschiff bauten 1884 die Franzosen Renard und Krebs.
7. Zum Messen hoher Temperaturen verwendet man elektrische Thermometer, die durch thermoelektrische Ströme die Temperatur anzeigen.
8. Nach dem Erkalten zeigt der aus dem Ofen herausgenommene Stoff nur 41% seines ursprünglichen Gewichtes.
9. Zur Bestimmung der Kernladung einiger Elemente wurde die in der Einleitung besprochene Streuung von Alphateilchen benutzt.

1. **beteiligt**	participating, involved	**ausfindig machen**	to detect
2. **schmelzen**	to melt	**aussenden** (*sep.*)	to send out, emit
absetzen (sich) (*sep.*)	to be deposited	**ansprechen (auf)** (*sep.*)	to react (to)
Röhre (*f.*), **-n**	tube	6. **ausrüsten** (*sep.*)	to equip
4. **Mechanisierung** (*f.*), **-en**	mechanization	**Luftschiff** (*n.*), **-e**	airship
Facharbeiter (*m.*), **-**	skilled worker	8. **erkalten**	to cool, turn cold
auftraglos	slack, without orders	**Ofen** (*m.*), **=**	oven, furnace
entlassen	to dismiss, lay off	**herausnehmen** (*sep.*)	to take out
5. **Uranerzlager** (*n.*), **-**	uranium-ore deposit	9. **Kernladung** (*f.*), **-en**	nuclear charge
		Streuung (*f.*), **-en**	scattering, dispersion

10. Die in dem Wort „Baby" symbolisierte Bedeutung besteht nicht in den vier es zusammensetzenden Buchstaben und ihrer Anordnung.

11. Mit der im Juni 1948 erfolgten Ablösung der Reichsmarkwährung durch ein gesundes Geld, die Deutsche Mark, wurde die Voraussetzung für den Wiederaufbau der westdeutschen Wirtschaft geschaffen.

12. Um an Gebäuden einen Brand zu vermeiden, bringt man an diesen nach einem schon von B. Franklin (1753) gemachten Vorschlag Blitzableiter an.

10. symbolisieren	to symbolize	Voraussetzung	
Buchstabe (*m.*),		(*f.*), **-en**	prerequisite
-n	letter	**Wiederaufbau**	
Anordnung (*f.*),		(*m.*)	reconstruction
-en	arrangement	12. **Vorschlag** (*m.*),	
11. **Juni** (*m.*)	June	**≃e**	suggestion
Ablösung (*f.*),		**Blitzableiter**	
-en	redemption	(*m.*), **-**	lightning rod
Reichsmark-	Reichsmark cur-		
währung (*f.*)	rency (*used from 1924 to 1948*)		

Buchbesprechung[*]

Biologische Geographie von Prof. Dr. Leo Aario u. Dr. Horst Janus. 136 S. u. 7 Abb. Vlg. Georg Westermann, Braunschweig. Kart. DM 5,80.

5   Das in der Reihe „Das geographische Seminar" erschienene Buch berücksichtigt zwei bisher von der Geographie etwas vernachlässigte Faktoren: die Bedeutung der Pflanzendecke für geographische Forschung und die Beziehungen zwischen Tier und Umwelt. Aus der Pflanzendecke können wichtige Schlüsse gezogen werden, sie ist als sichtbarer Indikator von Klima und
10 Boden von außerordentlicher Bedeutung. In den Ausführungen über die Tierwelt wird besonders die ökologische, „d.h. eine von den Anpassungen an die örtlichen Lebensbedingungen ausgehende Tiergeographie" berücksichtigt. Die Ausführungen dieses Seminars sind trotz der gedrängten Form sehr anschaulich und
15 führen dem Studierenden die Wichtigkeit dieses Teilgebietes der Geographie deutlich vor Augen. Das angeführte Schrifttum erlaubt ein tieferes Eindringen in den Stoff.

vernachlässigen	to neglect	**gedrängt**	compressed, packed, compact
Decke (*f.*), **-n**	cover		
Ausführung (*f.*), **-en**	exposition, explanation, discussion	**anschaulich**	plastic, clear
		Auge (*n.*), **-n**	eye
ökologisch	ecological	**vor Augen**	
ausgehen (*sep.*)	to go out	**führen**	to demonstrate
ausgehen von	to emanate from, start from, be based on	**Schrifttum** (*n.*)	literature, references

[*] Orion, Heft 6, 1959.

VOCABULARY

Abb. (Abbildung) (*f.*), **-en**	figure, illustration	**Franzose** (*m.*), **-n**	Frenchman
Bedingung (*f.*), **-en**	condition	**gesund**	sound, healthy
berücksichtigen	to consider	**Gewicht** (*n.*), **-e**	weight
bestehen	to consist, exist	**gleich**	equal, same
Beziehung (*f.*), **-en**	relationship	**Kart. (Karton)** (*m.*)	cardboard, paper (cover)
Buchbesprechung (*f.*), **-en**	book review	**Klima** (*n.*)	climate
Dampf (*m.*), **=e**	steam, vapor, fume	**örtlich**	local
		Schluß (*m.*), **=sse**	conclusion
deutlich	clear	**trotz**	in spite of
d.h. (das heißt)	that is	**Umwelt** (*f.*)	environment, surroundings
DM (deutsche Mark)	German mark		
eindringen (*sep.*)	to penetrate	**ursprünglich**	original
Einleitung (*f.*), **-en**	introduction	**Verbindung** (*f.*), **-en**	compound, connection, bond
erfolgen	to ensue, take place	**vier**	four
		vornehmen (*sep.*)	to undertake
erlauben	to permit	**ziehen**	to draw, pull
Forschung (*f.*), **-en**	investigation, research	**zusammensetzen** (*sep.*)	to compose, put together

1. Other Types of Extended-Adjective Constructions

a. Introduced by a preposition followed by another preposition

In diesem Sanatorium finden Menschen Heilung nur <u>durch</u> (<u>von</u> der Natur gegebene)[1] Mittel.
In this sanatorium people are healed only by natural remedies (remedies given by nature).

b. Without limiting adjective

(Von der Sonne her stürzende) Flugzeuge entzogen sich der Wahrnehmung.
Planes diving in from the sun escaped observation.
Nach der Vorstellung Vavilovs ist Züchtung (vom Menschen gelenkte) Evolution.
According to the conception of Vavilov, breeding is evolution directed by man.

The majority of constructions without limiting adjectives involve plural nouns and are usually introduced by a preposition.

c. Participle used as noun

das (in der Schule vor vielen Jahren) <u>Gelernte</u>
what was learned in school many years ago
that which was learned in school many years ago
das (auf Seite 26) <u>Gesagte</u>
what was said on page 26

In these constructions a past participle, used as a noun, incorporates the function of a preceding modified adjective or participle.

---

[1] Note that we are providing the parentheses only as an aid in reading and translating. They are normally not part of the sentence.

2. Extended Adjective Plus Unextended Adjectives Before the Noun

diese (für uns schwierige) militärische Aufgabe
this military mission, which is (was) difficult for us
die (im Lande herrschenden) politischen und sozialen Zustände
the political and social conditions prevailing in the country
die grüne, (in diesem Versuch erhaltene) Flüssigkeit
the green liquid obtained in this experiment

In a construction having both extended and unextended adjectives or participles (*all having the same adjective ending*) before the noun, unextended adjectives and participles are translated before the noun. Usually, the extended construction ends after the first adjective or participle.

3. Several Extended Adjectives Preceding the Noun

in einem (auf konstante Temperatur gebrachten,) (senkrecht stehenden) Metallrohr
in a vertically standing tube, which was brought to a constant temperature
Dieser (mit vielen Ehren in Deutschland ausgezeichnete,) (von seiner Heimat geflüchtete,) (jetzt in den Vereinigten Staaten lebende) große Physiker war einer der Gründer der modernen Atomphysik.
This great physicist, who had received many honors in Germany, was one of the founders of modern atomic physics. He fled from his native country and is now living in the United States.

When a noun is preceded by several extended adjectives, awkward translation may be avoided by dividing the German sentence into shorter English sentences.

EXERCISES

1. Die die Nichtzuckerstoffe enthaltende Lösung wird zuerst filtriert.
2. Durch Anwendung radioaktiver Isotopen kann man bestimmte Atome von anderen ihnen chemisch gleichgearteten Atomen unterscheiden.
3. Diese bei Anwesenheit von Nikotin entstandene rasche und intensive Zerstörung der Askorbinsäure (*ascorbic acid*) war auffallend.

1. **Zucker** (*m.*), -   sugar   3. **auffallend**   striking
2. **gleichgeartet**   similar

4. Aus dem auf S. 384 über die politischen Zustände in Österreich-Ungarn Gesagten folgt, daß ein Zusammenbruch dieses Staates fast unvermeidlich war.

5. Nur die mit den besten wissenschaftlichen Kenntnissen ausgestatteten, großzügig handelnden und denkenden Ingenieure können das Grundproblem der Technik, die Energieerzeugung, lösen.

6. Von uns gewonnene Versuchsergebnisse werden in der nächsten Mitteilung erscheinen.

7. Eine in früheren Zeiten recht häufige, an den Volksschulen erlaubte Strafe ist heute streng verboten, nämlich die körperliche Züchtigung irgendwelcher Art, auch die Ohrfeige.

8. Dieser, mit wahrhaft tropischer Farbenpracht geschmückte, als Jagdwild hochgeschätzte, in den meisten Revieren des Flach- und Hügellandes heute vorkommende Vogel [der Fasan] ist ursprünglich nicht bei uns zu Hause gewesen.

9. Gegen Feuchtigkeit besonders empfindliche Drogen bewahrt man unter Kalk.

10. Die Zellgrenzschichten des tierischen Organismus sind im allgemeinen für in wässerigen Flüssigkeiten gelöste Stoffe durchlässig.

11. Das auf Seite 39 über die Penizilline Gesagte gilt auch für diese Stoffe.

12. Phosphor und Schwefel werden durch der anorganischen Chemie bekannte Methoden ermittelt.

4. **Ungarn** (*n.*)	Hungary	**schmücken**	to decorate
Zusammenbruch		**hochschätzen**(*sep.*)	to prize highly
(*m.*), ⁼e	collapse	**Revier** (*n.*), -e	hunting ground
unvermeidlich	unavoidable	**flach**	flat
5. **großzügig**	liberal, bold, on	**Hügel** (*m.*), -	hill
	a grand scale	9. **Feuchtigkeit** (*f.*)	moisture
Grundproblem		**bewahren**	to store
(*n.*), -e	basic problem	**Kalk** (*m.*)	lime
7. **Volksschule** (*f.*),	grade school,	10. **Zellgrenzschicht**	boundary layer of
-n	public school	(*f.*), -en	the cell
Strafe (*f.*), -n	punishment	**durchlässig**	permeable,
Züchtigung (*f.*),			pervious
-en	punishment	12. **ermitteln**	to determine,
8. **Farbenpracht** (*f.*)	splendor of colors		ascertain

Buchbesprechung*

Jenseits aller Grenzen von Richard Koch. 285 S. m. 42 Abb.
AWA-Vlg. E. F. Flatau & Co., München. Gln. DM 22,80.

Im Zeitalter der beginnenden Raumfahrt versucht der Verfasser
eine Brücke zu schlagen von den zum Teil veralteten utopischen
Romanen und Erzählungen über die heute erreichten Taten der   5
Technik bis zu den unter dem Begriff „Science Fiction" ver-
standenen Erzählungen. In der Fachliteratur immer wieder
vorausgesetzte Begriffe werden dem Leser in leicht begreifbarer
Weise verständlich gemacht. Der größte Teil des Buches wird von
der Erörterung der Tatsachen, Möglichkeiten und Unmöglich-   10
keiten der Weltraumfahrt eingenommen. Um der gestellten
Aufgabe gerecht zu werden, ist der Anhang „Begriffe und Tatsachen der Astrophysik" mit seinen exakten Angaben aller in
Frage kommenden Zahlen und Größen sehr dienlich, fast ebenso
wie das ausführliche Stichwortregister. Kurz gesagt: ein zum   20
Lesen und Nachschlagen etwas zu teures Buch.

jenseits	beyond	**Erörterung** (*f.*),	
Raumfahrt (*f.*), **-en**	space travel	**-en**	discussion
schlagen	to strike	**einnehmen** (*sep.*)	to take up, consume
ein Brücke		**gerecht werden**	to do justice
schlagen	to build a bridge	**Angabe** (*f.*), **-n**	statement, entry
Teil (*m.*), **-e**	part	**dienlich**	useful
zum Teil	in part, partially	**ebenso wie**	just as
veraltet	antiquated	**ausführlich**	detailed, ample
Roman (*m.*), **-e**	novel	**Stichwortregister**	
Erzählung (*f.*), **-en**	tale, story	**(n.), -**	index
begreifbar	understandable,	**nachschlagen** (*sep.*)	to look up, to use as
	comprehensible		a reference

* Orion, Heft 5, 1959.

VOCABULARY

Anhang (*m.*), =e	appendix
anorganisch	inorganic
Anwendung (*f.*), -en	use, application, employment
Brücke (*f.*), -n	bridge
Droge (*f.*), -n	drug
empfindlich	sensitive, susceptible
Fach (*n.*), =er	trade, profession
Flüssigkeit (*f.*), -en	fluid, liquid
Frage (*f.*), -n	question, problem
gewinnen	to obtain, win, get, extract, produce
häufig	numerous, often
Ingenieur (*m.*), -e	engineer
irgend	some, any
irgendwelch-	any kind of, any
Kenntnis (*f.*), -se	knowledge
körperlich	bodily, physical, corporal
meist	most, mostly, usually
Möglichkeit (*f.*), -en	possibility, practicability
nämlich	identical, that is, namely
rasch	rapid
streng	severe, strict
Tat (*f.*), -en	deed, accomplishment
Tatsache (*f.*), -n	fact
teuer	expensive
verständlich	intelligible, clear, understandable
Vogel (*m.*), =	bird
voraussetzen (*sep.*)	to presuppose, assume
wahrhaft	true, truly
Zeitalter (*n.*)	age, era
Zerstörung (*f.*), -en	destruction, disintegration

1. Extended-Adjective Construction Within an Extended-Adjective Construction

Die (während der Nacht mit dem [aus Frankreich kommenden] Zug eingetroffenen) Touristen fanden keine Unterkunft.
The tourists who arrived during the night on the train from France did not find any lodging.

When you come to the signal for the second extended-adjective construction (usually a preposition after a limiting adjective), set it off with brackets. Translate it after the first one. These constructions are quite rare, but you should be able to recognize them.

2. Zu plus Present Participle

This combination is frequent in extended-adjective constructions:

die (zu messende Flüssigkeit
the liquid to be measured
die (in unseren Kirchen zu sehenden) Kunstwerke
the works of art to be seen (which can be seen) in our churches

Zu plus a present participle is best translated with *to be* plus past participle.

3. Participial Phrases

Mit einem Gummistopfen verschlossen, wird die Flasche ins Dunkle gestellt.
Sealed with a rubber stopper, the bottle is placed in the dark.
Die Warnungen der Mutter vergessend, lief das Kind auf die Straße.
Forgetting the warnings of his mother, the child ran into the street.
Der Student versuchte, eine andere Methode benutzend, dieselben Ergebnisse zu erzielen.
The student tried to obtain the same results by using a different method.

The present or past participle is the last word of the phrase, but is translated first. Participial phrases are set off by commas.

4. Ist (war) plus zu plus Infinitive

Das Sieden der Flüssigkeit ist zu vermeiden.
Boiling the liquid is to be (must be) avoided.
Das Schiff war nicht mehr zu sehen.
The ship no longer could be (was to be) seen.
Die Menge war so klein, daß sie mit dem bloßen Auge nicht zu sehen war.
The amount was so small, that it could not be seen with the naked eye.
Die rötliche Farbe der Flüssigkeit wird wohl auf das Jod zurückzuführen sein   (future tense with **wohl** to express probability in the present).
The reddish color of the liquid can probably be traced to the iodine.

This construction is translated by an English passive construction: *is to be, was to be, can be, could be, must be, had to be.* Note that, in verbs with separable prefixes, **zu** stands between the prefix and the verb (last example).

EXERCISES

1. Die für die in der Landwirtschaft gebrauchten Schlepper (*tractors*) notwendigen Ersatzteile müssen zur Erntezeit bereitgehalten werden.

2. Zum Nachweis dieses Stoffes wird die zu untersuchende Flüssigkeit zunächst 12-18 Stunden bei 37 Grad C erhitzt und dann filtriert.

3. Es ist zu erwähnen, daß das Neue nicht immer das Beste ist.

4. Besonders hervorzuheben ist die Anwendung der radioaktiven Indikatoren in der Chemie.

5. Eine sichere Sterilisation mit chemischen Mitteln allein war nicht durchzuführen.

6. Die Ionisation als Indikator benutzend, hat man im Laufe der Jahre einige Dutzend chemisch wohldefinierte radioaktive Elemente aufgefunden.

7. Die bei dieser Methode zu beachtenden Vorsichtsmaßregeln müssen unbedingt eingehalten werden.

1. **Ersatzteil** (*m.*), **-e**   spare part
   Erntezeit (*f.*), **-en**   harvest time
   bereithalten (*sep.*)   to keep on hand
2. **erhitzen**   to heat
   C (Celsius)   centigrade
6. **Dutzend** (*n.*)   dozen
   wohldefiniert   well-defined

   auffinden (*sep.*)   to find
7. **Vorsichtsmaßregel** precaution(ary
   (*f.*), **-n**   measure)
   unbedingt   absolute
   einhalten (*sep.*)   to adhere to, observe

8. Ursprünglich nur für Versuchszwecke Anwendung findend, ist dieser Stoff heute auf vielen Gebieten der Industrie vorzufinden.

9. Die Energie, die wir bei der chemischen Verbrennung von Triebstoffen gewinnen, beträgt, auf das einzelne Atom umgerechnet, nur wenige E. V. (Elektronen Volt).

10. Den neueren Forschungen der Tierzucht entsprechend, wird heute empfohlen, die Viehproduktion ein Mal indirekt durch eine Erhöhung der Graserzeugung und zum anderen direkt durch eine Verbesserung der Umweltsbedingungen der Tiere zu steigern.

11. Die Ernte bzw. das Einsammeln dieser Drogen ist in derjenigen Vegetationsperiode vorzunehmen, in welcher die Pflanzen bzw. die zu erntenden Pflanzenteile den größten Gehalt an wirksamen Bestandteilen haben.

9. **Triebstoff** (*m.*), **-e**	fuel	**bzw. (beziehungs-**	
umrechnen (*sep.*)	to convert	**weise)**	or, respectively
10. **Tierzucht** (*f.*)	animal breeding,	**einsammeln** (*sep.*)	to collect
	animal raising	**ernten**	to harvest
Vieh (*n.*)	cattle	**Bestandteil** (*m.*),	
11. **Ernte** (*f.*), **-n**	harvest	**-e**	constituent

Straßenbrücke aus Aluminium[*]

Eine große Straßenbrücke, bei der anstelle von Stahl oder
Eisenbeton Aluminium als Trägerelement verwendet wird, ist in
der Nähe von Des Moines im Staate Iowa (USA) im Bau und
soll schon bald dem Verkehr übergeben werden. Die Brücke wird
5   im Rahmen eines größeren Forschungsprojektes gebaut und soll
den Ingenieuren in erster Linie technische Daten über die Eigenschaften und das Verhalten von Aluminium im Brückenbau im
Vergleich zu den anderen bis heute verwendeten Metallen liefern.
Der Standort der Brücke ist so gewählt worden, daß auf Grund
10   der hohen Verkehrsfrequenz und der großen zu erwartenden
Belastungen mit sehr aufschlußreichen Erkenntnissen zu rechnen
ist. Während die Fahrbahn und Pfeiler aus armiertem Beton
hergestellt werden, bestehen die Träger und sämtliche anderen
Teile der Brücke aus Aluminium.

Eisenbeton (*m.*)	reinforced concrete	**aufschlußreich**	informative
Trägerelement (*n.*),		**rechnen mit**	to expect
-e	load carrier	**Fahrbahn** (*f.*), **-en**	road bed
übergeben	to turn over	**Pfeiler** (*m.*), **-**	pillar, pier
Standort (*m.*), **-e**	location	**armieren**	to reinforce
Belastung (*f.*), **-en**	load	**Beton** (*m.*)	concrete

---

[*] Orion, Heft 5, 1959.

VOCABULARY

allein	alone, only, but	**Linie** (*f.*), **-n**	line
anstelle	instead, in place of	**in erster Linie**	primarily
bald	soon	**notwendig**	necessary
beachten	to observe, notice	**Rahmen** (*m.*), **-**	frame
bestehen (aus)	to consist (of), exist	**im Rahmen**	within the framework, scope
Datum (*n.*), **Daten**	date, (*pl.*) data	**sämtlich**	all
ein Mal . . . zum anderen	on the one hand . . . on the other hand	**sicher**	safe, secure, definite
empfehlen	to recommend	**Stahl** (*m.*)	steel
entsprechen	to correspond	**Straße** (*f.*), **-n**	street, road
Erhöhung (*f.*)	elevation, increase	**Träger** (*m.*), **-**	carrier
Gehalt (*m.*)	contents, capacity	**Verbesserung** (*f.*), **-en**	improvement
Gras (*n.*), **⸗er**	grass	**Verbrennung** (*f.*)	combustion, burning
Grund (*m.*), **⸗e**	ground, reason	**Vergleich** (*m.*), **-e**	comparison
auf Grund	on the basis of, on the strength of	**Verhalten** (*n.*)	behavior, reaction
hervorheben (*sep.*)	to emphasize, display	**Verkehr** (*m.*)	traffic
Lauf (*m.*)	course, running	**vorfinden** (*sep.*)	to find
liefern	to supply	**wählen**	to choose
		Zweck (*m.*), **-e**	purpose

Die neuen Sechszylinder[*]

(Eine Anzeige)

Vor einigen Wochen hob die Daimler-Benz AG den Vorhang
zur Premiere der neuen Sechszylinder 220, 220S und 220SE. Die
Vorstellung wurde in der Öffentlichkeit zu einem großen Ereignis,
5   denn diese Fahrzeuge sind durch neue Form und neue Technik
im Mercedes-Benz Personenwagenprogramm zu einer Klasse für
sich geworden. Natürlich erwarten Sie von einem Wagen dieser
Größe viel — aber Sie werden mehr erleben, als Sie erwartet
haben. Das beginnt bei der neuen Karosserie, die in ihren klaren
10   Linien modernen Stil mit klassischem Mercedes-Benz Charakter
verbindet. Das zeigt sich in der glücklichen Aufteilung des großen
Raumes, der bei kaum veränderten Außenabmessungen noch
mehr Platz für Personen und Gepäck bietet. Sehen Sie sich
darüber hinaus die erlesene Innenausstattung an. Überall finden

Anzeige (*f.*), -n	advertisement	**erleben**	to experience
Woche (*f.*), -n	week	**Karosserie** (*f.*)	body
AG (Aktiengesell-		**Stil** (*m.*), -e	style
schaft) (*f.*)	joint-stock company	**klassisch**	classical
heben	to lift	**glücklich**	happy, fortunate,
Vorhang (*m.*), ⸗e	curtain		successful
Vorstellung (*f.*),	introduction,	**Aufteilung** (*f.*)	partition, division
-en	presentation	**Raum** (*m.*), ⸗e	space, room
Öffentlichkeit (*f.*)	public	**Außenabmessung**	
in der Öffent-		(*f.*), -en	exterior dimension
lichkeit	among the public	**Platz** (*m.*), ⸗e	room, space
Ereignis (*n.*), -se	event	**Gepäck** (*n.*)	luggage
Fahrzeug (*n.*), -e	vehicle, car	**bieten**	to offer
Personenwagen		**darüber hinaus**	beyond this, in addi-
(*m.*), -	passenger car		tion to this
Klasse (*f.*), -n	class	**erlesen**	select, choice
Klasse für sich	select class	**ansehen** (sich) (*sep.*)	to look at, examine

---

[*] Orion, Heft 10, 1959.

Sie Bequemlichkeit und Sicherheit. Sie sitzen geborgen in einem   15
Raum ohne Kanten, geschützt durch Sicherheitspolsterungen und
elastisches Material. Genießen Sie den freien Blick nach allen
Seiten durch die großen Vollsichtscheiben und vor allem: Sie
werden durch eine Fahrt im neuen 220, 220S oder 220SE von den
besonderen Eigenschaften dieser Wagen überrascht werden. Von   20
jeher vermittelte ein Mercedes-Benz ein besonderes Fahrgefühl.
Was Sie aber jetzt in einem dieser Wagen erleben ist etwas völlig
Neues: Eine bisher kaum für möglich gehaltene ideale Kombina-
tion von harmonischer Federung und optimal ruhiger Straßenlage.
Diese Fahrkultur zu erleben, wird auch für Sie ein großes Ereignis   25
sein.

Innenausstattung		**Fahrt** (*f.*), **-en**	ride, drive
(*f.*), **-en**	interior outfitting	**besonder-**	special
überall	everywhere	**von jeher**	at all times, ever
Bequemlichkeit		**vermitteln**	to give, convey
(*f.*), **-en**	comfort	**Fahrgefühl** (*n.*)	riding sensation
Sicherheit (*f.*)	safety	**völlig**	complete, entire
sitzen	to sit	**halten**	to hold, consider
geborgen	safe	**harmonisch**	harmonious
Kante (*f.*), **-n**	edge	**Federung** (*f.*)	suspension
schützen	to protect	**optimal**	optimum, most
Sicherheitspolste-		**ruhig**	quiet
rung (*f.*), **-en**	safety padding	**Straßenlage** (*f.*)	road-holding
elastisch	elastic		capacity
genießen	to enjoy	**Fahrkultur** (*f.*)	refined stage of
Blick (*m.*), **-e**	view		driving
Vollsichtsscheibe			
(*f.*), **-en**	panoramic window		

Der Arbeitsmann

Wir haben ein Bett, wir haben ein Kind,
    Mein Weib!
Wir haben auch Arbeit, und gar zu zweit,
Und haben die Sonne und Regen und Wind,
5   Uns fehlt nur eine Kleinigkeit,
Um so frei zu sein, wie die Vögel sind:
    Nur Zeit.

Wenn wir sonntags durch die Felder gehn,
    Mein Kind,
10   Und über den Ähren weit und breit
Das blaue Schwalbenvolk blitzen sehn,
Oh, dann fehlt uns nicht das bißchen Kleid,
Um so schön zu sein, wie die Vögel sind:
    Nur Zeit.

15   Nur Zeit! Wir wittern Gewitterwind,
    Wir Volk.
Uns fehlt ja nichts, mein Weib, mein Kind,
Als all das, was durch uns gedeiht,
Um so kühn zu sein, wie die Vögel sind:
20   Nur Zeit!

                Richard Dehmel

Bett (*n.*), **-en**	bed	**blitzen**	to glitter, flash, flit
Weib (*n.*), **-er**	wife, woman	**bißchen**	bit of
gar	even	**Kleid** (*n.*), **-er**	dress, clothes
zu zweit	(two) together, by twos	**schön**	beautiful
		wittern	to scent, suspect, sense
Regen (*m.*)	rain		
fehlen	to lack, be absent	**Gewitter** (*n.*), **-**	storm, thunderstorm
uns fehlt	we lack	**Volk** (*n.*), **=er**	people, nation
Kleinigkeit (*f.*), **-en**	trifle, little	**ja: uns fehlt ja**	why, we don't lack a thing
Ähre (*f.*), **-n**	ear of grain	**nichts**	
weit und breit	far and wide	**nichts als**	nothing but
blau	blue	**gedeihen**	to thrive
Schwalbenvolk (*n.*)	swallows	**kühn**	bold, daring

26

1. Wo(r)-Compounds

1. **Das Haus, <u>worin</u> er lange gewohnt hat, wurde zerstört.**
   The house <u>in which</u> he lived a long time was destroyed.
2. **Ich weiß nicht, <u>woran</u> er gedacht hat.**
   I do not know <u>what</u> he was thinking <u>about</u>.
3. **Ich weiß nicht, <u>wovon</u> er gesprochen hat.**
   I do not know <u>what</u> he talked <u>about</u>.
4. **<u>Wozu</u> gebrauchen Sie dieses Instrument?**
   <u>For</u> <u>what</u> do you need this instrument?

Wo(r)-compounds consist of **wo** plus a preposition (compare English *wherein*). The **r** is inserted when the preposition begins with a vowel. **Wo(r)**- may replace relative pronouns (1) or **was** (2, 3). The compounds also are used as interrogatives (4).

Translate **wo(r)** by *which* or *what* and the preposition by its appropriate meaning in the sentence. Always translate the preposition first.

2. Da(r)-Compounds

a. Da(r)- used to replace a pronoun

In der Mitte des Zimmers steht ein Tisch, und <u>darauf</u> finden Sie die gesuchten Papiere.
In the middle of the room is a table, and <u>on</u> <u>it</u> you will find the desired papers.
Hier sind die Reagenzgläser, und <u>darin</u> sehen Sie . . .
Here are the test tubes, and <u>in</u> <u>them</u> you see . . .

Da(r)- compounds consist of **da(r)** plus a preposition. **Da(r)**- generally replaces pronouns referring to things or ideas and is translated *it, them, that, this.*

155

b. **Da(r)**-compounds anticipating clauses

> **Er glaubt nicht daran, daß die Erde rund ist.**
> *He does not believe (in the fact) that the earth is round.*
> **Die Wirkung dieses Stoffes besteht darin, daß er schnell schmilzt.**
> *The effect of this substance consists in its quick melting.*
> **Man erreicht dies dadurch, daß man eine Säure gebraucht.**
> *This is achieved by using an acid.*
> **Man ging dazu über, analytische Versuche auszuführen.**
> *They turned to doing analytical experiments.*

Da(r)-compounds anticipate clauses (usually **daß**-clauses) that follow a verb used with a preposition **(glauben an, bestehen in)**. Note that the **da(r)**-compound need not be translated.

3. **Hier**-Compounds

> **Hierzu gebraucht man trockene Chemikalien.**
> *Dry chemicals are used for this.*
> **Hierauf werden wir später zurückkommen.**
> *We will come back to this later.*
> **Hiermit beschließen wir unseren Versuch.**
> *With this we conclude our experiment.*

Hier-compounds consist of **hier** plus a preposition (compare English *herewith*). The preposition is translated first, and **hier** means *this*.

4. Adverbs of Direction in Prepositional Phrases

> **Das Wasser läuft von der Flasche <u>aus</u> in ein anderes Gefäß.**
> *The water runs from the bottle into another container.*
> **Die Feinde sind nach allen Richtungen <u>hin</u> geflohen.**
> *The enemies fled in all directions.*
> **Die Vögel sind vom Süden <u>her</u> gekommen.**
> *The birds came from the south.*
> **Das geht weit über meine Erwartungen <u>hinaus</u>.**
> *That far exceeds my expectations. (That goes far beyond my expectations.)*

Adverbs of direction at the end of a prepositional phrase serve to strengthen the preposition but are not translated.

Do not confuse such adverbs at the end of a clause with separable prefixes (last example **hinausgehen**).

Some common combinations of preposition and adverb of direction are:

von . . . aus	*from*
um . . . herum	*around*
über . . . hinaus	*beyond*
von . . . her	*from*
von . . . hin	*to, toward*
nach . . . zu	*to, toward*

EXERCISES

1. Die jetzt vorliegenden Ergebnisse aus den Jahren 1958 und 1959 sollen kritisch mit denen aus den Jahren 1956 und 1957 verglichen werden, um den Einfluß der Jahreswitterung und damit den Schwankungsbereich des Wasserverbrauchs kennenzulernen.
2. Die Erde wandert in einem Jahr um die Sonne. Dadurch entstehen die Jahreszeiten.
3. Das Blut besteht aus dem Blutplasma und den darin verteilten Blutkörperchen.
4. Die Methode besteht darin, daß man die Absorption der Gammastrahlung durch verschieden dicke Bleiplatten bestimmt.
5. Ein sehr erhebliches Leitvermögen zeigen geschmolzene Salze, worauf wir bereits kurz hingewiesen haben.
6. Bei der Verdauung werden schwer lösliche Stoffe in lösliche umgewandelt. Dabei werden Stärke in Zucker, Fette in Fettsäuren, Eiweiß in Aminosäuren abgebaut.
7. Von Paris aus wird die Mode der ganzen Welt bestimmt.
8. Ein Luftbild ist eine photographische Aufnahme, die von einem Flugzeug aus gemacht wird.

1. **vorliegen** (*sep.*)	to be on hand, present		6. **Verdauung** (*f.*)	digestion
Witterung (*f.*)	weather		**Stärke** (*f.*)	starch
Schwankungs-	range of		**Fettsäure** (*f.*), **-n**	fatty acid
bereich (*m.*), **-e**	fluctuation		**Eiweiß** (*n.*)	albumen
2. **Jahreszeit** (*f.*),			**Aminosäure** (*f.*),	
-en	season		**-n**	amino acid
3. **Blutkörperchen**			7. **Mode** (*f.*), **-n**	fashion(s)
(*n.*), **-**	blood corpuscle		8. **Luftbild** (*n.*), **-er**	air photo
4. **Bleiplatte** (*f.*), **-n**	lead plate		**photographische**	
5. **Leitvermögen** (*n.*)	conductivity		**Aufnahme**	photograph

9. Eine Suggestivfrage ist z.B. die folgende: „Ist nicht die Winkelsumme im Dreieck 180 Grad?" Worauf der Schüler nur ja oder nein antworten kann, und wobei ihm nahegelegt wird, ja zu sagen.
10. Jungen Menschen ist die Annäherung an den Jazz vom Intellekt her verdächtig. Jazz, so meinen sie, soll erlebt werden.
11. Von einem religiösen Standpunkt aus kann so eine Handlung nicht gerechtfertigt werden.
12. Hierzu verwendet man den auf Seite 15 beschriebenen Apparat.
13. Hiermit beschließen wir diese Übungen.

9. **Winkelsumme**		10. **Annäherung** (*f.*)	approach
(*f.*), **-n**	sum of the angles	**verdächtig**	suspicious
Dreieck (*n.*), **-e**	triangle	11. **rechtfertigen**	to justify
nahelegen (*sep.*)	to suggest		

Verbesserter Holz-Feuerschutz*

Holz wird als Werkstoff immer kostspieliger. Daher ist es selbstverständlich, daß die chemische Industrie ihre Präparate zum Schutz des Holzes gegen Feuer durch Forschungs- und Entwicklungsarbeiten ständig verbessert und hierfür erhebliche Beträge aufwendet. Die Farbenfabriken Bayer brachten vor   5 einiger Zeit eine Weiterentwicklung ihrer entflammungshemmenden Imprägniermittel für Holz auf den Markt. Das Mittel besteht aus einer wässerigen Dispersion schwer brennbarer organischer Substanzen und Gase bildender anorganischer Zusatzmittel. In der Hitze baut sich aus den organischen Stoffen ein Kohlenstoff-   10 gerüst auf, worin sich ein Teil der Hilfsstoffe lamellen- und schwammartig einlagert. Dadurch entsteht auf der Holzober- fläche eine thermisch ausgezeichnet isolierende Schicht, die das Holz gegen Entflammen schützt. Die anderen Hilfsstoffe bilden in der Hitze feuerlöschend wirkende Gase wie Kohlendioxyd,   15 Ammoniak und Wasserdampf.

Werkstoff (*m.*), **-e**	(industrial) material	**Hilfsstoff** (*m.*), **-e**	accessory material
kostspielig	expensive	**Lamelle** (*f.*), **-n**	lamina, layer
Betrag (*m.*), **⁼e**	amount (of money)	**Schwamm** (*m.*), **⁼e**	sponge
aufwenden (*sep.*)	to raise, expend	**schwammartig**	spongelike
entflammungshemmend	noninflammable	**einlagern** (*sep.*)	to imbed, deposit
Imprägniermittel (*n.*), **-**	impregnating material	**thermisch**	thermal
Zusatzmittel (*n.*), **-**	additive	**ausgezeichnet**	excellent
Kohlenstoffgerüst (*n.*), **-e**	carbon skeleton	**entflammen**	to inflame
		Hitze (*f.*)	heat
		feuerlöschend	fire-extinguishing

---

* Orion, Heft 1, 1959.

VOCABULARY

bereits	already, previously	**Markt** (*m.*), **≃e**	market
bilden	to form, educate, to be	**meinen**	to think, mean
		nein	no
Blut (*n.*)	blood	**Oberfläche** (*f.*), **-n**	surface
brennbar	combustible	**Schicht** (*f.*), **-en**	stratum, layer
dick	thick, dense	**Schutz** (*m.*)	protection
erheblich	considerable	**schützen**	to protect
erleben	to experience	**selbstverständlich**	obvious, self-evident
Fabrik (*f.*), **-en**	factory	**ständig**	constant
Fett (*n.*), **-e**	fat, grease	**Standpunkt** (*m.*), **-e**	position, standpoint
Feuer (*n.*), **-**	fire	**Übung** (*f.*), **-en**	exercise
Handlung (*f.*), **-en**	deed, action, trade	**umwandeln** (*sep.*)	to convert
Hitze (*f.*)	heat	**verbessern**	to improve
isolieren	to isolate, insulate	**verteilen**	to distribute
kritisch	critical	**Zucker** (*m.*), **-**	sugar

27

1. Subjunctive Mood

The tenses learned in previous lessons were in the indicative mood, expressing facts and real conditions. The subjunctive mood is used primarily to imply doubt and express statements contrary to fact. English has few commonly used subjunctive forms; for example: *if he knew, if he were, so be it, long live the king*. German, however, has a full conjugational system for various tenses.

German has two types of subjunctives, one based on the infinitive stem of the verb, the other on the past stem. The personal endings are the same in both types and in all tenses.

2. Present Tense

a. Formed with the infinitive stem of the verb

ich sage	gebe	habe	sei	werde
du sagest	gebest	habest	seiest	werdest
er sage	gebe	habe	sei	werde
sie sage	gebe	habe	sei	werde
es sage	gebe	habe	sei	werde
wir sagen	geben	haben	seien	werden
ihr saget	gebet	habet	seiet	werdet
sie sagen	geben	haben	seien	werden

Note: 1. The endings of **sei** are irregular in the 1st and 3rd persons singular.

2. There is no change of stem vowel in the 2nd and 3rd persons singular of irregular verbs (**geben: gebest, gebe**).

b. Formed with the past stem of the verb

ich sagte	gäbe	hätte	wäre	würde
du sagtest	gäbest	hättest	wärest	würdest

161

er sagte	gäbe	hätte	wäre	würde
sie sagte	gäbe	hätte	wäre	würde
es sagte	gäbe	hätte	wäre	würde
wir sagten	gäben	hätten	wären	würden
ihr sagtet	gäbet	hättet	wäret	würdet
sie sagten	gäben	hätten	wären	würden

Note: 1. Umlauts are added to the stem vowel of irregular verbs if the vowel is **a, o,** or **u.**

2. Past-stem present subjunctives of regular verbs (**sagte**) are identical with past-tense indicative forms. Determine from the context if they are subjunctives in the present tense.

3. Past Tense

er, sie, es habe gesagt	er, sie, es sei gekommen
er, sie, es hätte gesagt	er, sie, es wäre gekommen

sie haben gesagt	sie seien gekommen
sie hätten gesagt	sie wären gekommen

The past tense consists of the subjunctive of **haben** (**habe, hätte**) or **sein** (**sei, wäre**) plus the past participle.

4. Future Tense

er werde kommen

sie würden kommen

The future tense consists of the subjunctive of **werden** (**werde, würde**) plus the infinitive; **würde** is usually equivalent to English *would.*

5. Subjunctive in Indirect Discourse

Indirect discourse is usually introduced by verbs of thinking, believing, saying. A direct quotation is: *He said: "A storm is brewing."* In indirect discourse, a quotation is merely reported: *He said that a storm was brewing.* In indirect discourse, German usually uses the subjunctive (either form). By using the subjunctive, a German writer need not periodically remind his reader (by periodically saying: " . . . and the author further states . . . ") that what he is reading is still a report or indirect discourse.

Observe the translation of the following subjunctives:

1. **Er sagt, daß er es wisse (wüßte).**
   He says that he knows it.
2. **Er sagte, daß er es wisse (wüßte).**
   He said that he knew it.
3. **Er sagt, daß er es gewußt habe (hätte).**
   He says that he knew it.
4. **Er sagte, daß er es gewußt habe (hätte).**
   He said, that he had known it.

Translate a present subjunctive in the tense of the introductory verb (*says*, *said*, Examples 1, 2). Translate a past subjunctive in a tense prior to that of the introductory verb (Examples 3, 4).

If the introductory verb is in the past tense, a past subjunctive may be equivalent to a simple English past, instead of a perfect tense:

Er sagte, daß er nichts gelernt habe (hätte).
He said that he (had not learned) did not learn anything.
Er behauptete, daß er einmal reich gewesen sei (wäre).
He maintained that he had once been (was once) rich.

Note that, when **daß** is omitted, normal word order is used in the indirect statement. The finite verb is in second position:

Er sagte, er habe nichts gelernt.
Er behauptete, er wäre einmal reich gewesen.

6. Indirect Questions

Er fragte mich, ob die Temperatur gestiegen wäre.
He asked me whether the temperature had risen.
Er fragte mich, wo die Bücher wären.
He asked me where the books were.

The subjunctive is also used in indirect questions, introduced by **ob** (*whether*) or by interrogatives (**wer, wann, wo,** etc.). Subjunctives in indirect questions are translated like those in indirect discourse.

EXERCISES

1. Während man im Mittelalter glaubte, die Erde sei der Mittelpunkt der Welt, um den Sonne, Mond und Sterne kreisen, lehrte Kopernikus, daß die Erde sich um ihre Achse drehe. Dadurch entstehen Tag und Nacht.

2. Bereits 1750 sprach B. Franklin die Vermutung aus, daß der Blitz elektrischer Natur sei.

3. Im Jahre 1815 stellte Prout die Hypothese auf, daß alle Elemente aus Wasserstoff aufgebaut seien.

4. Wir behaupteten bereits vorher, daß die bei Reibung zweier Stoffe aneinander erzeugten, entgegengesetzten elektrischen Zustände von gleicher Stärke seien.

5. Hinsichtlich der wissenschaftlichen Originalarbeiten wird oft behauptet, sie seien oft so schwer verständlich geschrieben, daß nur ein Fachwissenschaftler sie lesen könne.

6. Von Sokrates stammt die Meinung, die Tugend sei lehrbar; wenn jemand das sittlich Schöne wirklich erkannt habe, so werde er es auch üben. Von dieser Meinung, die immer eine Lieblingsmeinung der Rationalisten gewesen ist, sind wir weit abgekommen.

7. Der amerikanische Psychologe Weber sagt, es sei schwer abzumachen, ob die Gestalttheorie ein rationalistisches System sei oder eine empirische Wissenschaft, eher scheine sie einem absoluten Idealismus zu ähneln.

8. Der Polizist fragte den Studenten, wo er am Sonntag gewesen wäre.

9. Der Direktor wollte wissen, wie viele Personen an der Tagung teilnehmen würden.

10. Seine Mutter fragte mich, was für ein Buch für ihren zehnjährigen Sohn am geeignetsten sei.

1. **Mond** (*m.*), **-e**	moon	**sittlich**	moral
Stern (*m.*), **-e**	star	**Lieblingsmeinung**	favorite
kreisen	to circle, rotate	(*f.*), **-en**	opinion
Achse (*f.*), **-n**	axis	**abkommen (von)**	to get away
drehen	to turn	(*sep.*)	(from)
4. **aneinander**	on each other,	7. **abmachen** (*sep.*)	to decide
	together	**Gestalttheorie** (*f.*)	Gestalt theory
entgegengesetzt	opposite	**empirisch**	empirical
5. **Fachwissenschaftler**		**eher**	rather, sooner
(*m.*), **-**	specialist	8. **Polizist** (*m.*), **-en**	policeman
6. **stammen**	to stem, come	**Sonntag** (*m.*), **-e**	Sunday
Tugend (*f.*), **-en**	virtue	10. **zehnjährig**	ten-year-old
lehrbar	teachable	**Sohn** (*m.*), **⸗e**	son

Die Alchemie*

Das höchste Ziel der Alchemie war die Darstellung des Steins
der Weisen und des universalen Lösungsmittels. Die Alchemisten
glaubten, daß diese beiden Stoffe die Durchführung jeglicher
chemischen Operation, vor allem die Umwandlung der Metalle,
ermöglichen würden. Der Gedanke an die Metallumwandlung   5.
entsprang der Vorstellung, daß alle irdischen Dinge aus vier
Elementen oder aus den drei alchemistischen Grundstoffen, Salz,
Schwefel und Quecksilber, durch unterschiedliche Mischung entstanden seien. Durch das Suchen nach solchen Wundermitteln
wurden die arzneikundlichen und chemischen Kenntnisse und   10
die chemische Arbeitstechnik erheblich gefördert.

Stein (*m.*), **-e**	stone	**entspringen**	to spring from, arise from
weise	wise	**irdisch**	earthly, terrestrial
Stein der Weisen	philosopher's stone	**Wundermittel** (*n.*), **-**	miraculous sub- stance
Durchführung (*f.*)	execution, carrying out	**arzneikundlich**	pharmaceutical

VOCABULARY

ähneln	to resemble, be similar	**Nacht** (*f.*), **⸗e**	night
aussprechen (*sep.*)	to pronounce, express, voice	**Reibung** (*f.*)	friction, rubbing
		Stärke (*f.*)	strength, starch
behaupten	to maintain, contend	**Tag** (*m.*), **-e**	day
Darstellung (*f.*), **-en**	presentation, produc- tion, representation, portrayal	**Tagung** (*f.*), **-en**	convention
		teilnehmen (*sep.*)	to take part, partici- pate
Erde (*f.*)	earth, soil, ground	**üben**	to practice
erkennen	to understand, recognize	**Umwandlung** (*f.*), **-en**	conversion, change
ermöglichen	to make possible	**unterschiedlich**	different, distinct, varying
fördern	to further, promote, advance	**Vermutung** (*f.*), **-en**	supposition
glauben	to believe	**vorher**	before, previously
Grundstoff (*m.*), **-e**	basic substance	**Vorstellung** (*f.*), **-en**	conception, idea
hinsichtlich	in respect to	**weit**	wide, far, extensive
jeglich	any, each	**wirklich**	actual, real
jemand	somebody, someone		
Mischung (*f.*), **-en**	mixture		
Mittelpunkt (*m.*), **-e**	center, central point, focus		

---

* Adapted from Der Große Brockhaus, 16. Auflage, F. A. Brockhaus, Wiesbaden.

28

1. The Subjunctive in Suppositions or Conditions Contrary to Fact

Observe the similarity between the German and English constructions in expressing unreal conditions in **wenn**-clauses:

1. **Wenn ich das wüßte** . . .	*If I knew that* . . .
2. **Wenn ich das gewußt hätte** . . .	*If I had known that* . . .
3. **Wäre er gekommen, so** . . .	*If he had come, then* . . .
	Had he come, then . . .
4. **Hätte er das gewußt, dann** . . .	*If he had known that, then* . . .
	Had he known that, then . . .
5. **Käme er, so** . . .	*If he were coming, then* . . .

Note that subjunctives without auxiliaries express present conditions (1, 5), while past participles with a subjunctive of **haben** or **sein** express past conditions (2, 3, 4).

Observe the conclusion clauses for the above examples:

1. **Wenn ich das wüßte, würde ich es Ihnen sagen.**
   I would tell it to you.
2. **Wenn ich das gewußt hätte, dann wäre ich gekommen.**
   then I would have come.
3. **Wäre er gekommen, so hätten wir unseren Freund besucht.**
   we would have visited our friend.
4. **Hätte er das gewußt, so wäre er gekommen.**
   he would have come.
5. **Käme er, so gingen wir ins Theater.**
   then we would go to the theater.

In translating a conclusion clause not containing **würde**, use *would* with the present or past infinitive.

Examples:

Wenn Kolumbus Amerika nicht entdeckt hätte, so hätte es jemand anders getan.
If Columbus had not discovered America, someone else would have done it.
Hätte ich mehr Geld gehabt, so wäre ich nach Deutschland gefahren.
If I had had more money, I would have gone to Germany.
Es wäre besser, wenn wir nichts sagten.
It would be better, if we did not say anything.
Wenn ich nicht gekommen wäre, wäre mein Vater beleidigt gewesen.
If I had not come, my father would have been insulted.

2. Wenn-Clauses or Conclusion Clauses Standing Alone

Wenn ich das nur wüßte!	*If I only knew that!*
Wenn nur ein Arzt hier wäre!	*If only a doctor were here!*
Hätte ich nur Zeit gehabt!	*Had I only had time!*
Das hätte ich nicht geglaubt!	*I would not have believed that!*

Wenn-clauses and conclusion clauses standing alone are translated like those given in paragraph 1.

3. Als ob, als wenn (*as if, as though*)

Er tat, als ob (wenn) er nichts gehört hätte.
He acted as though he had not heard anything.
Er tat, als ob (wenn) er mein Bruder wäre.
He acted as though he were my brother.

Als ob, als wenn are followed by the subjunctive.

4. Ob, wenn Omitted

Er tat, als bliebe er den ganzen Tag.
He acted as though he were staying the whole day.
Es schien, als hätte der Jäger den Fasan getroffen.
It seemed as though the hunter had hit the pheasant.

Note the position of the finite verb if **wenn** or **ob** is omitted. It does not stand at the end of the clause, but follows **als** directly.

5. Special Uses of Subjunctives with Infinitive Stem

a. Wishes and exhortations

Gott sei gelobt!	(*May*) *God be praised!*
Er ruhe in Frieden!	*May he rest in peace!*

b. Formulas and directions

> **Man nehme ein Pfund Butter, zwölf Eier, ...**
> *Take a pound of butter, twelve eggs, ...*
> **Man denke an die Schwierigkeiten ...**
> *Think of the difficulties ...*

Man with the verb ending in **e** is best translated by an English imperative.

c. Assumptions in scientific writing

> **A sei ein Punkt auf der Linie X-Y.**
> *Let A be a point on line X-Y.*
> *Let us assume that A is a point on line X-Y.*
> **Die Linien A-B und C-D seien den Linien E-F und G-H parallel.**
> *Let lines A-B and C-D be parallel to lines E-F and G-H.*

d. Common phrases

> **Es sei wieder erwähnt, daß ...**
> *Let it be mentioned again that ...*
> *It should again be mentioned that ...*
> **Es sei darauf hingewiesen, daß ...**
> *Let it be pointed out that ...*
> **Es seien nur einige Beispiele erwähnt.**
> *Let us (me) mention only a few examples.*

Note that the type of subjunctive illustrated in **a** to **d** occurs mainly in relatively short independent clauses. The verb endings are **e** or **en** (exception, **sei**). *May, let,* or *should* plus verb will usually convey the meanings of these constructions.

EXERCISES

1. Die Fläche des Materials sei der XZ-Ebene parallel und der positiven Y-Achse zugekehrt.
2. Es seien hier nur einzelne von diesen Versuchen genannt.
3. Man vergleiche Abb. 421.
4. Wer Ohren hat zu hören, der höre!
5. Gott helfe mir! Amen.

1. **Ebene** (*f.*), **-n**   plane
   Achse (*f.*), **-n**   axis

zukehren (*sep.*)   to turn to
4. **Ohr** (*n.*), **-en**   ear

6. Die Schweiz hat auf landtechnischem Gebiet, trotz ihrer Neutralität während des zweiten Weltkrieges, nicht die Fortschritte erzielt, die man hätte vermuten können.

7. Sie: „Wenn Sie mein Mann wären, würde ich Ihnen Gift geben."
   Er: „Wenn Sie meine Frau wären, würde ich es nehmen."

8. Wäre uns diese Tatsache bekannt gewesen, so hätten wir eine ganz andere Versuchsmethode angewandt.

9. Wenn Sie die nötigen mathematischen Kenntnisse gehabt hätten, hätten Sie diese Aufgabe ausführen können.

10. Die Bewohner dieser Gegend arbeiten noch immer mit ihren alten Werkzeugen, als hätten sie niemals von modernen Arbeitsmethoden gehört.

11. Was wäre geschehen, wenn Israel und Ägypten damals, zur Zeit der Suez-Krise, über Atombomben verfügt hätten?

12. Es sieht so aus, als wären die existentialistischen Revolten gegen die technisierte Gesellschaft nutzlos gewesen.

13. Nehmen wir an, auf eine Stadt von der Größe und der geographischen Lage Frankfurts würde eine H-Bombe abgeworfen werden. Welcher Art wären die unmittelbaren Wirkungen?

6. **landtechnisch**	farm-technological	**verfügen (über)**	to have, to have at
10. **Bewohner**			one's disposal
(*m.*), -	inhabitant	12. **technisiert**	industrialized
noch immer	still	**nutzlos**	useless
11. **Krise** (*f.*), -n	crisis	13. **abwerfen** (*sep.*)	to drop

Das Attentat zu Sarajewo

Am 28. Juni 1914 fielen zwei Schüsse in Sarajewo, die eine
Weltkatastrophe auslösten. Der österreichische Thronfolger,
Erzherzog Franz Ferdinand, und seine Gemahlin wurden von
einem jungen serbischen Studenten durch diese zwei Schüsse
5   getötet. Einer der Verschworenen, Vaso Cubrilovic, der an
dem Attentat teilnahm, lebt heute als Geschichtsprofessor an
der Belgrader Universität. Der 17jährige Student wurde wegen
Teilnahme an der Verschwörung zu sechzehn Jahren schweren
Kerkers verurteilt. Wäre er damals älter gewesen, so wäre er
10   gehängt worden.

In einem Interview für United Press am 40. Jahrestag des
Attentates äußerte er sich folgendermaßen: „Wenn ich gewußt
hätte, welche tragische Entwicklung die Weltgeschichte durch
diesen Mord nehmen würde, hätte ich es mir bestimmt gründlich
15   überlegt. Ich will nicht sagen, daß ich heute für Österreich ein-
treten würde, aber heute weiß ich, daß Meuchelmord nicht der
richtige Weg ist, um politische Ziele, auch wenn sie richtig sind,
zu erreichen." Auch wenn der Mord unterblieben wäre, hätte der
Krieg zwischen den Großmächten ausbrechen müssen, denn er
20   wäre wegen der Spannungen zwischen den Großmächten fast
unvermeidlich gewesen.

Attentat (*n.*), **-e**	assassination	**Verschwörung** (*f.*),	
fallen	to fall	**-en**	conspiracy
Schüsse fallen	shots ring out	**Kerker** (*m.*), **-**	prison
auslösen (*sep.*)	to precipitate	**schwerer Kerker**	penal servitude
Thronfolger (*m.*), **-**	heir to the throne	**hängen**	to hang
Erzherzog (*m.*), **-e**	archduke	**eintreten** (**für**) (*sep.*)	to side with
Gemahlin (*f.*),		**Meuchelmord**	
-nen	wife	(*m.*), **-e**	assassination
serbisch	Serbian	**auch wenn**	even if, even though
Verschworene		**unterbleiben**	not to happen
(*m.*), **-n**	conspirator	**Großmacht** (*f.*), **˵e**	Great Power
		unvermeidlich	unavoidable

VOCABULARY

anders	otherwise, differently	**gründlich**	thorough
ausbrechen (*sep.*)	to break out	**helfen**	to help
aussehen (*sep.*)	to appear	**Jahrestag** (*m.*), -e	return, anniversary
äußern (sich)	to utter, express	**Lage** (*f.*), -n	position, situation
damals	at that time, then	**leben**	to live, exist
doch	however, yet, surely, indeed, nevertheless	**Mord** (*m.*), -e	murder
		niemals	never
		richtig	right, correct
einzeln	single, individual	**Schweiz** (*f.*)	Switzerland
einzelne	a few	**Teilnahme** (*f.*)	participation
erzielen	to obtain, make, attain	**überlegen**	to ponder, consider
		unmittelbar	direct
Fläche (*f.*), -n	surface	**vermuten**	to suppose, suspect
folgendermaßen	as follows	**verurteilen**	to condemn
Fortschritt (*m.*), -e	progress, advancement	**Weg** (*m.*), -e	way, route, path
		Werkzeug (*n.*), -e	tool
Gegend (*f.*), -en	area, locality		

29

1. Idiomatic Meanings of Subjunctive Modals

In addition to the idiomatic meanings of modals given in Lesson 17, keep in mind a number of special meanings of subjunctive modals. These forms are used in short clauses and are quite common.

Das dürfte möglich sein.
That might be possible.
Das dürfte mein Bruder gewesen sein.
That might have been my brother.
That probably was my brother.
Es könnte vorkommen, daß . . .
It could happen that . . .
Wir möchten feststellen . . .
We would like to determine . . .
Ich möchte gern ins Theater gehen.
I would like to go to the theater.
Ich sollte arbeiten, anstatt ins Kino zu gehen.
I should be working instead of going to the movies.
Ich wollte, diese Aufgabe wäre leichter.
I wished this lesson were easier.

Learn the following meanings:

dürfte	*might (be), probably (is)*
könnte	*could*
möchte	*would like to*
möchte gern	*would like to*
müßte	*would have to*
sollte	*should*
wollte	*wished*

2. Prepositions Following Nouns or Pronouns

diesen Vorschriften gemäß   *according to these directions*
der Geschwindigkeit wegen   *because of the speed*

deswegen	*because of this, for this reason*
meiner Meinung nach	*in (according to) my opinion*
demnach	*according to this*
dem Kupfer gegenüber	*compared to copper*
demgegenüber	*compared to that*
der Genauigkeit halber	*for the sake of accuracy*

Some prepositions, of which the most common are given above, may *follow* a noun or pronoun.

3. Lassen

Study the various meanings of this frequently used verb. Its past tense is **ließ**, the past participle, **gelassen**.

a. Lassen   *to let, allow*

> **Man läßt die Flüssigkeit stehen.**
> *One lets the liquid stand.*
> **Lassen Sie den Studenten hinein!**
> *Let the student enter.*

b. Lassen   *to cause, have* (something done by someone)

> **Ich ließ mir ein Haus bauen.**
> *I had a house built.*

c. Lassen   *to leave*

> **Ich habe meinen Wagen vor dem Haus stehenlassen.**
> *I left my car standing in front of the house.*

d. Sich lassen   *can be, may be, is possible*

> **Das läßt sich machen.**
> *That can be done.*
> **Das ließ sich machen.**
> *That could be done.*
> **Diese Stoffe lassen sich leicht auflösen.**
> *These substances can be dissolved easily.*
> **Diese Verbindung läßt sich nicht in ihre Elemente zerlegen.**
> *This compound cannot be split up into its elements.*
> **Das Verfahren hat sich wiederholen lassen.**
> *The process could be repeated.*

Note that a "double infinitive" is used with compound tenses of **lassen**.

EXERCISES

1. Der lateinische Name läßt vermuten, daß die Idee des Perpetuum mobile aus der Antike stamme.
2. Zwar weiß ich viel, doch möcht' ich alles wissen. (Faust)
3. Noch einige weitere Beispiele könnten angeführt werden.
4. Ich möchte nun versuchen, den Sinn des Gesagten kurz zusammenzufassen.
5. Die Deutschen in der Ostzone haben nicht das Recht, frei zu sprechen. Könnten sie es tun, würden sie, das steht außer jedem Zweifel, sich zu einer Verfassung bekennen, welche die Freiheit der Meinung garantiert.
6. Ihrer geringen Größe wegen sind die Moleküle auch im stärksten Lichtmikroskop nicht zu erkennen.
7. Nach chemischen Gesichtspunkten lassen sich die Desinfektionsmittel einteilen in Oxydationsmittel, Halogene usw.
8. Der Existentialismus ist meiner Auffassung nach eine Bewegung, die im Namen der Persönlichkeit gegen die entpersönlichenden Kräfte der technisierten Gesellschaft rebelliert.
9. Wenn Sie diesen Vorschriften gemäß arbeiten, dann kann der Erfolg nicht ausbleiben.
10. Perikles hat die Akropolis bauen lassen.
11. Dies Gesetz läßt sich z.B. folgendermaßen beweisen.
12. Nachdem das Gemisch zehn Minuten lang gekocht hat, läßt man es 24 Stunden im Dunkeln stehen.
13. Als Alexander der Große auf einem seiner Eroberungszüge den Diogenes sah, der ungestört des Krieges seinen philosophischen Betrachtungen nachging, soll er gesagt haben: „Wenn ich nicht Alexander wäre, möchte ich wohl Diogenes sein."

1. lateinisch	Latin	garantieren	to guarantee
Antike (*f.*)	antiquity	8. Persönlichkeit	
5. Ostzone (*f.*)	Eastern zone	(*f.*), -en	personality
Zweifel (*m.*), -	doubt	entpersönlichend	depersonalizing
außer Zweifel	to be beyond	9. ausbleiben (*sep.*)	to stay away, fail
stehen	doubt		to appear
Verfassung (*f.*),		13. Eroberungszug	military expedi-
-en	constitution	(*m.*), ⸗e	tion, war of con-
bekennen	to acknowledge		quest
sich bekennen		ungestört	undisturbed
(zu)	to embrace		

Buchbesprechung*

Der Jemen — Das verbotene Land von Günther Pawelke.
220 S. m. zahlr. Fotos. Econ Vlg., Düsseldorf. Gln. DM 16,80.

Die Heimat der legendären Herrscherin, der Königin von Saba,
ist der Jemen, der trotz aller technischen Fortschritte noch bis
heute weitestgehend unbekannt blieb. Dem Autor war es möglich,   5
dieses für Fremde unzugängliche Land zu besuchen und dort
Einblicke in die Religion, das Recht, die Regierung und die Wirtschaft zu erhalten. Ihm war es möglich, erstaunlich viel über das
verbotene Land zu ermitteln. Das Buch über dieses heute in das
Weltinteresse gerückte Land dürfte für Politiker, Wirtschaftler   10
und alle aufgeschlossenen Leser, die sich über ein Land sachlich
unterrichten möchten, überaus wertvoll sein.

Jemen (*m.*)	Yemen	**erstaunlich**	surprising
Herrscher (*m.*), -	ruler	**rücken**	to move, push
Königin (*f.*), **-nen**	queen	**Politiker** (*m.*), -	politician, statesman
weitestgehend	to a great extent	**aufgeschlossen**	open-minded,
unzugänglich	inaccessible		responsive
Recht (*n.*), **-e**	right, law(s)		

VOCABULARY

anführen (*sep.*)	to lead, quote, mention	**nachdem**	after
Auffassung (*f.*),	view, comprehension,	**nachgehen** (*sep.*)	to pursue
-en	conception	**Name** (*m.*), **-n**	name
Autor (*m.*), **-en**	author	**Regierung** (*f.*),	
besuchen	to visit, attend	**-en**	government
beweisen	to prove, demonstrate	**sachlich**	objective, material
Dunkel (*n.*)	dark, darkness	**stammen**	to stem, come
im Dunkeln	in the dark	**teilen** (**sich**)	to split, separate
Einblick (*m.*), **-e**	insight	**überaus**	exceedingly
ermitteln	to determine, learn	**unterrichten**	to instruct
Fremde (*m.*), **-n**	foreigner, stranger	**versuchen**	to try, test
gemäß	according to	**Vorschrift** (*f.*),	rule, regulation, direc-
Gesichtspunkt		**-en**	tion
(*m.***), -e**	viewpoint, aspect	**wertvoll**	valuable
Heimat (*f.*)	homeland, country	**Wirtschaftler**	
Interesse (*n.*), **-n**	interest	**(***m.***), -**	economist
kochen	to cook	**zahlr.** (**zahlreich**)	numerous
lassen	to let, leave, permit,	**zusammenfassen**	
	cause	**(***sep.***)**	to summarize

---

* Orion, Heft 12, 1959.

30

1. Es

a. Es as a personal pronoun

Wo ist das Laboratorium? **Es ist in einem anderen Gebäude.**
Where is the laboratory? *It is in another building.*

b. Indefinite es

Es ist wichtig, daß . . . *It is important that . . .*
Es muß erwähnt werden, daß . . . *It must be mentioned that . . .*

c. Introductory es, not the real subject

Es sind 25 Studenten in diesem Zimmer.
There are 25 students in this room.
Es bestehen zwei Möglichkeiten.
There are two possibilities.
Two possibilities exist.
Es bildet sich dann ein dunkler Rauch.
A dark smoke then forms (is formed).

2. Clauses Without a Subject

Bekannt ist, daß . . .
It is known that . . .
In vielen Fällen kann gesagt werden, daß . . .
In many cases it can be said that . . .
Dabei konnte festgestellt werden, daß . . .
In the process, it could be determined that . . .

In impersonal clauses, subject **es** is sometimes omitted, especially when an element other than the subject begins the clause.

3. Es in Idioms

a. gelingen (gelang, gelungen) *to succeed, be successful*

es gelingt mir	*I succeed, I am successful*
es gelingt ihm	*he succeeds*
es gelingt uns	*we succeed*
es gelang ihnen	*they succeeded*
es gelang Edison	*Edison succeeded*

Uns ist es gelungen, diesen Bazillus nachzuweisen.
We succeeded in detecting (isolating) this bacillus.
Nach schweren Kämpfen gelang es den Kolonien, ihre Freiheit zu erringen.
After heavy struggles, the colonies succeeded in winning their freedom.

Some verbs form idioms with **es** as impersonal subject. In English, however, the equivalent construction has a personal subject.

b. Es gibt

es gibt	*there is, there are*
es gab	*there was, there were*
es wird geben	*there will be*
es hat gegeben	*there has (have) been, there was (were)*

Es gibt viele Studenten, die nicht genug Geld haben.
There are many students who do not have enough money.
In Amerika gab es einen Indianerstamm, der . . .
In America there was an Indian tribe that . . .
Ein Pessimist glaubt, daß es immer Kriege geben wird, denn Kriege hat es schon immer gegeben.
A pessimist believes that there will always be wars, for there have always been wars.

c. Es kommt darauf an   *it depends upon, it is a matter of*

Es kommt darauf an, wie groß die Gefahr ist.
It depends on how great the danger is.

d. Es handelt sich um   *it is a question of, we are dealing with*

In diesem Buch handelt es sich um quantitative Ergebnisse.
In this book we are dealing with quantitative results.
This book deals with quantitative results.
Nun handelt es sich darum, den Eiweißgehalt zu bestimmen.
Now it is a question of determining the protein content.
Wir erkannten, daß es sich hier um radioaktive Strahlung handelte.
We recognized that here we were dealing with radioactive radiation.

4. Selbst, Selber

> **Der Professor selbst wußte es nicht.**
> *The professor himself did not know it.*
> **Wenn Sie selber diese Zustände gesehen hätten, so . . .**
> *If you yourself had seen these conditions, then . . .*

After a noun or pronoun, **selbst** or **selber** are intensive pronouns and mean *himself, herself, themselves*, etc. Preceding a noun or pronoun **selbst** means *even:*

> **selbst die Eltern des Studenten**
> *even the parents of the student*
> **Selbst er wußte es nicht.**
> *Even he did not know it.*

5. Wenn auch, auch wenn   *even if, even though, even when*

Wenn auch das Zimmer geheizt war, so war es doch kalt.
Even though the room was heated, it still was cold.
Diese Zimmer sind immer kalt, auch wenn sie geheizt sind.
These rooms are always cold, even when they are heated.
Wer einmal lügt, dem glaubt man nicht, und wenn er auch die Wahrheit spricht.
He who has lied before cannot be believed even if he tells the truth.

Note that **auch** may precede or follow **wenn** and may also be separated from it.

EXERCISES

1. Schließlich sei noch auf die Schwierigkeiten dieser Arbeit hinge-wiesen.
2. Es muß darauf aufmerksam gemacht werden, daß die Einführung dieses mathematischen Zeichens vollkommen willkürlich ist.
3. Ich möchte noch kurz darauf hinweisen, daß es auch andere Möglichkeiten gibt.
4. Der Nihilist verneint, daß man die Wahrheit erkennen könne, daß

2. **aufmerksam machen (auf)**	to call attention (to)	**Einführung** (*f.*), **-en** **willkürlich**	introduction arbitrary

es Richtlinien, nach denen man handeln soll, gibt, und daß eine Ordnung der Gesellschaft möglich ist.

5. Raphael wäre ein großer Maler geworden, selbst wenn er ohne Hände auf die Welt gekommen wäre.

6. Über das Ergebnis selbst läßt sich auf Grund unserer Versuche nicht allzuviel aussagen.

7. In den USA sucht man jede körperliche Arbeit durch die Maschine zu ersetzen. Selbst das Zufußgehen wird sowohl in der Stadt als auch auf dem Lande peinlichst vermieden.

8. Einige Arten der Bodenbakterien haben die Fähigkeit, den freien Stickstoff der Luft zu binden und ihn für sich selbst und für andere Organismen nutzbar zu machen.

9. Würde es sich hier um eine Mischinfektion mit Typhus- und Paratyphusbazillen handeln, so müßte eine andere Methode angewendet werden.

10. Herr Prof. Dr. Nernst gelangte zur Gleichung (379) mit Hilfe der in Band I auf S. 538 angeführten Gleichung (279).

11. Wir wissen, daß es sich hier um Fragen handelt, die dem Laien niemals absolut klar und verständlich werden.

12. Über die in den Jahren 1958 und 1959 durchgeführten Versuche betr. Wasserverbrauch der Gemüsearten wurde bereits berichtet.

13. Es sind noch viele andere Eigenschaften zu erwähnen.

4. **Richtlinie** (*f.*), **-n**	guide line, rule of conduct	**peinlichst**	most scrupulously, most carefully
Ordnung (*f.*)	order		
5. **Maler** (*m.*), **-**	painter	8. **nutzbar machen**	to utilize
6. **allzuviel**	too much	9. **misch-** (*in compounds*)	
7. **ersetzen**	to replace		mixed
zufußgehen (*sep.*)	to walk, go on foot	11. **Laie** (*m.*), **-n**	layman
		12. **Gemüsearten** (*pl.*)	vegetables, types of vegetables

Buchbesprechung*

Fotobuch der Wiesenpflanzen von Oskar Schweighart. 328 S. m.
316 Fotos. Bayerische Verlags-Gesellschaft, München. Gln.
DM 27, —.

5   Ohne den Wert dieses wirklich ausgezeichneten Werkes herabsetzen zu wollen, sei zunächst festgestellt, daß der Titel für die
meisten Interessenten irreführend sein dürfte. Es handelt sich hier
nicht um ein Fotobuch, das phototechnische Anregungen gibt,
wie es sonst bei Fotobüchern üblich ist, sondern es handelt sich
um eine Zusammenstellung und Wiedergabe hervorragender
10   Aufnahmen von Wiesenpflanzen, um deren Identifizierung für
den Landwirt zu erleichtern. Dabei wurden die „für die Beurteilung
des Wirtschaftsgrünlandes weniger belangvollen Arten” ausge-
schieden, um den Gebrauch nicht zu erschweren. Dieses Buch
zeigt, daß die Photographie durchaus in der Lage ist, Pflanzen
15   mit dokumentarischer Treue unter Beachtung der wichtigsten
Merkmale wiederzugeben. Jeder strebsame Landwirt, der seine
grünlandbotanischen Kenntnisse erweitern möchte, wird sie mit
dem Anschauungsmittel des Bildes nach diesem Buch rasch und
sicher vertiefen können. Sämtliche Abbildungen gestatten schon
20   auf den ersten Blick einen Vergleich mit den in der Natur wach-
senden Pflanzen, wobei einige wenige textliche Erläuterungen den
Wert der dargestellten Einzelpflanzen charakterisieren. Es gibt
kaum ein zweites Buch, das Schülern und Naturfreunden einen so
guten Überblick über die heimische Wiesenflora vermitteln
25   könnte.

---

* Orion, Heft 5, 1959.

Wiese (*f.*), -n	meadow	erschweren	to make difficult
herabsetzen (*sep.*)	to impair, disparage, detract from	Treue (*f.*)	fidelity, faithfulness
		Beachtung (*f.*)	consideration, attention
Interessent (*m.*), -en	interested person		
irreführend	misleading	unter B.	with attention to
Anregung (*f.*), -en	stimulation, suggestion	strebsam	industrious, aspiring, ambitious
üblich	customary	Anschauungsmittel	
Zusammenstellung		(*n.*), -	visual aid
(*f.*), -en	compilation	sicher	safe, secure, reliable
Wiedergabe (*f.*), -n	reproduction	vertiefen	to deepen, broaden
hervorragend	outstanding	textlich	textual
Beurteilung (*f.*)	judging, judgement	Erläuterung (*f.*), -en	explanation
Wirtschaftsgrünland		Freund (*m.*), -e	friend
(*n.*)	pasture land	Überblick (*m.*), -e	general view, survey, brief summary
belangvoll	important		
ausscheiden (*sep.*)	to eliminate		

VOCABULARY

Aufnahme (*f.*), -n	photograph	gestatten	to permit
ausgezeichnet	excellent	Gleichung (*f.*), -en	equation
aussagen (*sep.*)	to assert, affirm, express, say	Hand (*f.*), ⸗e	hand
		heimisch	native
Band (*m.*), ⸗e	binding, volume	Landwirt (*m.*), -e	farmer
betr. (betreffs)	concerning	Merkmal (*n.*), -e	sign, characteristic, indication
Bild (*n.*), -er	picture		
binden	to bind, tie	selbst	self, even
Blick (*m.*), -e	look, view	sonst	else, otherwise
darstellen (*sep.*)	to represent, produce	Verbrauch (*m.*)	consumption, use
durchaus	throughout, completely, absolutely	vermitteln	to convey
		verneinen	to deny
erleichtern	to facilitate	vollkommen	perfect, complete
erweitern	to extend	Wahrheit (*f.*)	truth
Gebrauch (*m.*)	use	Wasser (*n.*)	water
gelangen	to arrive, reach, attain	Wert (*m.*), -e	value, worth
		Zeichen (*n.*), -	sign

Das Gericht der Tiere[*]

Einst herrschte eine schwere Krankheit unter den Tieren. Alle
wurden davon ergriffen, und von Tag zu Tag wuchsen die Not
und die Angst. Was sollte man nur machen! Niemand wußte Rat,
niemand konnte helfen.

5   Da ließ der Löwe eine allgemeine Versammlung einberufen.
Alle Tiere mußten an einem bestimmten Tag vor ihm erscheinen;
niemand durfte fehlen.

Nun kamen sie von allen Seiten herbeigelaufen, geflogen,
geschwommen, gekrochen, jedes, so gut und schnell es konnte;

10   keines wollte den Termin versäumen.

Als nun alle Tiere vor ihrem König, dem Löwen, standen,
hörten sie ihn folgendermaßen sprechen:

„Liebe Freunde! Wir dürfen nicht glauben, daß die so furcht-
bare Krankheit uns zufällig getroffen hat. Wir müssen sie vielmehr

15   als eine Strafe des Himmels wegen unserer großen Sünden ansehen.
Was können wir machen, um den Himmel wieder zu versöhnen?

Gericht (*n.*), -e	court	kriechen	to crawl
einst	once, at one time	Termin (*m.*), -e	date, time
schwer	heavy, serious	versäumen	to miss
ergreifen	to seize	Löwe (*m.*), -n	lion
Not (*f.*), ⁼e	distress	lieb	dear
Angst (*f.*), ⁼e	fear	Freund (*m.*), -e	friend
niemand	no one	furchtbar	terrible
Rat (*m.*)	advice	zufällig	accidental
Rat wissen	to know what to do	treffen	to strike, hit
Versammlung (*f.*),		vielmehr	rather
-en	meeting	Strafe (*f.*), -n	punishment
einberufen (*sep.*)	to call	Himmel (*m.*)	heaven
herbeilaufen (*sep.*)	to come running	Sünde (*f.*), -n	sin
schwimmen	to swim	versöhnen	to placate, appease

---

[*] Dr. Weidemann, Langenscheidts Sprach-Illustrierte, Heft 1, 1958.

Ich glaube, ich habe einen guten Weg gefunden, und den möchte
ich euch jetzt mitteilen. Wir wollen den größten Sünder unter uns
suchen, und der muß für alle geopfert werden. Wie aber können
wir den größten Übeltäter finden? Ich schlage vor, daß jeder   20
einzelne vor meinen Stuhl treten soll, um laut zu bekennen, welche
Sünden er begangen hat. Damit aber niemand Angst hat, wirklich
ehrlich zu sein, will ich selbst den Anfang machen.

Leider muß ich also gestehen, daß ich meinen Hunger nie habe
beherrschen können, und so habe ich oft ein Schaf oder ein Kalb   25
gefressen, das mir nie in seinem Leben ein Leid angetan hatte.
Ja, manchmal fraß ich sogar den Hirten. Schwer lasten diese
Taten auf meinem Gewissen, und gern will ich mich opfern, wenn
es sein muß. Doch vorher sollen auch alle andern sprechen; es
kann sein, daß es noch größere Sünder gibt als mich.''   30
Kaum hatte der Löwe so gesprochen, da rief auch schon der
Fuchs: ,,Oh, großer König, wie kannst du nur an solche Kleinig-
keiten denken! Daß du deinen Hunger mit Schafen und Kälbern
stilltest, ist doch keine Sünde. Diese ordinären Tiere müssen froh
sein, wenn sie dir als Nahrung dienen dürfen. Das ist die größte   35
Ehre, die du ihnen erweisen kannst, und der Hirt hätte längst
den Tod verdient, da er zu den Menschen gehört, die uns Tiere
beherrschen wollen.''
So sprach der Fuchs, und alle Schmeichler waren einverstanden
mit seiner Rede. Was sollte man nun aber von den anderen   40

mitteilen (*sep.*)	to tell, communicate	**manchmal**	sometimes
Sünder (*m.*), -	sinner	**Hirt** (*m.*), -en	shepherd
opfern	to sacrifice	**lasten**	to burden, rest
Übeltäter (*m.*), -	evildoer, culprit	**Gewissen** (*n.*)	conscience
vorschlagen (*sep.*)	to suggest	**gern**	gladly
Stuhl (*m.*), ⸗e	chair	**vorher**	before that, first
treten	to step	**rufen**	to call, shout
laut	loud, aloud	**Fuchs** (*m.*), ⸗e	fox
bekennen	to confess	**Kleinigkeit** (*f.*),	
begehen	to commit	-en	trifle, triviality
ehrlich	honest	**stillen**	to still, satisfy
leider	unfortunately	**froh**	glad
gestehen	to admit	**Nahrung** (*f.*)	food
beherrschen	to control	**Ehre** (*f.*), -n	honor
Schaf (*n.*), -e	sheep	**gehören**	to belong
Kalb (*n.*), ⸗er	calf	**Schmeichler** (*m.*), -	flatterer
fressen	to eat, devour	**einverstanden sein**	to agree
Leid antun	to do harm	**Rede** (*f.*), -n	speech

Räubern sagen, dem Tiger, dem Bären, dem Wolf? Wer durfte sie jetzt noch Übeltäter nennen? Wer konnte es wagen, diese mächtigen Herren zu erzürnen? Also sprach man sie alle bis zum Hofhund frei und bewies mit klugen Worten die Unschuld und
45 Sauberkeit ihrer Taten.

Nun mußte der Esel vor den Richterstuhl.

„Einst ging ich", so begann er seine Beichte, „an einer Wiese vorbei. Das zarte Gras, die günstige Gelegenheit, mein Hunger und vielleicht auch ein Teufel verführten mich. Ich konnte nicht
50 widerstehen und — begann zu fressen. Da tat ich Unrecht, ganz gewiß."

„Wie furchtbar!" schrien da die anderen, „welch ein Verbrechen!"

Sofort bewies man ihm folgendes in einer wohlgesetzten
55 Rede: die Pest kann nur begonnen haben, um diese Tat zu rächen. Wer fremdes Gras frißt, muß natürlich sterben.

Und so führte man den armen Esel zum Galgen.

Räuber (*m.*), -	robber	Gelegenheit (*f.*),	
wagen	to dare	-en	opportunity
mächtig	mighty, powerful	vielleicht	perhaps
erzürnen	to anger, irritate	Teufel (*m.*), -	devil
Hofhund (*m.*), -e	house dog	verführen	to tempt, seduce
freisprechen (*sep.*)	to absolve, acquit	widerstehen	to resist
klug	clever, smart	Unrecht (*n.*)	wrong
Unschuld (*f.*)	innocence	schreien	to cry out, shout
Sauberkeit (*f.*)	propriety	Verbrechen (*n.*), -	crime
Esel (*m.*), -	donkey	wohlgesetzt	well-worded
Richterstuhl (*m.*)	judge's chair	Pest (*f.*)	pestilence
Beichte (*f.*), -n	confession	rächen	to avenge
Wiese (*f.*), -n	meadow	fremd	foreign, belonging to
vorbeigehen (*sep.*)	to pass		someone else
zart	tender	arm	poor
günstig	opportune, favorable	Galgen (*m.*), -	gallows

Part 2   Readings

Grammatical footnotes refer to the lessons in Part 1.

For example: 15, 2 = Lesson 15, Section 2.

Millionen Schafe verdanken ihr Futter einem Zufall

Ein Unkraut, das zu großem Ansehen kam

Der Zufall bedient sich[1] zuweilen seltsamer und meist sogar unfreiwilliger Gehilfen, die in der Regel keine Ahnung davon[2] haben, daß sie in den Geschicken der Menschen und Völker eine große Rolle spielen. Aber das ist ja gerade das Sonderbare, 5 Geheimnisvolle am Zufall. Er spielt auch in dieser Geschichte eine Rolle, der heute einige Millionen Schafe in Australien ihre fetten Weiden und einige Tausend Farmer ihre Existenz verdanken.

Gleichgültiger Händler

Eines Tages, es ist jetzt etwa 70 Jahre her, schickte ein Londoner 10 Samenhändler eine Ladung Sämereien in die damalige noch junge britische Kolonie Südaustraliens. Er war nicht sehr sorgfältig mit seinen Sämereien und hatte sich nicht darum gekümmert, daß darunter kleine schwarze Körner waren von einer Pflanze, die in England als Unkraut an den Wegen wächst. Auch den Farmer in 15

Schaf (*n.*), **-e**	sheep	**sonderbar**	strange, peculiar
verdanken	to owe	**geheimnisvoll**	mysterious
Futter (*n.*), **-**	fodder, feed	**Weide** (*f.*), **-n**	pasture
Zufall (*m.*), **=e**	accident, chance	**gleichgültig**	indifferent
Unkraut (*n.*), **=er**	weed	**Händler** (*m.*), **-**	merchant, dealer
Ansehen (*n.*)	fame, repute	**her**	ago
zuweilen	occasionally	**schicken**	to send
unfreiwillig	involuntary	**Samen** (*m.*), **-**	seed
Gehilfe (*m.*), **-n**	helper, aide	**Ladung** (*f.*), **-en**	shipment
Ahnung (*f.*)	presentiment	**Sämereien** (*pl.*)	seeds, grain
keine Ahnung		**damalig**	then
haben	not to suspect	**sorgfältig**	careful
Geschick (*n.*), **-e**	fate, destiny	**kümmern** (**sich**) **um**	to pay heed to
spielen	to play	**schwarz**	black
gerade (*adv.*)	particularly, exactly	**Korn** (*n.*), **=er**	grain, kernel

---

[1] reflexive verbs: 15, 2.
[2] da(r)-compounds: 26, 2.

Südaustralien, der am Mount Barker nahe bei Adelaide saß, bekümmerte das wenig. Er säte den Samen aus, so wie er war, und ahnte nicht, daß er damit einer Pflanze Eingang in Australien verschaffte, die bei den Fachleuten bodenfrüchtiger Klee heißt
20   und den Viehzüchtern zu ungeahnten Ertragssteigerungen verhelfen konnte.

Aber ehe dieses erkannt wurde, mußte der Zufall noch einen weiteren Gehilfen ins Spiel bringen, einen englischen Gärtner namens Amos William Howard. Dieser war Ende des vergangenen
25   Jahrhunderts nach Australien ausgewandert. Um ein Haar hätte er allerdings seine neue Heimat nicht erreicht. Denn sein Schiff, „Der Blitz", scheiterte an der australischen Küste. Howard war aber einer der Überlebenden und machte sich später ebenfalls am Mount Barker seßhaft.

Aufmerksamer Gärtner
30

An einem schönen Sommertage besuchte Howard seinen Nachbarn. Da[3] er ihn nicht zu Hause antraf, spazierte er etwas in der Gegend umher und entdeckte in einem kleinen Tal eine Pflanze, die ihm völlig unbekannt vorkam, die aber sein Interesse als
35   Fachmann erweckte. Nach der Art ihres Wachstums schien sie ihm recht wertvoll zu sein. Er freute sich daher, daß er das gleiche Unkraut auch auf seinem eigenen Besitz fand.

sitzen	to sit, be located	**vergangen**	past
bekümmern	to worry, bother	**auswandern** (*sep.*)	to emigrate
aussäen (*sep.*)	to sow	**Haar** (*n.*), -e	hair
ahnen	to suspect	**um ein Haar**	by a hair
Eingang (*m.*), ⸗e	entrance	**Schiff** (*n.*), -e	ship
verschaffen	to procure, secure	**scheitern**	to be wrecked
Fachmann (*m.*),		**überleben**	to survive
pl. **Fachleute**	expert, specialist	**seßhaft machen**	
bodenfrüchtig	soil-fertilizing	(**sich**)	to settle
Klee (*m.*)	clover	**Nachbar** (*m.*), -n	neighbor
Viehzüchter (*m.*), -	cattle raiser	**antreffen** (*sep.*)	to find
Ertragssteigerung		**umherspazieren**	
(*f.*), -en	increase in yield	(*sep.*)	to walk about
verhelfen	to aid, help	**Tal** (*n.*), ⸗er	valley
ehe	before	**erwecken**	to awaken
Spiel (*n.*), -e	play	**freuen** (**sich**)	to be glad, happy
Gärtner (*m.*), -	gardener	**Besitz** (*m.*), -e	property
namens	called, named		

---

[3] **da:** 20, 3.

In den folgenden Jahren studierte Howard die Pflanze etwas genauer und stellte fest, daß es sich um eine einjährige handelte,[4] die ihre Samen in die Erde grub und die Eigenschaft hatte, unerwünschtes Unkraut zu verdrängen, vom Vieh aber gern gefressen wurde. Sie besaß ferner die Fähigkeit, den Stickstoffgehalt des Bodens anzureichern und dadurch seine Fruchtbarkeit zu steigern. Howard war so klug, seine Beobachtungen in aller Stille vorzunehmen. Erst 1906, als er die ersten Samen der Wunderpflanze verkaufte, schrieb er in einer Zeitung: „Wir haben hier eine Pflanze, die meiner Ansicht nach[5] das Problem der Stickstoffdüngung des Bodens lösen kann. Es ist eine einjährige Pflanze aus der Klee-Familie, die vor einigen Jahren auf den hiesigen Farmen auftauchte und heute schon weit verbreitet ist." Den Samen, es waren zunächst einmal 30 Pfund, verkaufte er für etwa DM 2,50 an eine Samenhandlung in Sydney. Die Farmer, die den Samen kauften und versuchten, verlangten bald nach mehr, Erzeugung und Verkauf wurden bald zu einem großen Geschäft. Man mußte sogar Maschinen entwickeln, um[6] den kostbaren Samen schneller zu ernten.

Forschender Wissenschaftler

Die Erfahrungen der Praxis wurden später, im Jahre 1937, wissenschaftlich auf der Versuchsfarm Merryville in Neusüdwales von dem heutigen Präsidenten der australischen Forschungsorganisation, Dr. Clunies Ross, bestätigt. Der bodenfrüchtige

einjährige(Pflanze)	annual (plant)	**Zeitung** (*f.*), **-en**	newspaper
graben	to dig	**Düngung** (*f.*)	fertilizing
unerwünscht	undesirable	**hiesig**	local, native
verdrängen	to crowd out	**auftauchen** (*sep.*)	to appear
Vieh (*n.*)	livestock	**verbreiten**	to spread
fressen	to eat	**Pfund** (*n.*), **-e**	pound
anreichern (*sep.*)	to enrich	**verlangen**	to desire, ask for
Fruchtbarkeit (*f.*)	fertility	**Geschäft** (*n.*), **-e**	business
klug	smart, intelligent, wise	**kostbar**	valuable
Stille (*f.*)	quietness	**ernten**	to harvest
in aller Stille	secretly, quietly		

---

[4] **es handelt sich um:** 30, 3d.
[5] prepositions following nouns or pronouns: 29, 2.
[6] **um** plus **zu** plus infinitive: 22, 1c.

Klee ist zusammen mit Beigaben von Superphosphat in der Lage,
selbst bisher wertloses Land fruchtbar zu machen. Wo er auf
normalen Weiden gesät wird, führt er schon nach kurzer Zeit zu
65 einer bedeutenden Ertragssteigerung, ermöglicht also die Haltung
größerer Herden und auch ein höheres Wollaufkommen. In
Merryville hat man[7] außerdem festgestellt, daß die Schafe, die
auf Weiden mit dieser Kleeart gehalten wurden, im Durchschnitt
5 kg feinste Merinowolle brachten, während Schafe der gleichen
70 Art auf den bisher üblichen Weiden nur 4 kg brachten. Nun
begann man sich auch im Ausland für den bodenfrüchtigen Klee
zu interessieren. Namentlich in Südafrika und USA machte man
erfolgreiche Versuche mit der neuen Kleeart. Als Howard 1930
starb, konnte er auf ein erfolgreiches Lebenswerk zurückblicken,
75 und die Bürger von Mount Barker sind noch heute stolz auf seine
Leistungen.

Große Bedeutung erlangte der bodenfrüchtige Klee auch bei
der Ansiedlung aus dem letzten Krieg heimkehrender[8] Soldaten
in Australien. Diese konnten mit diesem einst mißachteten
80 Unkraut bisher für unfruchtbar gehaltene Landschaften in
ertragreiche Weidegebiete verwandeln und somit eine erfolgreiche
Viehwirtschaft beginnen, die ihnen und ihren Familien eine neue
Existenz bot.

Orion, Heft 4, 1959.

Beigabe (*f.*), **-n**	admixture, supplement	**namentlich**	especially
säen	to sow	**zurückblicken** (*sep.*)	to look back
Haltung (*f.*)	keeping	**stolz**	proud
Wollaufkommen (*n.*)	yield of wool	**erlangen**	to acquire
außerdem	also, moreover	**Ansiedlung** (*f.*), **-en**	settlement
üblich	customary, usual, common	**heimkehren** (*sep.*)	to return home
		mißachten	to disregard
Ausland (*n.*)	foreign country, abroad	**Landschaft** (*f.*), **-en**	region, locality
		ertragreich	fruitful, productive
interessieren (sich) (**für**)	to be interested (in)	**Viehwirtschaft** (*f.*)	cattle raising
		bieten	to offer

---

[7] **man**: 6, 3.
[8] present participles used as adjectives: 10, 2.

Über die Grenzen der Schnelligkeit

Der Fortschritt der letzten 50 Jahre zeigt sich am deutlichsten darin, daß das Lebenstempo schneller geworden ist. Die Technik hat Geschwindigkeiten ermöglicht, die noch zu Beginn unseres Jahrhunderts ins Reich der Utopie gehörten.

Wie schnell kann sich der Mensch nun mit Hilfe seiner technischen Mittel fortbewegen? Heute sollen[1] unsere schnellsten Flugzeuge noch nicht ganz 3200 Kilometer in der Stunde fliegen, obwohl die Technik angeblich bereits eine Steigerung auf über 10 000 Kilometer gestattet.

Der amerikanische Stratosphären-Pilot Oberst Everest hält den Flugrekord mit 3057,1 km (1900 Meilen) in der Stunde. Der schnellste Mensch brauchte 10,1 Sekunden, um 100 Meter zu durchlaufen, während der Rekord eines Düsenmotorbootes heute bei 340 Stundenkilometern liegt und ein Rennpferd für einen Kilometer 0,82 Minuten benötigte. Über eine glatte Eisfläche lief der Mensch einen Kilometer in 1,41 Minuten; dagegen liegt der Auto-Schnelligkeitsrekord heute bei etwa 600 km[h]. Der schnellste Schwimmer legte 100 Meter in weniger als 55 Sekunden zurück.

Jedes Lexikon wird[2] darüber Auskunft erteilen, daß „Schnelligkeit der Zustand ist, sich schnell zu bewegen". Niemand hat allerdings bisher festgestellt, warum der Mensch ein solches Ziel

Schnelligkeit (*f.*), **-en**	speed	**benötigen**	to require, need
fortbewegen (sich) (*sep.*)	to move about, travel	**glatt**	smooth
angeblich	allegedly, it is claimed	**Eisfläche** (*f.*), **-n**	ice surface
		laufen	to run
Steigerung (*f.*), **-en**	increase	**Schwimmer** (*m.*), **-**	swimmer
Oberst (*m.*), **-en**	colonel	**zurücklegen** (*sep.*)	to negotiate (*a distance*)
durchlaufen	to run, cover	**Auskunft** (*f.*)	information
Rennpferd (*n.*), **-e**	race horse	**erteilen**	to impart, give
		niemand	no one

---

[1] idiomatic meaning of modals: 17, 3.
[2] three uses of **werden**: 13, 3.

verfolgt. Die Schnelligkeit ist ein Maßstab geworden, mit dem man nicht nur messen, sondern auch vergleichen kann; sie fordert deshalb zur Rivalität heraus. Etwas schneller zu tun, als es je 25 zuvor getan wurde, ist nicht nur die Definition des Wettkampf-Sportes, sondern auch der Schlüssel zum Verständnis des modernen Menschen.

Es kann aber doch bestritten werden, daß Schnelligkeit unbedingt mit Fortschritt zu identifizieren ist,[3] daß ohne Schnellig-30 keit kein Fortschritt möglich ist. Sicher sind die Bohrmaschinen der Zahnärzte weniger schmerzhaft, seit ihre Schnelligkeit gesteigert werden konnte. Schnellere Maschinen haben die Produktion vieler Industrien erhöht. Schnellere Verkehrsmittel konnten die Entfernungen auf der Erde vermindern und haben es Geschäfts-35 leuten[4] und Vergnügungsreisenden ermöglicht, in der kürzesten Zeit zu den entferntesten Gegenden zu gelangen. Ist aber das Ergebnis eine bessere Geschäftsbilanz oder eine umfassendere Bildung?

Ob wir es wollen oder nicht, wir alle haben unseren Frieden mit 40 diesem Zustand geschlossen, ganz gleich, ob es sich um menschliche oder mechanische Schnelligkeit handelt. Einige behaupten zwar, sie habe auf ihr Leben keinen Einfluß; andere wieder be-

verfolgen	to pursue		**Entfernung** (*f.*),	
Maßstab (*m.*), ⸗e	yardstick		-en	distance
herausfordern			**vermindern**	to decrease
(*sep.*)	to challenge		**Geschäftsleute** (*pl.*)	businessmen
je zuvor	ever before		**Vergnügungs-**	
Wettkampf (*m.*),			**reisende** (*m.*), -n	tourist
⸗e	competition		**entfernt**	distant
Schlüssel (*m.*), -	key		**Geschäftsbilanz**	
Verständnis (*n.*)	understanding		(*f.*), -en: **bessere**	more profitable
bestreiten	to dispute, deny		G.	business
unbedingt	absolutely		**umfassend**	inclusive, extensive
Bohrmaschine (*f.*),			**Bildung** (*f.*)	education, culture
-n	drill		**Frieden schließen**	to make peace with,
Zahnarzt (*m.*), ⸗e	dentist		**mit**	accept
schmerzhaft	painful		**ganz gleich**	immaterial
erhöhen	to increase			

---

[3] **ist** plus **zu** plus infinitive: 25, 4.
[4] dative case.

tonen, daß sie mit Eifer an ihrer Steigerung teilnehmen. Aber kein Mensch kann bestreiten, daß sein Leben von ihr grundlegend beeinflußt worden ist. Schon im Jahr 1594 stellte der Dichter Robert Green, ein Zeitgenosse Shakespeares, fest:[5] „Schnelligkeit ist gut, wenn die Weisheit ihren Weg leitet."

45

Langenscheidts Sprach-Illustrierte, Heft 3, 1957.

betonen	to emphasize	**Zeitgenosse** (*m.*),	
Eifer (*m.*)	zeal, enthusiasm	**-n**	contemporary
bestreiten	to deny	**Weisheit** (*f.*)	wisdom
grundlegend	basic, fundamental		

---

[5] separable prefixes: 8, 2.

Die Taubnessel

Altchinesische Weisheit

Li Hsien war ein junger Mann, der stolz darauf war, viele weise Männer zu kennen und mit ihnen zusammengewesen zu sein.[1] Er reiste im ganzen Land umher, und wenn er hörte, daß
5   in einer Stadt ein weiser Mann wohnte, suchte er ihn auf, um mit ihm zu sprechen. So kam er eines Tages auch zu Mengtse, den er im Garten bei seinen Rosen traf.

„Ich bin Li Hsien", sagte er, „und reise im ganzen Land umher, um die weisen Männer zu besuchen und sie kennenzulernen."
10   „Sehr schön", sagte Mengtse, „das ist eine gute Aufgabe, Bruder. Aber sage[2] mir, warum verwendest du soviel Mühe darauf und unternimmst so weite Reisen?"

Le Hsien erwiderte: „Ein altes Sprichwort sagt: ‚Nenne mir deine Freunde, und ich weiß, wer du bist.' Und ich bin mit vielen
15   Weisen befreundet."

„Also darum bist du weise", sagte Mengtse und lächelte. „Gut, dann wirst du mir sagen können, was ich hier mache."

Mit diesen Worten beugte sich Mengtse über die Rosen und entfernte eine Taubnessel, die sich unter ihnen angesiedelt hatte.

Taubnessel (*f.*), **-n**	dead nettle	**unternehmen**	to undertake
Weisheit (*f.*)	wisdom	**Reise** (*f.*), **-n**	trip
stolz	proud	**erwidern**	to reply
weise	wise	**Sprichwort** (*n.*), **≈er**	adage, proverb
zusammensein (*sep.*)	to be together, associate	**befreundet sein**	to be on friendly terms, be friends
umherreisen (*sep.*)	to travel about	**lächeln**	to smile
wohnen	to live	**beugen (sich)**	to bend
aufsuchen (*sep.*)	to look up, visit	**entfernen**	to remove
treffen	to meet	**ansiedeln (sich)**	
Bruder (*m.*), **≈er**	brother	(*sep.*)	to settle
Mühe (*f.*)	effort		

---

[1] past infinitive: 12, 3.
[2] imperative: 22, 2a.

Li Hsien hatte verwundert zugesehen und sprach: „Du hast 20
eine Taubnessel entfernt, die zwischen den Rosen stand."

„Du hast richtig gesehen, mein Bruder, aber ich habe dir
zugleich eine Antwort geben wollen.[3] Warum habe ich wohl[4] die
Taubnessel aus dem Rosenbeet entfernt, das sage mir doch,
Bruder." 25

„Ist das eine Frage für einen Weisen?" fragte Li Hsien und
blickte ein wenig verächtlich auf Mengtse, der die Taubnessel in
der Hand hielt. „Weil sie Unkraut ist."

„Ja", erwiderte Mengtse, „nun steht sie schon eine lange Zeit
unter den Rosen und ist doch keine Rose geworden." 30

„Wie sollte sie das auch!"[5] meinte Li Hsien.

„Nun, du behauptest, weise geworden zu sein weil du viel mit
Weisen umgegangen bist. Du Glücklicher![6] Mir erging es wie
der Taubnessel. Ich hatte Umgang mit vielen Reichen, aber ich
bin deshalb doch nicht reich geworden. Das, glaube ich, kann die 35
Nessel uns lehren."

Mit diesen Worten reichte er dem beschämten Li Hsien die
Taubnessel, wandte sich ins Haus und ließ ihn im Garten stehen.

Peter Bourfeind, Langenscheidts Sprach-Illustrierte, Heft 3, 1957.

verwundert	astonished	**ergehen: es erging**	
zusehen (*sep.*)	to watch	**mir**	I fared
Beet (*n.*), -e	(garden) bed	**Umgang haben**	to associate
blicken	to look	**reichen**	to reach, hand
verächtlich	contemptuous	**beschämt**	embarrassed
Unkraut (*n.*), ⸗er	weed	**wenden**	to turn
glücklich	fortunate, lucky		

---

[3] double infinitive construction: 17, 1.

[4] Short words, such as **wohl, doch, auch, denn,** and others, are best left untranslated
when a literal translation does not add to the meaning of the sentence. These particles
are very common in spoken German and suggest shades of meaning, such as emphasis, doubt, or surprise.

[5] **Wie sollte sie das (eine Rose geworden sein) auch!**

[6] adjectives used as nouns: 7, 3.

Gibt es eine Schlafnorm?

Von Napoleon stammt der Satz: „Fünf Stunden Schlaf für einen reifen Mann, sechs Stunden für einen Jüngling, sieben Stunden für eine Frau — und acht Stunden für einen Dummkopf!" Tatsächlich kam Napoleon mit drei bis fünf Stunden Nachtschlaf
5 aus, besaß aber dafür die Fähigkeit, zwischen zwei Audienzen schnell einen „Fünfminuten-Schlaf" einzuschieben.[1]

Ihm und anderen Menschen, die mit wenig Schlaf auskamen, läßt[2] sich eine nicht minder lange Reihe bekannter Langschläfer gegenüberstellen, angefangen mit Johann Wolfgang von Goethe,
10 der nicht selten 24 Stunden hintereinander schlief, und aufhörend mit Otto von Bismarck, der sich nur höchst ungern von seinem Bett trennte.

„Überhaupt ist Genie ohne Schlaf undenkbar", meinte der Philosoph Arthur Schopenhauer, der bis zu zehn Stunden täglich
15 schlief.

Das Schlafbedürfnis des Menschen hängt von seiner allgemeinen Konstitution, von der Tagesarbeit und von einer gewissen Veranlagung ab. Ob wir jedoch gut geschlafen haben, das hat weniger mit der Länge des Schlafes als vielmehr mit seiner Tiefe
20 etwas zu tun. In der Regel fällt der gesunde Mensch schon kurz

Schlaf (*m.*)	sleep	**gegenüberstellen**	to oppose, contrast,
Norm (*f.*), -en	norm, standard	(*sep.*)	compare
Satz (*m.*), ⸗e	sentence, saying	**angefangen mit**	starting with
reif	ripe, mature	**hintereinander**	consecutively
Jüngling (*m.*), -e	young man	**aufhören** (*sep.*)	to stop, conclude
Dummkopf (*m.*), ⸗e	dumbhead	**ungern**	unwillingly
auskommen (*sep.*)	to manage	**Bett** (*n.*), -en	bed
Audienz (*f.*), -en	audience, appoint-	**trennen (sich)**	to separate, leave
	ment	**Genie** (*n.*), -s	genius
einschieben (*sep.*)	to insert, squeeze in	**Bedürfnis** (*n.*), -se	need, requirement
minder	less	**Veranlagung** (*f.*),	disposition, predis-
		-en	position

---

[1] infinitive clauses: 22, 1b.
[2] lassen: 29, 3.

196

nach dem Einschlafen in den tiefsten Schlaf, der aber nur zwei
Stunden anhält und gegen Morgen immer[3] leichter und schwächer
wird. Bei Kindern ist das anfangs das gleiche. Nachdem der Schlaf
aber ganz leicht geworden ist, wird er gegen Ende der Schlaf-
periode noch einmal tief und fest. Nervöse und überarbeitete   25
Menschen schlafen im allgemeinen nur schwer ein und liegen noch
lange Zeit in einem leichten Schlaf, der erst gegen Morgen tief
wird. Werden[4] solche Menschen — z.B. aus beruflichen Gründen
— noch vor Beendigung ihres Tiefschlafes aus dem Bett getrieben,
so kann das auf die Dauer ihre Gesundheit ernstlich gefährden.   30
Heute sehen die Ärzte bei Kindern vom zweiten bis fünften
Lebensjahr eine Schlafdauer von etwa 14 Stunden als normal
an. Bis zu seinem vierzehnten Lebensjahr benötigt der Mensch
immer noch zehn Stunden Schlaf. Vom 15. bis zum 50. Lebensjahr
werden acht Stunden als ausreichend angesehen. Älteren Menschen   35
genügen vier bis sechs Stunden.
Während des Schlafes ist nicht das ganze Gehirn betäubt, es[5]
führt vielmehr eine ganz bestimmte Stelle im Gehirn von sich aus
den Schlaf herbei. Dieses „Schlafzentrum" scheint alle dem
Gehirn von außen zugeleiteten[6] Reize abzuschwächen. Es scheint 40
aber, als treffe es eine geheimnisvolle Auswahl unter den äußeren
Einflüssen, die es an das Gehirn weiterleitet. So werden die

einschlafen (*sep.*)	to fall asleep	**Stelle** (*f.*), -n	place, location
anhalten (*sep.*)	to last, continue	**von sich aus**	by itself, automati-
Morgen (*m.*), -	morning		cally
anfangs	in the beginning, at	**herbeiführen** (*sep.*)	to bring about,
	first		induce
überarbeiten	to overwork	**außen**	outside, exterior
beruflich	occupational	**zuleiten** (*sep.*)	to channel, direct
Beendigung (*f.*)	completion, end	**Reiz** (*m.*), -e	stimulus
ernstlich	seriously	**abschwächen** (*sep.*)	to weaken
gefährden	to endanger	**treffen: eine Aus-**	
benötigen	to require	**wahl treffen**	to make a selection
ausreichend	sufficient	**geheimnisvoll**	mysterious
genügen	to suffice	**äußer-**	external
Gehirn (*n.*), -e	brain	**weiterleiten** (*sep.*)	to pass on
betäubt	unconscious		

---

[3] **immer** with comparative: 11, 4a.
[4] verb-first constructions: 21, 3b.
[5] translation of **es**: 30, 1.
[6] extended-adjective construction: 23.

Geräusche der vorbeifahrenden Lastwagen während des Schlafes nicht wahrgenommen, doch selbst[7] das leiseste Weinen des Kindes
45 läßt die Mutter erschreckt emporfahren.

Es gibt Menschen, die schon bis zu zweieinhalb Monaten gehungert haben; der längste, durch Experiment nachgewiesene Schlafverzicht betrug nur 121 Stunden. Während des Schlafes wird der menschliche Körper mit frischer Kraft versorgt. Die
50 Natur selbst ist es, die durch das Schlafbedürfnis das Signal dafür gibt, daß eine solche „Regeneration" im Interesse unserer Gesundheit notwendig ist.

Hans Neumeister, Langenscheidts Sprach-Illustrierte, Heft 5, 1956.

Geräusch (*n.*), -e	sound, noise	**emporfahren** (*sep.*)	to startle, awaken
vorbeifahren (*sep.*)	to pass, drive by	**zweieinhalb**	two and a half
Lastwagen (*m.*), -	truck	**hungern**	to starve
leise	soft	**Verzicht** (*m.*)	lack, denial
weinen	to cry	**frisch**	fresh
erschreckt	frightened	**versorgen**	to provide, supply

---

[7] **selbst**: 30, 4.

Das Leben am absoluten Nullpunkt

In den Polargegenden gibt es[1] Tiere und Pflanzen, die monate-
lang bei sehr tiefen Temperaturen eingefroren sind; in den wenigen
Wochen der wärmeren Jahreszeit aber wachsen sie weiter und
vermehren sich, als[2] sei nichts geschehen. Dieser Umstand hat
schon immer das Interesse der Forschung auf sich gelenkt. Auch   5
im Hochgebirge sind die Verhältnisse ähnlich, wenn im Winter
die Pflanzen einfrieren und mit zunehmender Sonne wieder auftauen. Um den hier waltenden Lebensbedingungen auf den Grund
zu kommen, hat ein französischer Professor Versuche in seinem
Laboratorium durchgeführt. Versuchsobjekte waren u.a. Bären-   10
tierchen, Samen von Klee und Tabak, Sporen verschiedener Pilze,
sowie Moose und Flechten. Die Versuche fanden bei einer
Temperatur von minus 272,99 Grad in luftleerem Raum statt.
All den kleinen Lebewesen[3] war durch eine komplizierte Prozedur
das Wasser entzogen worden.   15

Das Ergebnis dieses Versuches war verblüffend: Sämtliche
Samen und Sporen keimten, nachdem man sie auf einen geeig-
neten Nährboden gebracht hatte; die Tierchen fingen wieder an

absolute Null-		Pilz (*m.*), -e	fungus
punkt (*m.*)	absolute zero	sowie	as well as
einfrieren (*sep.*)	to freeze up	Moos (*n.*), -e	moss (lichen)
vermehren (sich)	to increase, multiply	Flechte (*f.*), -n	lichen
lenken	to guide	luftleerer Raum	vacuum
auf sich lenken	to attract	Lebewesen (*n.*), -	living being,
Hochgebirge (*n.*), -	high mountains		organism
auftauen (*sep.*)	to thaw	kompliziert	complicated
walten	to reign, exist	entziehen	to take from, extract
Versuchsobjekt	experimental	verblüffend	amazing
(*n.*), -e	subject	keimen	to germinate
Bärentierchen (*pl.*)	tardigrades	geeignet	suitable
Samen (*m.*), -	seed	Nährboden (*m.*), =	culture medium
Klee (*m.*)	clover		

---

[1] **es gibt:** 30, 3b.
[2] **als** followed by subjunctive verb: 28, 4.
[3] Is **Lebewesen** the subject? Begin translation with the subject.

zu leben wie vorher. Sie hatten also sowohl die extreme Tempera-
20   tur als auch den Aufenthalt im Vakuum überstanden.

Folgende Fragen blieben zunächst offen: Läßt das Ergebnis auf
eine unvorstellbare Verlangsamung der Lebensvorgänge schließen,
oder hat das Leben eine gewisse Zeit ausgesetzt und nach dem
Auftauen neu begonnen? Die einen sagten, es sei[4] nicht denkbar,
25   daß die Kontinuität der Lebensvorgänge, die auf der Erde schon
seit mindestens 2 Milliarden Jahren gewahrt sei, unterbrochen
werden könne. Man müsse annehmen, daß sich die chemischen
Reaktionen bei sinkender Temperatur in ganz bestimmter Weise
verlangsamen. Dem widersprachen andere mit offenbar stärkeren
30   Argumenten:

In den Zellen sind Eiweißmoleküle mit Wassermolekülen
chemisch gebunden. Durch das langsame Einfrieren geht diese
Bindung verloren, das Wasser scheidet sich als Eis aus. Die
wasserfreie Substanz wird bei tieferen Temperaturen dichter,
35   sie verfestigt sich so, als sei sie verkieselt. Dennoch steckt noch
Leben in ihr, nicht als Realität, sondern als Möglichkeit.

Beim Auftauen kann es nun sein, daß Eiweißmoleküle und
Wassermoleküle nicht mehr ihre alten Bindungen aufnehmen, daß
das Eiweiß vielmehr gerinnt. Es sei also gar nicht das Einfrieren,
40   sondern das Auftauen die Ursache des Todes.

Es kann aber auch sein, daß das Eiweiß in Verbindung mit dem

Aufenthalt (*m.*)	stay	**verlangsamen** (sich)	to slow down
überstehen	to withstand	**widersprechen**	to contradict
offen	open, unanswered	**offenbar**	apparent
unvorstellbar	unimaginable	**Eiweiß** (*n.*)	protein, albumen
Verlangsamung		**ausscheiden** (sich)	
(*f.*)	retardation	(*sep.*)	to separate
schließen (auf)	to infer, suggest	**dicht**	dense
aussetzen (*sep.*)	to stop, pause	**verfestigen** (sich)	to solidify
die einen	some	**verkieseln**	to silicify
die anderen		**dennoch**	nevertheless
(andere)	others	**stecken**	to stick, remain
mindestens	at least	**Bindung** (*f.*), **-en**	bond, binding, union
Milliarde (*f.*), **-n**	billion	**vielmehr**	rather
wahren	to preserve	**gerinnen**	to coagulate, congeal
unterbrechen	to interrupt		

---

[4] indirect discourse: 27, 5.

Wasser den ursprünglichen Zustand wiederherstellt und damit die
Lebensvorgänge neu in Gang bringt. In manchen Fällen konnte
man auch durch Zufuhr warmer Luft oder warmen Wassers das
Auftauen erheblich beschleunigen; bei schnellem Auftauen ist die   45
Gefahr, daß das Eiweiß gerinnt, geringer, und man kann manchen
Organismen die Lebensfähigkeit erhalten.

Die Untersuchung lebender Substanzen bei Tiefsttemperaturen
scheint zwar etwas abwegig, aber sie hat doch neue Einblicke
in wichtige Zusammenhänge des Lebens vermitteln können.[5]   50

H. Haungs, Langenscheidts Sprach-Illustrierte, Heft 10, 1956.

wiederherstellen	to restore	**Zufuhr** (*f.*)	supply, addition
Gang: in G.		**abwegig**	devious
bringen	to set in motion	**Einblick** (*m.*), **-e**	insight

---

[5] double infinitive: 17, 1.

Atomkern unter der Lupe

Wie groß — oder besser gesagt —, wie klein ist ein Atom?
Wir sind oft geneigt, auch das Außerordentliche als selbstverständlich hinzunehmen. Aber ist es nicht doch wunderbar, daß
ein so gewaltiges Ereignis, wie es die Atomzertrümmerung ist,
5   seinen Ursprung in Dimensionen hat, die zu klein sind, um noch
sichtbar zu sein?

Man stelle[1] sich den Raum eines Stadions vor, das von einer
100 Meter hohen Kuppel überwölbt wird und in dessen Mittelpunkt ein Kirschkern schwebt. In diesem Bilde hätten[2] wir unge-
10 fähr das Modell eines Atoms in billionenfacher Vergrößerung;
der Kirschkern wäre dann der Atomkern, in dem fast die ganze
Masse eines Atoms vereinigt ist; ihn umschweben in weiten,
wechselnden Abständen Wolken von Elektronen.

Dieses Bild entspricht allerdings der vollen Wirklichkeit des
15 Atoms kaum mehr als ein Kinderglobus aus Pappe den tatsäch-
lichen Verhältnissen der Erdkugel. Das Modell vermittelt ledig-

Atomkern (*m.*), **-e**	atomic nucleus	**Kirschkern** (*m.*), **-e**	cherry pit
Lupe (*f.*), **-n**	magnifying glass	**schweben**	to hover, be sus-
neigen	to incline		pended
hinnehmen (*sep.*):		**Vergrößerung** (*f.*)	magnification,
als selbstver-		**-en**	enlargement
ständlich h.	to take for granted	**-fach**	-fold
wunderbar	wonderful, strange	**vereinigen**	to unite, combine
gewaltig	powerful, vast,	**umschweben**	to rotate around
	enormous	**wechseln**	to change, vary
Zertrümmerung		**Abstand** (*m.*), **ːe**	interval, distance
(*f.*)	smashing	**Wolke** (*f.*), **-n**	cloud
Stadion (*n.*),		**voll**	full, true
Stadien	stadium	**Wirklichkeit** (*f.*)	reality
Kuppel (*f.*), **-n**	dome	**Globus** (*m.*)	globe
überwölbt	covered, enclosed	**Pappe** (*f.*)	cardboard
Mittelpunkt (*m.*),		**Erdkugel** (*f.*), **-n**	globe
-e	center, midpoint	**lediglich**	only

---

[1] special uses of infinitive-stem subjunctive: 28, 5b.
[2] subjunctive in suppositions: 28, 1.

lich einen allgemeinen Eindruck; es macht deutlich, aus wie wenig Stoff und aus wieviel „leerem" Raum unsere Materie besteht.

Die Zeile, die wir in diesem Augenblick lesen, mißt in der Höhe etwa 2 mm. Das Blatt, das wir beim Umblättern zwischen den Fingern fühlen, ist ungefähr 1/100 mm. Damit[3] beginnen unsere Augen bereits zu versagen. Um noch kleinere Werte wahrnehmen zu können, müssen wir das vergrößernde Mikroskop benutzen. Durch seine Linsen sehen wir z.B. noch Bakterien, die nur 1/1000 mm groß sind.

Schließlich brauchen wir die Hilfe des Elektronenmikroskops. In ihm erkennen wir so kleine Dinge wie die Viren. Wir stellen z.B. fest, daß der heute leider berühmt gewordene Kinderlähmungsvirus rund 15-20 Millionstel Millimeter mißt; über 40 000 dieser winzigen Viren haben auf einer Nadelspitze Platz. Noch kleinere Teilchen der Materie macht auch das Elektronenmikroskop nicht mehr erkennbar. Woher kennen wir also die Größe oder vielmehr die Winzigkeit des Atoms und seines Kerns? Hier hilft nur noch der Rechenstift der Atomphysiker. Durch sehr schwierige Berechnungen haben sie tatsächlich ausgerechnet, daß das Atom etwa den zehnten Teil eines Millionstel Millimeters mißt, der Atomkern jedoch höchstens den hundertmilliardsten Teil eines Millimeters.

Sind wir mit diesen unvorstellbar winzigen Zahlen endlich beim „Nichts" angelangt? Wir sind an den Quellen jener Kräfte, die unsere Welt zusammenhalten und die, wenn wir sie frei machen,

leer	empty	Platz (*m.*), ⁼e	room, space
Materie (*f.*)	matter	**woher**	from where
Zeile (*f.*), **-n**	line	**Winzigkeit** (*f.*)	minuteness
Augenblick (*m.*), **-e**	moment	**Rechenstift** (*m.*), **-e**	(slate) pencil
umblättern (*sep.*)	to turn the page	**Berechnung** (*f.*),	
fühlen	to feel	**-en**	calculation
versagen	to fail	**ausrechnen** (*sep.*)	to figure out, calcu-
vergrößern	to enlarge		late
Linse (*f.*), **-n**	lens	**Milliarde** (*f.*), **-n**	billion
leider	unfortunately	**unvorstellbar**	incomprehensible
Kinderlähmung (*f.*)	infantile paralysis	**anlangen** (*sep.*)	to arrive
winzig	tiny	**zusammenhalten**	
Nadelspitze (*f.*), **-n**	point of a needle	(*sep.*)	to hold together

---

[3] **damit**: 20, 3c.

die gleiche Welt zerreißen können. Als die Konstrukteure die erste Explosion der Atombombe miterlebten, stand ihnen im entscheidenden Augenblick fast das Herz still: Sie wußten, daß
45 ihre Rechnungen stimmten — diese Rechnungen mit Milliardsteln eines Millimeters —, aber sie glaubten ihrem Wissen nicht ganz. Sie waren in einen Bereich eingetreten, in dem[4] plötzlich wieder alles möglich sein konnte. Und man weiß nicht, was wunderbarer war: daß sie richtig gerechnet hatten, oder daß ihnen
50 das Gefühl für das Unberechenbare noch nicht verlorengegangen war.[5]

Langenscheidts Sprach-Illustrierte, Heft 2, 1956.

zerreißen	to tear apart	**Wissen** (*n.*)	knowledge
miterleben (*sep.*)	to experience	**Bereich** (*m.*), **-e**	sphere, area
Herz (*n.*), **-en**	heart	**eintreten** (*sep.*)	to enter
Rechnung (*f.*), **-en**	calculation	**plötzlich**	suddenly
stimmen	to be correct	**unberechenbar**	incalculable

---

[4] relative clauses: 18.
[5] past perfect: 9, 2.

Was wären wir ohne Wurst?

Die Wurst ist eines der ältesten Nahrungsmittel. Ausgrabungen in Babylonien, Ägypten und Karthago förderten Inschriften zutage, in denen die Nahrungsmittel bei Festmählern genau beschrieben sind. Und dabei wird auch immer die Wurst genannt. Die Grundform dieses Nahrungsmittels ist also schon über 5000   **5** Jahre v. Chr. bekannt gewesen.

In den zahlreichen Beschreibungen der Gastmähler bei den Griechen und Römern ist zu lesen, daß ganze gebratene Schweine auf die Tafel kamen, die noch dazu mit trefflichen Würsten gefüllt waren. Besonders liebte man es, die Mägen und Därme von Ziegen   **10** und Schweinen mit Fleisch- und Speckwürfeln zu füllen und dann zu braten. Auch das Räuchern[1] war schon bekannt, wenn es sich darum handelte, die Würste für längere Zeit aufzubewahren.

Dagegen war es seltener, daß man Blut zur Wurstbereitung verwendete. Vor allem zur Zeit der christlichen römischen Kaiser   **15** wurde kaum mehr Blutwurst gegessen, weil das Alte Testament den Genuß von Tierblut untersagt. Den Oströmern dagegen scheint die Blutwurst recht gut geschmeckt zu haben, was dem

Wurst (*f.*), ⸗e	sausage	**trefflich**	excellent
Nahrungsmittel		**füllen**	to fill, stuff
(*n.*), -	food	**Magen** (*m.*), ⸗	stomach
Ausgrabung (*f.*),		**Darm** (*m.*), ⸗e	intestine
-en	excavation	**Ziege** (*f.*), -n	goat
zutagefördern		**Fleisch** (*n.*)	flesh, meat
(*sep.*)	to unearth	**Speck** (*m.*)	bacon, fat
Inschrift (*f.*), -en	inscription	**räuchern**	to smoke
Festmahl (*n.*), ⸗er	banquet	**aufbewahren** (*sep.*)	to store
Beschreibung (*f.*),		**Bereitung** (*f.*), -en	preparation
-en	description	**Genuß** (*m.*), ⸗sse	consumption,
Gastmahl (*n.*), ⸗er	banquet		enjoyment
braten	to roast	**untersagen**	to forbid, prohibit
Schwein (*n.*), -e	pig	**schmecken**	to taste
Tafel (*f.*), -n	table		

[1] infinitive used as noun: 10, 5.

in Konstantinopel herrschenden Kaiser Leo IV. (886-911) Anlaß
20 zu der nicht gerade freundlichen Verordnung gab: „Es ist uns
zu Ohren gekommen, daß gewisse Leute aus Leckerei und
Gewinnsucht Blut zu Nahrungsmitteln verwenden, indem[2] sie
es in Därme einpacken. Wir können diese Schlemmerei freßlustiger
Feinschmecker nicht länger dulden. Wer[3] Blut zu Nahrungs-
25 mitteln verwendet, sei[4] es zu eigenem Genuß oder zum Verkauf,
soll dafür kahlgeschoren werden.''

Spätere Berichte schildern mittelalterliche Bankette. Daraus
geht u.a. hervor, daß die Würste im 13. Jahrhundert nicht nur aus
Schweinefleisch bestanden, sondern aus Rind-, Hammel- und
30 Schweinefleisch gemischt und mit Fenchel und anderen „guten
Sachen'' gewürzt wurden. Im 14. und 15. Jahrhundert stellte man
auch Kalbswürste her, mit Safran und Zimt gewürzt, im 17. Jahrhundert galten Würste aus Kalb- und Hühnerfleisch für die besten.

Auch die Blutwürste — die sich trotz des Verbotes behauptet
35 hatten — wurden zu dieser Zeit mit allerlei recht eigentümlichen
Gewürzen vermischt, die uns heute nicht mehr schmecken würden
und die auch längst nicht mehr verwendet werden.

Seltsam ist noch die Tatsache, daß die Wurstherstellung in den
verschiedensten Ländern vollkommen unabhängig voneinander

Anlaß (*m.*), ⸗sse	cause	**kahlscheren** (*sep.*)	to clip bald
Verordnung (*f.*),		**Rindfleisch** (*n.*)	beef
-en	decree	**Hammelfleisch**(*n.*)	lamb
Ohr (*n.*), -en	ear	**mischen**	to mix
zu Ohren		**Fenchel** (*m.*)	fennel
kommen	to hear	**Sache** (*f.*), **-n**	thing
Leckerei (*f.*)	fondness for fine	**würzen**	to spice
	foods	**Kalb** (*n.*), ⸗er	calf
Gewinnsucht (*f.*)	avarice	**Zimt** (*m.*)	cinnamon
einpacken (*sep.*)	to stuff, pack	**Huhn** (*n.*), ⸗er	chicken
Schlemmerei (*f.*)	gluttony	**Verbot** (*n.*), -e	prohibition
freßlustig	voracious	**behaupten (sich)**	to survive
Feinschmecker		**allerlei**	all kinds of
(*m.*), -	gourmet	**Gewürz** (*n.*), -e	spice
dulden	to tolerate	**vermischen**	to mix

---

2 **indem**: 20, 3d.
3 **wer**: 21, 2.
4 **sei es** be it.

betrieben wurde. So fertigte man auch in China Würste aus   40
Schweinefleisch und Geflügel an, längst bevor die alte Welt von
China wußte.

Deutschland ist auch durch seine Würste bekannt. Neben den
Nürnberger Bratwürsten und den Münchener Weißwürsten, den
„Regensburgern" und den „Frankfurtern" gibt es noch die   45
Thüringer Rotwurst und viele andere gute Wurstsorten.

Rolf Schröder, Langenscheidts Sprach-Illustrierte, Heft 11, 1955.

betreiben	to carry on	**Geflügel** (*n.*)	fowl, poultry
anfertigen (*sep.*)	to produce, make		

Ruhm und Elend eines Erfinderlebens

Zum 100. Geburtstag Rudolf Diesels am 18. März 1958

Am 18. März 1858 wurde Rudolf Diesel als Sohn deutscher Eltern in Paris geboren. Er besuchte später in Augsburg die Industrieschule und studierte schließlich an der Technischen
5 Hochschule in München. Als dort einmal der Kältetechniker Professor Carl von Linde seinen Hörern erklärte, daß die Dampfmaschine eine schlechte Maschine sei, weil sie nur etwa ein Zehntel der im Brennstoff enthaltenen Wärme in Nutzenergie umsetze, da[1] sah der zwanzigjährige Student Diesel mit einemmal
10 eine Aufgabe vor sich, von der er nicht mehr loskommen sollte.

Nach Abschluß seines Studiums ging Diesel an die Verwirklichung seiner Lieblingsidee: eine Kraftmaschine zu konstruieren, die wirtschaftlicher[2] arbeiten sollte als die Dampfmaschine und der Benzinmotor. 1892 meldete er sein erstes Patent an, ein Jahr
15 später veröffentlichte er seine Abhandlung „Theorie und Konstruktion eines rationellen Wärmemotors". Friedrich Krupp in Essen und die Maschinenfabrik Augsburg richteten daraufhin gemeinsam ein Konstruktionsbüro und ein Versuchslaboratorium

Ruhm (*m.*)	fame	loskommen (*sep.*)	to get away
Elend (*n.*)	misery, misfortune	Abschluß (*m.*), ⁼sse	conclusion
März (*m.*)	March	Verwirklichung (*f.*)	realization
Sohn (*m.*), ⁼e	son	Lieblings-	favorite
geboren	born	Benzin (*n.*)	benzine, gasoline
Kälte (*f.*)	cold	anmelden (*sep.*):	
Kältetechniker	refrigeration	ein Patent a.	to register a patent
(*m.*)	specialist	veröffentlichen	to publish
Hörer (*m.*), -	listener	Abhandlung (*f.*),	
erklären	to explain	-en	treatise
Brennstoff (*m.*), -e	fuel	einrichten (*sep.*)	to establish
Nutzenergie (*f.*)	useful (effective)	daraufhin	thereupon
	energy	gemeinsam	together, joint
umsetzen (*sep.*)	to convert, change	Büro (*n.*), -s	office
mit einemmal	suddenly, at once		

---

[1] da: 20, 3b.
[2] comparative followed by als: 11, 4a.

in Augsburg ein, wo der erste Dieselmotor gebaut wurde. Hier
begann nun für Rudolf Diesel eine[3] nervenaufreibende, vier Jahre   20
lang alle körperlichen und vor allem alle seelischen Kräfte in
Anspruch nehmende Tätigkeit. Es gab viele Rückschläge und oft
mußten Widersprüche zwischen der eigenen Theorie und der
praktischen Erfahrung geklärt und überwunden werden. Aber
Diesel konnte nicht auf halbem Wege stehenbleiben, er gönnte   25
sich nicht einmal eine Ruhepause, so sehr fühlte er sich seinen
Freunden und Geldgebern verpflichtet. Ein Zusammenbruch des
Nervensystems war[4] unter diesen Umständen nicht aufzuhalten,
und wenn Diesel zunächst auch wieder Heilung fand, so war doch
in diesen vier Augsburger Jahren der Grund zu seinem Verhängnis   30
gelegt.

1897 wurde dann schließlich die Fertigstellung des ersten
Dieselmotors mitgeteilt, und als 1898 in München eine Kraft-
maschinenausstellung stattfand, wurden schon von mehreren
bekannten Firmen Dieselmaschinen gezeigt. Freilich bedurfte   35
es noch jahre- und jahrzehntelanger Arbeit, bis der Dieselmotor
ebensogut als Schiffsantrieb wie als Antrieb für Lokomotiven
oder Kraftwagen verwendbar war, aber die geniale Idee Rudolf
Diesels hatte sich durchgesetzt. Natürlich fehlte es nicht an
Gegnern, die, wie so oft in der Geschichte der Technik, gegen die   40

nervenaufreibend	nerve-wracking	aufhalten (*sep.*)	to stop, check
Anspruch (*m.*), ⸗e	claim	Heilung (*f.*)	healing
in Anspruch		Heilung finden	to recover
nehmen	to require	Verhängnis (*n.*),-se	doom, fate
Rückschlag (*m.*),⸗e	reverse	Fertigstellung (*f.*)	completion
Widerspruch (*m.*),		mitteilen (*sep.*)	to announce
⸗e	contradiction	Firma (*f.*), Firmen	firm
klären	to clarify, clear	freilich	to be sure
überwinden	to overcome	bedürfen	to need, require
stehenbleiben (*sep.*)	to stop	ebensogut	just as good (well)
gönnen	to grant, give	Schiff (*n.*), -e	ship
Ruhepause (*f.*), -n	rest, pause, respite	Antrieb (*m.*), -e	propulsion, drive
verpflichtet	indebted, obligated	durchsetzen (sich)	
Zusammenbruch	breakdown,	(*sep.*)	to win out, prevail
(*m.*), ⸗e	collapse	schöpferisch	creative

[3] **eine . . . Tätigkeit:** extended-adjective construction: 24, 3.
[4] **war** plus **zu** plus infinitive: 25, 4.

schöpferische Leistung eines Mannes arbeiteten, der seine eigenen
Wege ging.

Heute spricht niemand mehr von seinen Gegnern, denn zahllose
Maschinen sind Beweis genug für die universelle Anwendbarkeit
45   der Dieselschen[5] Erfindung: Motoren mit einer Leistung von mehr
als 15 000 PS einerseits und Kleinmotoren mit einem Hubraum
von nur 350 ccm andererseits. Auch die Überlegung, von der
Diesel ursprünglich ausgegangen war, hat sich als richtig erwiesen:
Während[6] die Dampfmaschine über einen Wirkungsgrad von
50   12% kaum hinausgekommen ist, während das Optimum des
Benzinmotors bei 28% liegt, setzt der Dieselmotor 35% und mehr
der zugeführten Wärmeenergie in mechanische Arbeit um.

Ruhm und Anerkennung bleiben dem Erfinder nicht versagt:
die Weltausstellungen von Paris und St. Louis sind Höhepunkte
55   seines Triumphes. Die Erfindung brachte Geld, viel Geld. Diesel
baute in München eine prunkvolle Villa, er legte große Summen
in Beteiligungen an, er kaufte Grundstücke, und — er wurde
von Spekulanten, die eine leichte Beute in ihm fanden, übervor-
teilt. So schnell wie er gekommen war, schwand der Reichtum
60   dahin. Patentprozesse und die ständigen Angriffe seiner Gegner
zehrten an Diesels Nervenkraft. Zwischen wirtschaftlichen Sorgen
und dem Zwang, weiterzuarbeiten, ging Diesel der finanziellen

Anwendbarkeit (*f.*)	applicability	**Weltaustellung**	
PS (Pferdstärke)	horsepower	(*f.*), **-en**	world's fair
einerseits . . .	on the one hand . . .	**Höhepunkt** (*m.*), **-e**	high point
andererseits	on the other hand	**prunkvoll**	luxurious
Hubraum (*m.*)	piston displacement	**anlegen** (*sep.*)	to invest
Überlegung (*f.*),	consideration,	**Beteiligung** (*f.*), **-en**	company
-en	reflection	**Grundstück** (*n.*), **-e**	real estate
ausgehen (von)		**Spekulant** (*m.*), **-en**	speculator
(*sep.*)	to start out (from)	**Beute** (*f.*), **-n**	victim, prey
hinauskommen	to extend, reach,	**übervorteilen**	to defraud, cheat
(*sep.*)	exceed	**Reichtum** (*m.*), **÷er**	wealth
zuführen (*sep.*)	to lead to, add,	**dahinschwinden**	
	supply	(*sep.*)	to disappear
umsetzen (*sep.*)	to convert, change	**Angriff** (*m.*), **-e**	attack
Anerkennung (*f.*),		**zehren**	to gnaw, prey
-en	recognition	**Sorge** (*f.*), **-n**	care, worry
versagt bleiben	to fail to appear, be	**Zwang** (*m.*)	compulsion, pressure
	denied		

---

[5] Proper names used as adjectives add the suffix **-sch** with appropriate adjective
endings.
[6] **während**: 20, 3a.

Katastrophe entgegen. Ihr Zeitpunkt war genau vorauszuberech-
nen: am 1. Oktober 1913 wäre sie aller Welt offenkundig geworden.
Diesel war besessen vom Willen, Großes zu leisten. Er glaubte   65
lange Zeit, er könne seine Erfindung, die ihn berühmt gemacht
hatte, auf andere Art wiederholen oder gar noch überbieten.
Die entscheidenden Erfolge aber rückten immer weiter in die
Ferne. Da kam Diesel an einen kritischen Punkt, an dem er von
der Notwendigkeit seiner Arbeit und seiner Existenz überhaupt   70
nicht mehr überzeugt war.

In Ruhe ordnete er in den Septembertagen des Jahres 1913
seine Angelegenheiten und sichtete sein Archiv. Am 29. September
fuhr er nach England, um eine neue Fabrik für Dieselmotoren
in Ipswich einzuweihen. Seine letzten Briefe sprechen zwar von   75
einer angegriffenen Gesundheit und von geschäftlichen Sorgen,
aber sie verraten nichts von seinen Absichten. Um Mitternacht
vom 29. zum 30. September muß es gewesen sein, als Diesel von
Bord des Schiffes, das ihn nach Harwich bringen sollte, in die
Tiefe glitt. In der Nähe der Reling wurden Hut und Überzieher   80
des Ertrunkenen gefunden. In seinem Notizbuch war[7] hinter dem
Datum 29. September ein kleines schwarzes Kreuz eingetragen.

Der 30. September wird als der Todestag Rudolf Diesels angenommen. — Sein Ruhm aber lebt für alle Zukunft.

Karlheinz Ebert, Langenscheidts Sprach-Illustrierte, Heft 4, 1958.

entgegengehen (*sep.*)	to advance, move toward	**sichten**	to sort, sift
Zeitpunkt (*m.*), -e	moment, time	**Archiv** (*n.*), -e	files, records
vorausberechnen (*sep.*)	to determine in advance	**einweihen** (*sep.*)	to dedicate
offenkundig	evident	**angreifen** (*sep.*)	to attack
besessen	possessed	**angegriffene Gesundheit**	ill health
leisten	to perform	**geschäftlich**	business
überbieten	to surpass	**verraten**	to betray
rücken	to move	**Absicht** (*f.*), -en	intention, purpose
Ferne (*f.*)	distance	**Mitternacht** (*f.*)	midnight
Notwendigkeit (*f.*)	necessity	**gleiten**	to slide, glide
überzeugen	to convince	**Hut** (*m.*), ⸗e	hat
Ruhe (*f.*)	peace	**Überzieher** (*m.*), -	overcoat
in Ruhe	quietly	**ertrinken**	to drown
ordnen	to arrange	**hinter**	behind, after
Angelegenheit (*f.*), -en	affair	**schwarz**	black
		Kreuz (*n.*), -e	cross
		eintragen (*sep.*)	to enter

[7] **sein** plus past participle: 10, 3.

Charles Darwins Tat

Zum 150. Geburtstag des großen englischen
Naturwissenschaftlers

Am 12. Februar 1959 jährte sich zum 150. Mal der Geburtstag
des großen englischen Wissenschaftlers Charles Robert Darwin.
5 Sein im November 1859 erschienenes[1] klassisches Werk „Die
Entstehung der Arten durch die natürliche Zuchtwahl und durch
die Erhaltung bevorzugter Rassen im Kampfe ums Dasein", in
dem er die Grundgedanken seiner Theorie von der Evolution der
Organismen niederlegte, hat trotz zahlreicher Gegner aus vielen
10 Kreisen die Entwicklung der biologischen Forschung in den vergangenen hundert Jahren ganz entscheidend beeinflußt.

Schon vor Darwin haben sich immer wieder Menschen ernsthaft
um die Lösung des zu allen Zeiten wichtigen Problems von der
Entstehung der ungeheuren Vielfalt der Organismen und Lebens-
15 formen bemüht. Alle eingeschlagenen Wege führten jedoch nicht
zum Ziel. Betrachtet[2] man rückblickend die geschichtliche Entwicklung der Naturwissenschaften, besonders aber die[3] jener
Forschung, die sich mit dem Leben auf der Erde beschäftigt, so
wird man mit einiger Berechtigung sagen können, daß die einge-

jähren (sich)	to take place *(annually)*	**Kreis** (*m.*), **-e**	circle
Zuchtwahl (*f.*)	selection	**vergangen**	past
Erhaltung (*f.*)	preservation	**ernsthaft**	serious
bevorzugt	favored	**ungeheuer**	huge, immense
Rasse (*f.*), **-n**	race	**Vielfalt** (*f.*)	multiplicity
Kampf (*m.*), **⸗e**	fight, battle	**bemühen um (sich)**	to concern oneself with
Dasein (*n.*)	existence	**einschlagen** (*sep.*)	to take, undertake
Grundgedanke (*m.*), **-n**	basic idea	**rückblickend**	in retrospect
niederlegen (*sep.*)	to set forth, write down	**Berechtigung** (*f.*)	justification

---

[1] A variety of extended-adjective constructions occur in this article. Review
lessons 23 and 24.

[2] Review verb-first constructions: 21, 3; 22, 3.

[3] demonstrative pronouns: 19, 1.

schlagenen Wege niemals zum Ziel führen konnten. Das natur- 20
wissenschaftliche Denken ist eng verknüpft mit den geistigen
Strömungen der verschiedenen Zeitepochen, mit deren geistiger
Gebundenheit oder Freiheit; jahrhundertelang war es einfach
unmöglich, sich eine biologische Evolution der Organismen vor-
zustellen oder diese gar zu erklären. 25
    Erst Ende des 18. Jahrhunderts wagten es einzelne Wissen-
schaftler ohne Rücksicht auf bestehende Dogmen, eine stufen-
weise Weiterentwicklung der Organismen öffentlich zu verkünden
und sich damit von der bis dahin auch naturwissenschaftlich als
unantastbar geltenden biblischen Schöpfungsgeschichte zu distan- 30
zieren. Zu ihnen gehören vor allem E.G. Saint-Hilaire (1772 bis
1844), Erasmus Darwin (1731 bis 1802) und J. B. Lamarck
(1774 bis 1829). Obwohl viele Gedankengänge dieser Forscher
und deren Arbeiten einen spürbaren Einfluß auf die Entwicklung
der Naturwissenschaften ausgeübt und zeitweilig deren For- 35
schungsrichtung bestimmt haben, so gelang[4] es doch erst Charles
Darwin als erstem Wissenschaftler die Evolution — das Kern-
problem der Biologie — nicht nur als Tatsache zu bestätigen,
sondern darüber hinaus die Entstehung der Arten zu erklären
und seine als „Darwinismus" bekannt gewordene Theorie durch 40
umfangreiches Beweismaterial zu untermauern.
    Charles Darwin hat[5] während seiner Reise mit dem Vermessungs-
schiff „Beagle", die er als junger Naturwissenschaftler — er war
zu Beginn der Reise erst 22 Jahre alt — mitmachte und die ihn

verknüpft	tied, related	**Gedankengang**	
Strömung (*f.*), **-en**	current	(*m.*), **=e**	thought process
Zeitepoche (*f.*), **-n**	era, period of time	**spürbar**	noticeable
Gebundenheit (*f.*)	restriction	**zeitweilig**	for a time, occasional
Rücksicht (*f.*)	consideration	**umfangreich**	extensive,
stufenweise	step by step, gradual		exhaustive
verkünden	to announce	**untermauern**	to support
unantastbar	inviolable, unassail-	**Reise** (*f.*), **-n**	trip, journey
	able	**Vermessung** (*f.*),	
Schöpfung (*f.*), **-en**	creation	**-en**	survey, measuring
distanzieren (**sich**)	to dissociate oneself,	**mitmachen** (*sep.*)	to participate in
	move away		

---

[4] gelingen: 30, 3a.
[5] Review word order involving perfect tenses: 9, 3.

45 in den Jahren 1831 bis 1836 um die ganze Welt führte, seine
überaus sorgfältigen Beobachtungen und aufkommenden Zweifel
an der damals allgemein verbreiteten Meinung von der Konstanz
der Arten niedergelegt, so daß es möglich ist, den Werdegang
seiner genialen Evolutionstheorie bis in alle Einzelheiten zu ver-
50 folgen. Eine solche Tatsache ist nur selten in der Geschichte der
Wissenschaften anzutreffen und darum besonders eindrucksvoll.
Bereits während des ersten Reisejahres, das Darwin vor allem
nach Südamerika und in die Flußmündungen dieses für den
jungen Forscher hoch interessanten Gebietes führte, kamen ihm
55 Gedanken über die „Umstände der Seltenheit oder des Aus-
sterbens einer Art". Anlaß dazu gaben Fossilfunde großer
Säugetiere und einer ausgestorbenen Pferdeart, die darauf hin-
wiesen, daß Nord- und Südamerika in einer bestimmten geologischen Periode im Charakter ihrer Tierwelt viel näher verwandt
60 waren, als sie es heutzutage sind. Die Begegnung mit einer selt-
samen, von den Eingeborenen Niatta genannten Rinderrasse, die
sich durch eine eigentümliche Lippenbildung auszeichnet, mit
der es den Tieren möglich ist, in Trockenzeiten ähnlich dem Pferd
Blätter von den Zweigen abzuzupfen, schreibt Darwin mit
65 Worten nieder, die zum ersten Mal einwandfrei formulierte Gedanken über ein wirksames Ausleseprinzip erkennen lassen, das
die Hauptstütze des „Darwinismus" werden sollte. Die Beobachtungen, die Darwin endgültig von der Tatsache überzeugten,

überaus	exceedingly	**heutzutage**	today
sorgfältig	careful	**Begegnung** (*f.*), **-en**	meeting, encounter
aufkommen (*sep.*)	to arise	**Eingeborene** (*m.*),	
Zweifel (*m.*), **-**	doubt	**-n**	native
verbreitet	widely-held	**Rind** (*n.*), **-er**	ox, cow, cattle
Konstanz (*f.*)	constancy	**Lippenbildung** (*f.*)	lip formation
Werdegang (*m.*)	development	**auszeichnen** (sich)	to be characterized,
verfolgen	to pursue	(*sep.*)	be distinguished
antreffen (*sep.*)	to meet, find	**Zweig** (*m.*), **-e**	twig, branch
eindrucksvoll	impressive	**abzupfen** (*sep.*)	to pluck off
Flußmündung (*f.*),		**niederschreiben**	
-en	mouth of a river	(*sep.*)	to write down
Seltenheit (*f.*)	rarity, scarcity	**einwandfrei**	clear, incontestable
Anlaß (*m.*), **=sse**	cause, motive	**erkennen**	to recognize
Fund (*m.*), **-e**	discovery, find	**erkennen lassen**	to show, reveal
Säugetier (*n.*), **-e**	mammal	**Hauptstütze** (*f.*), **-n**	main support
Pferd (*n.*), **-e**	horse	**endgültig**	final
verwandt	related	**überzeugen**	to convince

daß die Arten nicht konstant sein können, sondern während
langer Zeiträume einem steten Wandel unterlegen waren, machte   70
er auf den Galapagos-Inseln, auf denen er sich zusammen mit
einigen Mitgliedern der Schiffsbesatzung in der Zeit von Mitte
September bis Mitte Oktober 1835 aufhielt. Der aus zehn Inseln
bestehende Archipel vulkanischen Ursprungs ist ausgezeichnet
durch eine seltsame Tierwelt, deren Hauptmerkmal neben dem   75
engen Verbreitungsgebiet der Artenreichtum ist.

Am merkwürdigsten erschien Darwin eine Gruppe von Finken-
vögeln, deren Schnäbel eine vollkommene Abstufung in der
Größe aufweisen. Diese Erscheinung zwang den außergewöhnlich
scharfsinnigen Beobachter zu dem Schluß, daß „eine Art zu   80
verschiedenen Zwecken modifiziert worden ist". Eine ganz verschiedene Ernährungsweise der Vögel, die auf den Inseln keinerlei
Feinde haben und nach und nach alle Inseln des Archipels
besiedelten, änderte die Schnabelform in zweckmäßiger Weise ab.
So waren neue Arten entstanden, die aber nur auf jenen isolierten   85
Inseln lebten, welche angefüllt waren mit Tieren und Pflanzen,
von denen eine ganze Anzahl Anpassungserscheinungen an die
verschiedenen Umweltbedingungen der einzelnen Inseln aufwiesen.

Obwohl Darwin während seiner Weltreise die Grundlagen zu
seiner Evolutionstheorie konzipierte, zögerte er doch noch lange   90
Zeit, seine ihm selbst anmaßend erscheinenden Gedankengänge
öffentlich bekanntzugeben. Noch war es ihm unmöglich, den

Zeitraum (*m.*), ⁼e	period of time	**Abstufung** (*f.*), -en	gradation
stet-	constant	**aufweisen** (*sep.*)	to show, exhibit
Wandel (*m.*), -	change, transforma-	**zwingen**	to force
	tion	**scharfsinnig**	acute, sagacious
unterliegen	to be subject to	**keinerlei**	no, not any
Mitglied (*n.*), -er	member	**Feind** (*m.*), -e	enemy
Schiffsbesatzung		**besiedeln**	to settle, occupy
(*f.*), -en	ship's crew	**zweckmäßig**	appropriate, suitable
aufhalten (sich)	to stay	**abändern** (*sep.*)	to modify, alter
(*sep.*)		**anfüllen** (*sep.*)	to fill
Insel (*f.*), -n	island	**aufweisen** (*sep.*)	to show, exhibit
Hauptmerkmal		**Grundlage** (*f.*), -en	basis
(*n.*), -e	chief characteristic	**konzipieren**	to conceive
Verbreitung (*f.*)	distribution	**zögern**	to hesitate
Artenreichtum (*m.*)	great variety of	**anmaßend**	presumptuous
	species	**Gedankengang**	train of thought,
merkwürdig	remarkable	(*m.*), ⁼e	reasoning
Finkenvogel (*m.*), ⁼	finch variety	**bekanntgeben**	
Schnabel (*m.*), ⁼	bill, beak	(*sep.*)	to make known

Evolutionsvorgang zu erklären, er begnügte sich nicht mit der Vorstellung, daß die Realität der Evolution auch ohne die
95 Möglichkeit ihrer Begründung gesichert ist. Erst im Jahre 1859, nachdem ihm der englische Forschungsreisende A. R. Wallace (1823 bis 1913) ein Manuskript zuschickte mit dem Titel „Über die Neigung der Varietäten unbegrenzt vom Originaltypus abzuweichen", das die gleichen Ideen und Ergebnisse über die Ent-
100 stehung der Arten enthielt, die er schon so lange Zeit mit sich herumtrug, aber nur skizzenhaft niedergelegt oder mündlich mitgeteilt hatte, entschloß er sich zu einer Veröffentlichung. Die erste Auflage seines Werkes war mit 1250 Exemplaren bereits am ersten Tage ausverkauft. Ihr Erscheinungsdatum war zugleich
105 die Geburtsstunde des „Darwinismus".

Neben dem Versuch, die Evolution zu begründen, gilt das Hauptthema vor allem der Anpassung, die Darwin auf den Vorgang der natürlichen Auslese von Formen zurückführt, deren Entstehung der Variabilität der Formen zuzuschreiben ist. Wenn
110 auch[6] die natürliche Auslese im allgemeinen besonders mit dem Namen Darwins in Verbindung gebracht wird, so ist diese — wenn auch der wichtigste — keineswegs der einzige Bestandteil seiner Lehre. Die erbliche Auswirkung von Gebrauch und Nichtgebrauch, erbliche direkte Einflüsse auf den Organismus und
115 spontan auftretende Veränderungen sind weitere Faktoren, die den klassischen „Darwinismus" kennzeichnen, der bis in die allerjüngste Zeit vielen Fachgebieten der Naturwissenschaften den Weg ihrer Forschung aufgezeigt hat.

M. Baensch, Orion, Heft 2, 1959.

begnügen (sich)	to be content	**Auflage** (*f.*), **-n**	edition
Begründung (*f.*),		**Erscheinungsdatum**	
-en	proof	(*n.*), **. . . daten**	date of publication
zuschicken (*sep.*)	to send	**begründen**	to prove
Neigung (*f.*), **-en**	inclination, tendency	**Auslese** (*f.*), **-n**	selection
unbegrenzt	infinite, unlimited	**keineswegs**	by no means
abweichen (*sep.*)	to deviate	**Bestandteil** (*m.*),	
herumtragen (*sep.*)	to carry about	**-e**	constituent, part
entschließen (*sich*)	to decide	**kennzeichnen**	to characterize
Veröffentlichung		**allerjüngst-**	most recent
(*f.*), **-en**	publication	**aufzeigen** (*sep.*)	to show, indicate

[6] **wenn auch**: 30, 5.

Hikuli - der heilige Kaktus der Tarahumara

In der Provinz Sonora im Nordwesten Mexikos, zwischen den Abhängen der Sierra Madre Occidental und dem Golf von Kalifornien, leben Indianerstämme mit einer recht eigenartigen Kultur, die in primitiverer Weise viele Charakterzüge jener der Tolteken und Azteken weiterleben läßt. Es handelt sich haupt- 5 sächlich um die Stämme der Cora, Huichol (ch spr. tsch) und Tarahumara, um deren Erforschung sich der Deutsche K. Th. Preuß und der Amerikaner Lumholz große Verdienste erworben haben.

Besonders bei den beiden letztgenannten Volksstämmen hat 10 man höchst seltsame Kultformen festgestellt. Ein Kaktus — der gleiche, den einst die Azteken „Peyotl" genannt hatten — genoß beinahe göttliche Verehrung. Man holte ihn unter feierlichen Zeremonien aus den trockenen, mit steppenartiger Vegetation bedeckten Hochflächen der Sierra Madre, eigene Tanzfeste 15 wurden zu Ehren dieser unscheinbaren Pflanze, die „Hikuli" hieß, abgehalten — und wahrscheinlich geschieht dies in entlegeneren Gebieten noch heute. Wie kommen diese Kakteen (es handelt sich um Lophophora s. Anhlonium williamsii und lewinii) zu der großen Rolle, die sie im Leben der genannten Indianer- 20 stämme spielen?

heilig	holy	Verehrung (*f.*)	adoration
Abhang (*m.*), ≠e	slope	holen	to fetch, get, bring
Charakterzug (*m.*),		feierlich	festive
≠e	trait, characteristic	bedecken	to cover
Tolteke (*m.*), -n	Toltec	Hochfläche (*f.*), -n	plateau
Azteke (*m.*), -n	Aztec	Tanzfest (*n.*), -e	dance celebration,
weiterleben (*sep.*)	to live on		dance
spr. (sprich)	pronounce	Ehre (*f.*), -n	honor
Verdienst (*n.*), -e	merit, distinction	zu Ehren	in honor
erwerben (sich)	to acquire	unscheinbar	inconspicuous
einst	once, at one time	abhalten (*sep.*)	to hold, give
genießen	to enjoy	entlegen	remote
beinahe	almost	spielen	to play
göttlich	divine		

Die Indianer hatten beobachtet, daß der Genuß eines Absudes
aus dem getrockneten[1] und zerriebenen Stamm des „Hikuli"
Veränderungen der Persönlichkeit hervorruft: Das Selbstgefühl
25   steigert sich ins Unermeßliche, unbeschreiblich farbige und ein-
dringliche Visionen treten auf. Diese für einfache Menschen wohl
überwältigende Entdeckung hängt vermutlich mit der Nahrungs-
suche in Hungerjahren zusammen; in solchen Zeiten röstete man
auch den fleischigen Schaft der Agave, um nur jede Ernährungs-
30   möglichkeit auszunutzen. Dabei muß man auch einen Versuch
mit dem grünen knollenförmigen Stamm des Hikuli angestellt
haben, der die Macht hat, den Menschen in für ihn sonst uner-
reichbare Traumreiche zu entführen.

Wir wissen heute, was die Ursache dieser Erscheinung ist:
35   Der Peyotl-Kaktus enthält ein Alkaloid, das Mescalin, welches
man ebenso romantisch wie zutreffend „das Gift der bunten
Träume" genannt hat. Es ist dem Pharmakologen wohlbekannt.
Der Indianer mußte wohl in seinen Auswirkungen eine göttliche
Macht zu erkennen glauben. Hikuli, so sagten die Tarahumara,
40   reinige Seele und Leib zugleich. Er sei zwar nicht ganz so groß
wie der Sonnenvater, sitze aber unmittelbar neben ihm. Wenn ein
getaufter Indianer einen solchen Kaktus sah, machte er rasch das

Genuß (*m.*), ⁼sse	eating, drinking	**ausnutzen** (*sep.*)	to utilize
Absud (*m.*), -e	concoction	**grün**	green
zerreiben	to grate, grind up	**knollenförmig**	tuber-shaped
Stamm (*m.*), ⁼e	stem, tribe	**anstellen** (*sep.*)	to carry out
Persönlichkeit		**Macht** (*f.*), ⁼e	power
(*f.*), -en	personality	**Traum** (*m.*), ⁼e	dream
Selbstgefühl (*n.*)	self-confidence	**entführen**	to carry off
unermeßlich	immense, boundless	**Mescalin** (*n.*)	mescaline
eindringlich	strong	**zutreffend**	appropriate
auftreten (*sep.*)	to appear, occur	**bunt**	colorful
überwältigen	to overpower	**Pharmakologe**	
vermutlich	probable, presum-	(*m.*), -n	pharmacologist
	able	**Auswirkung** (*f.*),	
Nahrungssuche (*f.*)	search for food	-en	effect
rösten	to roast	**reinigen**	to purify, cleanse
fleischig	fleshy	**Seele** (*f.*), -n	soul
Schaft (*m.*), ⁼e	stalk, stem	**Leib** (*m.*), -er	body
Agave (*f.*), -n	agave	**taufen**	to baptize

---

[1] Review forms of past participle: 9, 4.

Kreuzzeichen. Der Amerikaner Lumholtz durfte[2] die Hikuli-
Lösung erst dann kosten, als er zum Zeichen der Ehrfurcht seinen
Sombrero abgenommen hatte. 45
Es ist nicht verwunderlich, daß die Huichol und Tarahumara
im Hikuli ein Allheilmittel zu besitzen glauben. Sie wenden ihn
nicht nur gegen Schwächezustände, Ermüdung und Rheumatismus
an, sondern auch — zerkaut und auf die Wunde gespuckt —
gegen Verletzungen aller Art sowie gegen Schlangen- und Skor- 50
pionbisse. Lumholtz bestätigte, daß eine stark schmerzlindernde
Wirkung tatsächlich zu beobachten ist, wenn man auch von einer
wirklichen Therapie nicht sprechen kann.
Als der Forscher zu Studienzwecken erstmalig die Hikuli-
Brühe zu sich nahm, machte ihn diese sofort „hellwach" — in 55
viel stärkerem Ausmaße als etwa konzentrierter Bohnenkaffee.
Nach zehn Minuten wurde dieser Zustand von tiefen Depressions-
gefühlen abgelöst, und bald vermeinte der Forscher eine so
intensive Kälte zu verspüren, daß er sich am liebsten[3] in das
Lagerfeuer gestürzt hätte. Später erzählten ihm seine indianischen 60
Freunde, daß es auch unter ihnen einige gäbe, welche die Wirkungen des Hikuli auf eine derart unerfreuliche Weise erlebten
und daher dieses Genußmittel nicht mehr zu sich nahmen. Von
den inzwischen sehr genau untersuchten farbenprächtigen Visio-

Kreuzzeichen			**erstmalig**	for the first time
(*n.*), -	sign of the cross		**Brühe** (*f.*), **-n**	broth, juice
kosten	to taste, cost		**zu sich nehmen**	to take, consume
Ehrfurcht (*f.*)	respect, reverence		**hellwach**	wide-awake
abnehmen (*sep.*)	to take off		**Ausmaß** (*n.*), **-e**	extent
verwunderlich	surprising		**Bohnenkaffee** (*m.*)	coffee
Allheilmittel (*n.*), -	universal remedy		**ablösen** (*sep.*)	to relieve, replace
Schwächezustand			**vermeinen**	to think
(*m.*), ⸗e	feeble condition		**verspüren**	to feel
Ermüdung (*f.*)	fatigue		**Lagerfeuer** (*n.*), -	camp fire
zerkauen	to chew up		**stürzen**	to hurl, throw
Wunde (*f.*), **-n**	wound		**derart**	such
spucken	to spit		**unerfreulich**	unpleasant
Verletzung (*f.*), **-en**	injury		**inzwischen**	meanwhile
Schlange (*f.*), **-n**	snake		**farbenprächtige**	colorful
Biß (*m.*), **-sse**	bite		**Visionen**	hallucinations
schmerzlindernd	pain-reducing			

---

[2] Review modal auxiliaries: **16**.
[3] **am liebsten: 11, 2.**

65 nen, die den Mescalinrausch sonst auszeichnen, weiß Lumholtz
nichts zu berichten. Dagegen erzählt er, daß er seinem Maultier
Hikuli zu fressen gegeben habe, worauf[4] es ihn sicher durch die
Nacht über enge und gefährliche Felspfade trug und dabei noch
waghalsige Sprünge vollführte.

70 Welche Folgen hat der Mescalingenuß für die geistige und
körperliche Gesundheit der Indianer? Lumholtz berichtet, daß
man die Kakteensucher unter den Huichol leicht an ihrem stereo-
typen Lächeln und dem eigenartigen Glanz ihrer Augen erkennen
könne. Diese Leute seien immer aufgeräumter Stimmung, beweg-
75 ten sich besonders flink und würden oft und laut singen. Bei
Genuß größerer Mescalindosen rannten die Indianer laut rufend
umher und machten Bewegungen, als ob sie fliegen wollten. Sicher-
lich haben die Huichol schon vor langer Zeit beobachten müssen,
.daß der ständige Rauschgiftgenuß die Physis schädigt, denn bei
80 ihnen ist die Zubereitung des Hikuli-Absudes nur während
bestimmter Zeiträume gestattet. Am Ende dieser Phasen leiden
sie unter Abstinenzerscheinungen in Form tagelang andauernder,
starker Kopfschmerzen.

Die Wirkung des Alkaloids Mescalin wurde schon 1897 von
85 A. Heffter im Selbstversuch beschrieben und später von Neuro-
logen und Psychiatern wie Bleuler und Wertham untersucht. Man
versuchte zum Beispiel zu ergründen, inwieweit der Mescalin-

Rausch (*m.*), ⸗e	intoxication	**singen**	to sing
auszeichnen (*sep.*)	to distinguish, char-	**Dosis** (*f.*), **Dosen**	dose
	acterize	**umherrennen** (*sep.*)	to run about
Maultier (*n.*), -e	mule	**rufen**	to call, shout
fressen	to eat	**sicherlich**	surely
gefährlich	dangerous	**Rauschgift** (*n.*), -e	narcotic
Felspfad (*m.*), -e	rocky path	**schädigen**	to harm
waghalsig	daring, reckless	**Zubereitung** (*f.*),	
Sprung (*m.*), ⸗e	jump	-en	preparation
vollführen	to carry out	**gestatten**	to permit
Folge (*f.*), -n	consequence	**leiden**	to suffer
Sucher (*m.*), -	searcher	**andauern** (*sep.*)	to last
Lächeln (*n.*)	smiling, smile	**Kopfschmerzen**	
Glanz (*m.*)	glitter, radiance	(*pl.*)	headache
aufgeräumter		**ergründen**	to determine
Stimmung	in high spirits	**inwieweit**	to what extent
flink	quick, agile		

---

[4] **wo(r)**-compounds: 26, 1.

rausch die Reaktionen der Versuchsperson bei psychologischen Tests verändere. Charakteristisch für den Rauschzustand selbst ist eine Beschreibung, die nach dem Erwachen gegeben wurde. 90 Bei geschlossenen Augen (oder bei offenen Augen im abgedunkelten Raum) werden Bildeindrücke mit leuchtenden Farben und ständig durcheinanderflutenden Formen wahrgenommen. „Die Gestalten bewegten sich sehr", erzählte die Versuchsperson, „die Farben waren lebendig, und ihre Eigenschaften stehen jenseits 95 aller bekannten Arten von Strahlung und Bewegung. Sie hatten ihr eigenes Leben. Ich sah zwei bis fünf Ebenen auf einmal; sie waren alle getrennt, auch standen sie verschieden und waren nicht gleichweit von mir entfernt. Die Bilder hatten eine greifbare Realität, erinnerten aber nicht an bekannte Dinge wie Traum- 100 bilder." Eine andere Vision zeigte Pflanzen, die auf sandigen Ebenen standen. Sie bewegten sich nicht selbst, sondern waren auf fünf Ebenen verteilt, die kreisend umeinander schwebten. So schnell änderten sich die Bildeindrücke, daß während der Beschreibung des einen schon längst mehrere andere aufgetaucht 105 und wieder verschwunden waren. So wurden genannt: Tausende und Abertausende von Pfauen; ganze Reihen von Bäumen, die statt Blätter durchscheinende Insektenflügel trugen; Pyramiden, die vor einem tiefblauen Hintergrund zu glänzenden Seifenblasen emporleiten . . . 110

Daß die Wirkung des Alkaloids Mescalin viel länger anhält, als

Versuchsperson		**sandig**	sandy
(*f.*), -en	subject	**kreisen**	to circle
verändern	to change	**umeinander-**	to float around each
erwachen	to awaken	**schweben** (*sep.*)	other
schließen	to close	**auftauchen** (*sep.*)	to appear
abgedunkelt	darkened	**tausende und**	thousands and
Bildeindruck (*m.*),		**abertausende**	thousands
≠e	picture, vision	**Pfau** (*m.*), -en	peacock
durcheinander-		**Baum** (*m.*), ≠e	tree
fluten (*sep.*)	to interflow	**durchscheinend**	transparent
Gestalt (*f.*), -en	form, shape, figure	**Flügel** (*m.*), -	wing
lebendig	alive	**Hintergrund** (*m.*),	
jenseits	beyond, outside of	≠e	background
trennen	to separate	**glänzen**	to shine, glitter
entfernt	removed, distant	**Seifenblase** (*f.*), -n	soap bubble
greifbar	tangible, seizable	**emporleiten** (*sep.*)	to lead up, extend up
erinnern	to remind, recall	**anhalten** (*sep.*)	to continue

man früher annahm, geht daraus hervor, daß noch mehrere Tage
nach dem Experiment in Träumen der Versuchspersonen die
typischen intensiven Bilder des Mescalinrausches auftraten. So
115 hatte zum Beispiel eine von ihnen viermal das Gefühl, sie werde
von starkem Licht im Schlaf gestört; sie versuchte, die Nacht-
tischlampe abzuschalten, wurde dabei völlig wach und bemerkte,
daß kein Licht brannte.

Es ist nicht verwunderlich, wenn die Tarahumara und Huichol
120 in den Persönlichkeitsveränderungen während des Mescalinrausches das Wirken übernatürlicher Mächte zu spüren glaubten,
so daß sie einen richtigen „Rauschgiftkult" entwickelten. Daß
sich bei ihnen im Laufe der Jahrhunderte keine ernsthaften
Schädigungen durch das „Gift der bunten Träume" zeigten, ist
125 wohl darauf zurückzuführen, daß selbst diese relativ primitiven
Volksstämme gewisse Abstinenz- und Vorsichtsmaßregeln be-
achteten. Dem in neuerer Zeit bei ihnen eingeführten Branntwein
gegenüber waren sie leider viel hilfloser, und so wirkte dieses
Genußmittel des weißen Mannes auf sie ebenso demoralisierend
130 wie auf alle Indianervölker, die mit dem „Feuerwasser" in Berüh-
rung kamen.

Dr. Hans Biedermann, Orion, Heft 1, 1959.

Schlaf (*m.*)	sleep	**Schädigung** (*f.*),	
Nachttischlampe		-en	damage, injury
(*f.*), **-n**	bedside table lamp	**Vorsichtsmaßregel**	precautionary
abschalten (*sep.*)	to turn off	(*f.*), **-n**	measure
wach	awake	**einführen** (*sep.*)	to introduce, import
verwunderlich	surprising	**Branntwein** (*m.*), **-e**	brandy, whisky
übernatürlich	supernatural	**gegenüber**	toward
Macht (*f.*), **ᵉe**	power	**leider**	unfortunately, alas
spüren	to feel, notice	**Berührung** (*f.*), **-en**	contact, touch
ernsthaft	serious		

Das neue Bild der Vorgeschichte Nordamerikas

Die Vorgeschichtsforschung der Vereinigten Staaten von Nordamerika begann erst im Jahre 1926, als man nämlich bei dem Dorfe Folsom in Neu-Mexiko neben Knochenresten einer heute ausgestorbenen Bisonart eigenartig gekehlte Pfeilspitzen fand, die in den Jahren 1934 bis 1938 auch für weit nördlichere Gebiete 5 der USA bis in das nördliche Alaska nachgewiesen wurden. Da die Häufigkeit dieser Funde nach Norden zu[1] größer wurde, ist anzunehmen, daß der Folsom-Mensch von Sibirien über die Beringstraße nach Nordamerika eingewandert sein muß. Von dort aus zog er in zwei Marschrouten nach Osten und Süden: 10 Die eine führte von den östlichen Abhängen der Rocky Mountains über die Ebenen östlich des Mississippi und seiner Nebenflüsse weiter nach Osten, die andere folgte der Hochfläche zwischen den Rocky Mountains und den Gebirgsketten längs der Westküste Nordamerikas in Richtung auf das große Becken und strebte von 15 dort dem südlichen Kalifornien, Arizona und Mexiko zu.

Eine Verbindung zwischen der Folsom-Rasse und der indianischen Urbevölkerung ließ sich zunächst nicht nachweisen; es[2] klaffte also in der Vorgeschichtsforschung Amerikas eine ge-

Vorgeschichte (*f.*)	early history	Hochfläche (*f.*), -n	plateau
Dorf (*n.*), ⸗er	village	Gebirgskette (*f.*),	
Knochenreste (*pl.*)	remains of bones	-n	mountain range
gekehlt	grooved	längs	along
Pfeilspitze (*f.*), -n	arrowhead	Becken (*n.*), -	basin
Fund (*m.*), -e	find, discovery	zustreben (*sep.*)	to be directed toward
einwandern (*sep.*)	to immigrate, wander	Urbevölkerung	
Abhang (*m.*), ⸗e	slope	(*f.*), -en	original population
Nebenfluß (*m.*),		klaffen	to gape
⸗sse	tributary		

---

[1] adverbs of direction: 26, 4.
[2] translation of es: 30, 1.

20 waltige zeitliche Lücke, die auf 9000 Jahre geschätzt wurde; denn
zunächst wurde der Folsom-Rasse ein viel höheres Alter zuge-
schrieben als ihr tatsächlich zukommt. Die Forschungen der
letzten Jahre konnten diese Lücke aber nicht nur schließen,
sondern auch darüber hinaus die bisherigen Funde in vier Kultur-
25 stufen einordnen; sie führen von der Folsom-Rasse bis zu den
Indianerstämmen, die von den ersten Siedlern aus der Alten Welt
in den Vereinigten Staaten angetroffen wurden.

Die aufsehenerregenden Funde von Resten der Folsom-
Menschen veranlaßten weitere systematische Forschungen, die
30 sich über große Gebiete der USA erstreckten und deren Ergebnis
zahlreiche Funde waren, die zeitlich eingeordnet werden mußten.
Diese Datierungsarbeit, die mit Hilfe von radioaktivem Kohlenstoff vom Atomgewicht 14 gemacht wurde ist heute im wesentlichen abgeschlossen. Während die Geologen das Alter der Fol-
35 som-Reste auf 10 000 bis 12 000 Jahre geschätzt hatten, ergab
die Datierung eines verbrannten Bisonknochens in einer Folsom-
schicht von Lubbock in Texas nur ein Alter von 7000 bis 8000
Jahren. Eine schöne Bestätigung fand diese Datierung durch die
Bestimmung mehrerer Sandalen aus Webschnur, die in der Grotte
40 von Fort Rock im Staate Oregon gefunden wurden und ebenfalls
der Folsom-Kultur angehören. Es sind dies die ältesten von
Menschen verfertigten Gegenstände, die man in den USA bis
heute entdeckt hat. Sie waren durch einen Ausbruch des New-
Berry auf wunderbare Weise wieder an die Oberfläche der Erde

es klaffte eine Lücke	there was a gap	**erstrecken (sich)**	to extend
gewaltig	immense, huge	**Datierungsarbeit** (*f.*), **-en**	dating
zeitlich	temporal, in time	**Kohlenstoff** (*m.*), **-e**	carbon
Lücke (*f.*), **-n**	gap	**abschließen** (*sep.*)	to conclude
zukommen (*sep.*)	to be due to	**Knochen** (*m.*), **-**	bone
bisherig	hitherto existing	**Bestätigung** (*f.*), **-en**	confirmation
Kulturstufe (*f.*), **-n**	stage of civilization	**Sandale** (*f.*), **-n**	sandal
einordnen (*sep.*)	to classify, arrange	**Webschnur** (*f.*)	webbing
Stamm (*m.*), **⸗e**	tribe	**Grotte** (*f.*), **-n**	grotto, cave
Siedler (*m.*), **-**	settler	**angehören** (*sep.*)	to belong
antreffen (*sep.*)	to meet	**verfertigen**	to make, produce
aufsehenerregend	sensational	**Gegenstand** (*m.*), **⸗e**	object
Rest (*m.*), **-e**	remainder, *pl.* remains	**Ausbruch** (*m.*), **⸗e**	outbreak
veranlassen	to cause, induce		

gelangt. Zwei unabhängig voneinander durchgeführte Messungen   45
ihres Gehalts an radioaktivem Kohlenstoff ergaben ein Alter
von 9188 ($\pm$ 480) Jahren, beziehungsweise 8916 ($\pm$ 540) Jahren.
Damit kommt man auf ein Alter von 9052 Jahren.

Als wesentliche Folgerung aus diesen Zeitbestimmungen ist
anzunehmen, daß die Ausbreitung des Menschen in Nordamerika   50
um 7500 v. Chr. erfolgte. Demnach muß der Mensch die Beringstraße erst nach der letzten Eiszeit überquert und den nordamerikanischen Kontinent in südlicher Richtung bevölkert haben.
In Südamerika taucht seine Spur erst um 6700 v. Chr. auf.

Auf den Folsom-Jäger folgten um das Jahr 4000 v. Chr. die   55
Menschen der archaischen Stufe, deren Speerspitzen blattförmig
waren. Die Waffen und Werkzeuge dieser Stufe unterscheiden
sich von denen des Folsom-Menschen vor allem durch sorg-
fältigere Bearbeitung. In der sogenannten Wisconsin-Zeit treten
neben Speerspitzen bereits Breitbeile und Äxte auf, die mit einer   60
Rinne versehen sind und teilweise aus Kupfer gegossen wurden.
Noch waren die Menschen dieser Kulturstufe Jäger und Fischer
oder sammelten pflanzliche Nahrungsmittel; doch konnten sie
an Orten, die reichlich Nahrung boten, bereits ein seßhaftes Leben
führen und ein Gemeinwesen entwickeln. Ihre Toten bestatteten   65
sie in hockender Stellung, die in Europa besonders für die südlichen Länder kennzeichnend ist und vor allem bei den neolithi-
schen Schnurkeramikern üblich war.

durchführen (*sep.*)	to carry out	**auftreten** (*sep.*)	to appear
beziehungsweise	or, respectively	**Rinne** (*f.*),	groove
Folgerung (*f.*), **-en**	deduction, conclu-	**versehen sein mit**	to be provided with
	sion	**gießen**	to pour, cast
Ausbreitung (*f.*),		**sammeln**	to collect
-en	spreading	**Nahrungsmittel**	
überqueren	to cross	(*n.*), **-**	article of food
bevölkern	to populate	**Ort** (*m.*), **-e**	place, location
auftauchen (*sep.*)	to appear	**Nahrung** (*f.*)	food
Spur (*f.*), **-en**	trace, sign, track	**seßhaft**	settled, domiciled
Stufe (*f.*), **-n**	stage, step	**Gemeinwesen** (*n.*), **-**	community
Speerspitze (*f.*), **-n**	point of the spear	**tot**	dead
Waffe (*f.*), **-n**	weapon	**bestatten**	to bury
sorgfältig	careful	**hocken**	to squat
Bearbeitung (*f.*)	workmanship	**kennzeichnend**	characteristic
Breitbeil (*n.*), **-e**	broadax	**Schnurkeramiker**	potter employing
Axt (*f.*), **≃e**	ax	(*m.*), **-**	band ceramics

70

Eine große Neuerung, welche die folgende Kulturstufe bringt, ist neben der Landwirtschaft das Auftreten von Keramik. Koch- und Vorratstöpfe waren vielfach mit Tierdarstellungen, vor allem mit Vögeln, verziert, die sich vielleicht auf religiöse Vorstellungen bezogen. Dieses erste ackerbautreibende Volk im Osten der Vereinigten Staaten lebte in den Jahren 500 v. bis 500 n. Chr. und

75

war von Florida bis Michigan und von New York bis Kansas verbreitet. Noch heute finden sich in den USA, besonders im südlichen Ohio, zahlreiche, meist kegelförmige Erdhügel, in denen diese sogenannten „Mound Builders" ihre Toten bestatteten. Sie wurden in überdachte Gewölbe aus großen Steinblöcken gelegt,

80

auf die Erde bis zu einer Höhe von über 20 Metern aufgehäuft wurde. Waffen und Geräte, die dem Toten gehörten, wurden mitgegeben. Neuere archäologische Arbeiten im Mississippital und den östlichen Gebieten der Vereinigten Staaten beweisen, daß die Indianer, welche von den europäischen Siedlern im 17.

85

und 18. Jahrhundert aus ihren Wohnräumen vertrieben wurden, nur kümmerliche Überreste eines Volkes gewesen sein müssen, das zwei Jahrhunderte früher noch viel zahlreicher gewesen war. Die aus Europa eingeschleppten Krankheiten, besonders die Tuberkulose, ja selbst die bei uns verhältnismäßig harmlosen

90

Masern, hatten unter den Indianern der Ostgebiete weit verheerender gewirkt als die Feuerwaffen der Europäer.

Die Indianer dieses vierten Kulturkreises waren, wie weitere Forschungen zeigten, um das Jahr 900 n. Chr. aus Zentralamerika eingewandert. Ihre soziale Organisation und Wirtschaft beruhte

üblich	customary, prevalent	**Gewölbe** (*n.*), -	vault
Neuerung (*f.*), -en	innovation	**Steinblock** (*m.*), ⁼e	stone block
Kochtopf (*m.*), ⁼e	cooking pot	**aufhäufen** (*sep.*)	to heap up
Vorratstopf (*m.*), ⁼e	storage pot	**Gerät** (*n.*), -e	utensil
vielfach	frequently	**mitgeben** (*sep.*)	to give along
Tierdarstellung		**Tal** (*n.*), ⁼er	valley
(*f.*), -en	animal figure	**Wohnraum** (*m.*), ⁼e	home
verzieren	to decorate	**vertreiben**	to drive out
beziehen (sich)	to relate	**kümmerlich**	wretched
ackerbautreibend	farming	**Überrest** (*m.*), -e	remains
verbreitet	spread	**einschleppen** (*sep.*)	to bring in
kegelförmig	cone-shaped	**Masern** (*pl.*)	measles
Erdhügel (*m.*), -	mound (of earth)	**verheerend**	devastating
überdacht	roofed	**beruhen**	to be based

auf einer Religion der Sonnenverehrung. Hölzerne Tempel, 95
Wohnungen der Priester und Gebäude für die Gebeine der Toten
errichteten sie auf den abgeflachten Spitzen pyramidenähnlich
gebauter Erdhügel, die rings um offene Höfe angeordnet waren,
in denen sie ihre religiösen Feiern abhielten. Jede dieser 12 bis
15 Meter hohen Erdpyramiden — die Pyramide von East St. 100
Louis im Staate Illinois ist sogar 33,5 Meter hoch! — besaß eine
mit Steinblöcken eingefaßte Treppe, die vom Hof zum Eingang
des Tempels auf der Spitze führte.

Als Ackerbauern pflanzten die um diese religiösen Mittelpunkte
lebenden Menschen Getreide, vor allem Mais, Bohnen, Kürbisse 105
und Tabak an. Drei Arten von Kürbissen wurden angebaut, ihre
Samen fand man vor allem auch in altperuanischen Gräbern. Das
amerikanische Wort „squash" für diese Kürbisarten hat seinen
Ursprung in der Algonkinsprache, der größten indianischen
Sprachengruppe Nordamerikas. 110

Im Gegensatz zu diesen Indianerstämmen entwickelte sich die
Kultur der Indianer, die auf den weiten Ebenen zwischen den
beiden von Norden nach Süden ziehenden Gebirgsketten hauptsächlich von der Bisonjagd lebten, erst nach der Entdeckung
Amerikas durch die Spanier. Von ihnen wurde das Pferd nach 115
Amerika eingeführt, das den Indianerstämmen ein Nomadenleben
ermöglichte, nachdem das einheimische Pferd ausgestorben war.
Vor allem drangen die ursprünglich Ackerbau treibenden Indianer
westlich des Mississippi mit ihren Pferden bis in diese Ebenen vor.

Verehrung (*f.*)	veneration, worship	Ackerbauer (*m.*), -	tiller of the soil
hölzern	wooden	anpflanzen (*sep.*)	to plant
Wohnung (*f.*), -en	home	Getreide (*n.*)	grain
Gebeine (*pl.*)	bones	Bohne (*f.*), -n	bean
errichten	to erect	Kürbis (*m.*), -se	pumpkin
abgeflacht	flattened	anbauen (*sep.*)	to raise
Spitze (*f.*), -n	point	Samen (*m.*), -	seed
rings um	all around, around	Grab (*n.*), ⸗er	grave
Hof (*m.*), ⸗e	courtyard	ziehen	to extend
anorden (*sep.*)	to arrange	Jagd (*f.*), -en	hunt
Feier (*f.*), -n	celebration, festival	Pferd (*n.*), -e	horse
abhalten (*sep.*)	to hold	einführen (*sep.*)	to bring in, import
einfassen (*sep.*)	to enclose, line	einheimisch	native
Treppe (*f.*), -n	steps, staircase	vordringen (*sep.*)	to advance, push
Eingang (*m.*), ⸗e	entrance	treiben	to conduct, carry on

120 Mit dem Wechsel ihrer Wohnsitze vollzog sich zugleich ein starker
Wandel ihrer ursprünglich auf religiösen Vorstellungen beruhen-
den Lebensweise; jedoch blieben auch bei den Stämmen der
Ebene noch viele Spuren der früheren Gebräuche erhalten, wie
zum Beispiel die Zeremonien des alten Sonnenkults.

125 Von Archäologen zutage geförderte[3] Unterlagen berechtigen
zu der Annahme, daß noch ältere Rassen als der Folsom-Mensch
im nördlichen Teil Amerikas nicht nachweisbar sein werden,
zumal in der letzten Phase der Eiszeit, der sogenannten Wisconsin-
Eiszeit, Nordamerika bis etwa zum 40. Breitengrad von Eis

130 bedeckt war. Eine kritische Prüfung der auf nordamerikanischem
Boden gemachten Funde beweist ferner eindeutig, daß sie weit
jüngeren Datums sind als die paläolithischen Funde in Europa.
Die Schädelfunde gehören alle dem Typus des Homo sapiens an
und sind von den Schädeln rezenter Indianerrassen nur wenig

135 verschieden. Werkzeuge der frühen Perioden tragen in der Haupt-
sache die Kennzeichen des Neolithikums. So beweisen die zur
Zeit vorhandenen Unterlagen einmal das Fehlen einer frühen
Menschenrasse, die der Neandertal-Rasse oder anderen frühen
menschlichen Formen entsprechen könnte; zum andern zeigt das

140 Fehlen der meisten primitiven Formen von Werkzeugen und
Geräten, daß die kulturelle Entwicklung in der Neuen Welt zu
einem viel späteren Zeitpunkt einsetzte als in der Alten Welt und
daß eine Verbindung zwischen den frühen Kulturstufen der beiden
Welten nicht bestanden hat. All das spricht eindeutig für eine

145 Zuwanderung aus dem asiatischen Raum und gegen die in früheren

Wechsel (*m.*), -	change	**nachweisbar**	demonstrable
Wohnsitz (*m.*), -e	home, abode	**zumal**	especially since
vollziehen (sich)	to take place	**Prüfung** (*f.*), -en	examination
Wandel (*m.*), -	transformation	**eindeutig**	clear, definite
beruhen	to be based, founded on	**Schädel** (*m.*), -	skull
		rezent	recent
Spur (*f.*), -en	trace	**Hauptsache: in**	
zutage fördern	to unearth	**der H.**	mainly
Unterlage (*f.*), -n	evidence	**Kennzeichen** (*n.*), -	mark, sign
berechtigen zu	to justify	**einsetzen** (*sep.*)	to set in
Annahme (*f.*), -n	assumption	**Zuwanderung** (*f.*)	migration, influx

---

[3] extended-adjective construction, no introductory limiting adjective: 24, 1b.

Jahren vorhandene starke Neigung, die vorgeschichtlichen Funde Nordamerikas mit der paläolithischen Entwicklung Europas zu vergleichen. Auch die zeitlichen Differenzen, die noch vor wenigen Jahren den Vorgeschichtlern Amerikas so großes Kopfzerbrechen machten, dürfen als beseitigt gelten. Sie kamen dadurch zustande, daß die Geologen Amerikas für das letzte Vorrücken der Vereisung einen Zeitraum von 15 000 bis 20 000 Jahren angenommen hatten, während die ältesten archaischen Funde in Nordamerika von den Vorgeschichtsforschern auf ein Alter von höchstens 3000 Jahren geschätzt wurden. So schien eine starke zeitliche Kluft zwischen der Stufe des Folsom-Menschen und der archaischen Stufe zu bestehen. Erst die Messungen mit radioaktivem Kohlenstoff bewiesen, daß beide Schätzungen falsch waren; die geologischen waren zu hoch, die archäologischen zu niedrig. Es gibt heute keine Lücke mehr zwischen diesen beiden Kulturstufen.

Wilfried Müller, Orion, Heft 6, 1959.

vorhanden	present, existing	**zustandekommen**	
Neigung (*f.*), **-en**	tendency	(*sep.*)	to come about
Vorgeschichtler	historian specializing	**Vorrücken** (*n.*)	advance
(*m.*), **-**	in early history	**Vereisung** (*f.*)	glaciation
Kopfzerbrechen		**höchstens**	at most
(*n.*)	puzzle	**Kluft** (*f.*), **⁼e**	gap
Kopfzerbrechen		**falsch**	wrong, false
machen	to puzzle	**niedrig**	low
beseitigen	to eliminate, remove	**Lücke** (*f.*), **-n**	gap

Vom Kolbenmotor zum Düsenaggregat

Im Dezember des Jahres 1903 gelang Wilbur und Orville Wright in Kitty Hawk (USA) der erste Motorflug. Fünfundzwanzig Jahre später untersuchte der Engländer Frank Whittle die Möglichkeit, Gasturbinen zum Antrieb von Flugzeugen zu verwenden. Und am 27. August 1939 startete in Rostock das deutsche Jagdflugzeug Heinkel He-178 zum historischen Erstflug mit Düsenantrieb.

Heute, zwanzig Jahre später, steht auch der zivile Luftverkehr im Zeichen dieser technischen Revolution. Zeit und Raum rücken näher zusammen.

Frank Whittle hatte 1930 seine ersten Patente angemeldet. Da die britische Regierung für die Experimente Whittles grundsätzliches Interesse hegte, erteilte das Luftfahrtministerium seiner im Jahre 1936 gegründeten Power Jets Limited den Auftrag zum Bau eines Düsenmotors für Flugzeuge. Gleichzeitig erhielten die Gloster-Werke Anweisung, eine für die neue Antriebsart geeignete Flugzeugzelle zu konstruieren. Am 15. Mai 1941 wurde das mit einem von Whittle gebauten Strahlmotor versehene Jagdflugzeug Gloster E 28/39 bei Cranwell in England den ersten Flugversuchen unterzogen, womit dem Turbinenaggregat und seiner Weiter-

---

Kolbenmotor (*m.*), **-en**	piston engine
Düsenaggregat (*n.*), **-e**	jet engine
Antrieb (*m.*), **-e**	propulsion
Jagdflugzeug (*n.*), **-e**	fighter, pursuit plane
zivil	civilian, civil
zusammenrücken (*sep.*)	to move together
anmelden (*sep.*)	to register
grundsätzlich	basic

erteilen: einen Auftrag e.	to place an order
Luftfahrtministerium (*n.*)	Air Ministry
gründen	to found
gleichzeitig	at the same time
Anweisung (*f.*), **-en**	order, instruction
Flugzeugzelle (*f.*), **-n**	fuselage
Strahlmotor (*m.*), **-en**	jet engine
versehen	to provide, equip
unterziehen	to submit, undergo

entwicklung der Weg geebnet war. Das Triebwerk hatte eine   20
Schubkraft von rund 400 kg.

Sofort lieferten die Engländer in aller Heimlichkeit ein Muster-
flugzeug nach den Vereinigten Staaten. Die General Electric Co.
(die heute die Düsentriebwerke für den Convair-880 herstellt)
widmete sich unverzüglich seiner Produktionsentwicklung. Kaum   25
elf Monate nach dem Kriegseintritt der Vereinigten Staaten
konnten die Amerikaner infolgedessen ihren ersten Düsenjäger
einsetzen, den Bell XP-59A, der am 1. Oktober 1942 die ersten
Flüge absolvierte.

In Deutschland vollzog sich die Entwicklung völlig unabhängig   30
von derjenigen in England. Trotzdem verliefen die Forschungen
in gleicher Richtung und ungefähr ebenso rasch. Hans von Ohain,
der sich ebenfalls mit der Frage neuer Antriebsarten für Flugzeuge befaßte, ließ seine Erfindungen 1935 patentieren. Ernst
Heinkel gliederte seinen Flugzeugwerken eine Forschungs-   35
abteilung für Düsenmotoren an, während von Ohain das HeS3B-
Düsentriebwerk konstruierte, das eine Schubkraft von 500 kg
aufwies und schließlich in das bereits erwähnte He-178-Jagdflug-
zeug eingebaut wurde.

In Italien entwickelte der bei den Caproni-Werken beschäftigte   40
Ingenieur Secondo Campini, der allerdings seine eigenen Wege
ging, im Jahre 1939 einen Turbinenmotor, der beim Caproni-N.1-
Düsenjäger verwendet wurde, von dem im August 1940 die ersten
Flüge ausgeführt wurden.

Der Brennstoffverbrauch all dieser Düsentriebwerke, der   45
deutschen sowohl als auch der englischen und amerikanischen,

ebnen	to smooth	vollziehen (sich)	to take place
Triebwerk (n.), -e	motor	verlaufen	to proceed
Schubkraft (f.), ⸗e	thrust	angliedern (sep.)	to add
Heimlichkeit (f.),		Forschungsab-	research
-en	secrecy	teilung (f.), -en	department
Muster (n.), -	model, sample, test	aufweisen (sep.)	to exhibit, have
widmen	to devote	einbauen (sep.)	to install
unverzüglich	immediate, prompt	Turbinenmotor	
Eintritt (m.), -e	entry, entrance	(m.), -en	jet motor
infolgedessen	consequently	ausführen (sep.)	to carry out
Düsenjäger (m.), -	jet fighter	Brennstoffver-	
einsetzen (sep.)	to commit, engage	brauch (m.)	fuel consumption

war allerdings so enorm hoch, daß die damit angetriebenen
Flugzeuge nur etwa eine Viertelstunde in der Luft bleiben konnten.
Um aus dieser Neuerung wirklich Nutzen zu ziehen, mußte man
50   entweder den Treibstoffverbrauch herabsetzen oder Flugzeuge
bauen, die große Mengen Treibstoff mitführen konnten. Angesichts dieser Schwierigkeiten zogen es die Alliierten wie auch ihre
Gegner vor, lieber die Produktion an Propellerflugzeugen zu
erhöhen, als die Entwicklung der Düsenflugzeuge zu forcieren.
55   Trotzdem setzte Frank Whittle, von der Überlegenheit des
Strahlantriebs überzeugt, seine Arbeiten fort. So konnten die
Engländer gegen Kriegsende den ‚Meteor‘ zum Fronteinsatz
bringen, der mit zwei Rolls-Royce-Aggregaten ausgerüstet war
(Rolls-Royce stellt heute die Turboreaktoren für das französische
60   Düsenverkehrsflugzeug Caravelle her).

Das deutsche Oberkommando begann sich erst wieder für die
Konstruktion Heinkels und von Ohains zu interessieren, als die
Luftwaffe von allen Seiten stark bedrängt wurde und den Einflug
feindlicher Bomber nicht mehr zu verhindern vermochte. Es
65   begann nach Mitteln und Wegen zu suchen, um die verlorene
Luftüberlegenheit zurückzugewinnen. Der Bau von Düsenjagd-
flugzeugen und V-1 sowie V-2 Raketen erhielt jetzt höchste
Priorität. Die Junkers- und BMW-Werke wurden mit der Her-
stellung von Düsenmotoren beauftragt. Heinkel und Messer-
70   schmitt hatten die entsprechenden Flugzeuge zu bauen. Die unter

enorm	enormous	**überzeugen**	to convince
antreiben (*sep.*)	to drive	**Fronteinsatz** (*m.*):	
Viertelstunde (*f.*)	quarter of an hour	zum F. bringen	to commit in battle
Neuerung (*f.*), **-en**	innovation, advance	**Oberkommando**	
Nutzen ziehen	to profit	(*n.*)	High Command
Treibstoffver-		**interessieren** (sich)	
brauch (*m.*)	fuel consumption	für	to be interested in
herabsetzen (*sep.*)	to reduce	**Luftwaffe** (*f.*)	German Air Force
mitführen (*sep.*)	to carry along	**bedrängen**	to press hard
angesichts	considering, in the	**Einflug** (*m.*), ⸗e	air raid
	face of	**feindlich**	hostile, enemy
Alliierten (*pl.*)	allies	**vermögen**	to be able
lieber	rather	**zurückgewinnen**	
erhöhen	to increase	(*sep.*)	to win back
forcieren	to force	**Herstellung** (*f.*)	production
Überlegenheit (*f.*)	superiority	**beauftragen**	to charge, commis-
Strahlenantrieb			sion
(*m.*)	jet propulsion		

der Einwirkung von Bombenabwürfen schwer leidende deutsche
Industrie unternahm gewaltige Anstrengungen, um die neuen
Jäger so rasch wie möglich zu produzieren, versprach[1] man sich
doch davon eine wirksame Abwehr der feindlichen Luftangriffe.
Gegen Ende 1944 und zu Anfang 1945 erreichte die Produktion   75
trotz erheblicher Störungen eine beachtliche Höhe. Bis zur Ein-
stellung der Feindseligkeiten wurden rund 5000 Junkers ,Jumo-
004' Düsenmotoren gebaut. Messerschmitt produzierte etwa
1300 Me-262, die mit zwei Jumo-Motoren von je 1000 kg Schub
ausgerüstet waren und eine Geschwindigkeit von etwa 800 km/h   80
erreichten. Das Auftauchen derart schneller und deshalb unan-
greifbarer Jäger, die sich allerdings nicht länger als 20 Minuten
in der Luft halten konnten, war für die alliierte Luftflotte eine
völlige Überraschung.

Durch den Erfolg ermutigt,[2] faßte man in Deutschland wieder   85
Hoffnung. Heinkel begann mit der Serienfertigung des He-162A-
,Volksjägers', der am 6. Dezember 1944 zu fliegen begann. Als
die deutsche Verteidigungsfront schon vom Einsturz bedroht
war, sahen sich die alliierten Flieger der ,Viper' gegenüber, der
letzten Hoffnung der deutschen Luftwaffe. Es handelte sich um   90
ein Düsenflugzeug vereinfachter Konstruktion, das in weniger als

Einwirkung (*f.*),		**auftauchen** (*sep.*)	to appear
-en	effect	**derart**	such
Bombenabwurf		**unangreifbar**	unattackable
(*m.*), ⸗e	bombing	**Luftflotte** (*f.*), **-n**	air force
leiden	to suffer	**ermutigen**	to encourage
gewaltig	powerful, strong	**fassen**	to take, seize
Anstrengung (*f.*),		**Hoffnung fassen**	to become hopeful
-en	effort, exertion	**Serienfertigung**(*f.*)	mass production
sich versprechen	to expect	**Verteidigung** (*f.*),	
Abwehr (*f.*)	defense against	**-en**	defense
Angriff (*m.*), **-e**	attack	**Einsturz** (*m.*), ⸗e	collapse
Störung (*f.*), **-en**	interruption	**bedrohen**	to threaten
beachtlich	considerable	**Flieger** (*m.*), **-**	flier
Einstellung (*f.*)	cessation	**gegenüber**	opposed by, facing
Feindseligkeit (*f.*),		**Hoffnung** (*f.*), **-en**	hope
-en	hostility	**vereinfachen**	to simplify

---

[1] Rare verb-first construction. The subordinating conjunction **denn** is omitted:
denn man versprach sich davon.

[2] participial phrases: 25, 3.

einer Minute auf 10 000 Meter steigen konnte und über vierund-
zwanzig Raketengeschosse verfügte, die sich allerdings nur in
einer einzigen Salve abfeuern ließen. Nach beendigtem Angriff
95 konnten Pilot und Motor mit Fallschirmen zur Erde zurück-
kehren. Bei Kriegsende entdeckten die alliierten Truppen in
Deutschland den Prototyp eines fliegenden Flügels, den Ho-9,
der mit zwei Düsenmotoren ausgerüstet und zum Tag- und
Nachteinsatz bestimmt war. Der Zusammenbruch Deutschlands
100 hatte dieser Entwicklung allerdings ein Ende gesetzt.

Die letzten Monate des Luftkrieges erwiesen jedenfalls mit aller
Deutlichkeit die Überlegenheit des Düsenantriebs über den
Kolbenmotor.

Bei Kriegsende war die Entwicklung der Turboreaktoren in
105 ihrem Ausgangsland England am weitesten fortgeschritten.
Neuere und stärkere Motoren wurden in neuartige Bomben-
und Jagdflugzeuge eingebaut, die den Kern der Luftstreitkräfte
Großbritanniens und anderer Länder bildeten.

Auf dem Gebiete der zivilen Fliegerei lagen die Dinge anders.
110 Nach Abbruch der Feindseligkeiten waren es die Vereinigten
Staaten, die sich als einzige in der Lage sahen, nicht nur den
Luftverkehr rasch wieder aufzunehmen, sondern auch Zivilflugzeuge zum Kauf anzubieten, da[3] sie während des Krieges
Transportflugzeuge in großer Zahl gebaut hatten. DC-3, DC-4
115 und Constellations eroberten konkurrenzlos das Feld; größere,

Raketengeschoß		**Deutlichkeit** (*f.*)	clarity
(*n.*), -sse	rocket	**Ausgangsland** (*n.*),	
verfügen über	to be equipped with	⸗er	country of origin
Salve (*f.*), -n	salvo, volley	**fortschreiten** (*sep.*)	to progress
abfeuern (*sep.*)	to fire	**Luftstreitkraft**	
beendigen	to finish	(*f.*), ⸗e	air force
Fallschirm (*m.*), -e	parachute	**Fliegerei** (*f.*)	aviation
zurückkehren (*sep.*)	to return	**liegen: die Dinge**	conditions are differ-
Flügel (*m.*), -	wing	**liegen anders**	ent
Einsatz (*m.*), ⸗e	employment	**Abbruch** (*m.*)	cessation
bestimmt	intended, designed	**aufnehmen** (*sep.*)	to take up
Zusammenbruch		**Kauf** (*m.*), ⸗e	sale
(*m.*)	collapse	**anbieten** (*sep.*)	to offer
jedenfalls	at any rate, in any	**erobern**	to conquer
	case	**konkurrenzlos**	without competition

[3] **da**: 20, 3b.

schnellere und leistungsfähigere Typen folgten. Alle, oder fast alle Zivilflugzeuge waren amerikanischer Herkunft. In dieser Situation unternahm der bekannte englische Flugzeugkonstrukteur DeHavilland den Versuch, mit dem Bau eines Düsenverkehrsflugzeuges das amerikanische Monopol auf jenem Sektor zu brechen, den Großbritannien infolge seiner Kriegsanstrengungen hatte vernachlässigen müssen. Dieses Unterfangen stieß anfangs auf Skepsis, da zahlreiche Fachleute in dem großen Brennstoffverbrauch der Düsenmotoren ein gewaltiges Hindernis für die Rentabilität erblickten. Am 22. Januar 1952 erhielt der ‚Comet' das Lufttüchtigkeitszeugnis. Einen Monat später übernahm die BOAC jene erste Einheit, mit der sie am 2. Mai 1952 den ersten regelmäßigen Düsenflugdienst aufnahm. Wieder einmal hatte Großbritannien eine Pionierleistung vollbracht und nach seinem Erfolg auf dem militärischen Gebiet des Flugzeugbaues die führende Stellung im Bereich der zivilen Flugzeugkonstruktion zurückgewonnen. Der Düsenluftverkehr begann. Passagiere lobten das ruhige Fliegen in den neuen Flugzeugen. Die Luftverkehrsgesellschaften freuten sich über die hohe Auslastung jedes Comet-Fluges. Dann kam die erste, die zweite und die dritte Katastrophe. Man erging sich in Spekulationen: Sabotage, menschliches oder technisches Versagen? Mit einem bewundernswerten Mut und einem Pflichtbewußtsein ohnegleichen unternahmen die britische Regierung und die Firma

120

125

130

135

leistungsfähig	efficient, capable	**übernehmen**	to take over
Herkunft (*f.*)	origin	**Einheit** (*f.*), **-en**	unit
brechen	to break	**regelmäßig**	regular
infolge	because of	**vollbringen**	to accomplish
Anstrengung (*f.*),		**Bereich** (*n.*), **-e**	realm, field
-en	effort	**zurückgewinnen**	
vernachlässigen	to neglect	(*sep.*)	to win back
Unterfangen (*n.*), **-**	undertaking, venture	**loben**	to praise
stoßen auf	to meet with	**ruhig**	quiet
anfangs	at first	**freuen** (**sich**) **über**	to be happy about
Skepsis (*f.*)	skepticism	**Auslastung** (*f.*)	passenger rate, utilization of space
Fachleute (*pl.*)	experts		
Hindernis (*n.*), **-se**	obstacle	**ergehen** (**sich**) **in**	to indulge in
Rentabilität (*f.*)	profitableness	**Versagen** (*n.*)	failure
erblicken	to view, see	**bewundernswert**	admirable
Lufttüchtigkeits-	approval of air-	**Mut** (*m.*)	courage
zeugnis (*n.*)	worthiness	**Pflichtbewußtsein** (*n.*)	sense of duty, responsibility

140 DeHavilland, die beide ihre Hoffnungen so bitter enttäuscht sahen, alles, um die Gründe für das Versagen zu ermitteln. Nach methodischen und peinlich genauen Untersuchungen konnte die Ursache festgestellt werden: Materialermüdung. Ohne Rücksicht auf Prestige oder Nationalismus brachten die Engländer die Resultate
145 ihrer Feststellungen der ganzen Welt zur Kenntnis. Diese beispielhafte Haltung erlaubte anderen Konstrukteuren, aus den Erfahrungen mit dem Comet zu lernen. Dann entschlossen sie sich ihrerseits zum Bau von Düsenflugzeugen für die Zivilluftfahrt.

Boeing, dann Douglas und Sud Aviation bauten solche Flug-
150 zeuge. Im September 1955 kündigte der Präsident der Pan American Airways, Juan Trippe, nicht ohne Triumph die Bestellung von zwanzig Boeing-707 und fünfundzwanzig Douglas-DC-8 an. Dieses Vorgehen löste auf der ganzen Welt eine Sensation aus und hatte den Eingang von riesigen weiteren Bestellungen
155 bei den amerikanischen Firmen zur Folge. DeHavilland verbesserte seinerseits den Comet und offerierte ihn auf dem Markt, doch konnte das Unternehmen den verlorenen Zeitvorsprung nicht einholen.

Wenn man noch bis vor kurzem davon sprechen konnte, die
160 Zivilluftfahrt stehe an der Schwelle des Düsenverkehrs, so ist heute diese Schwelle überschritten. Im Oktober 1958 überquerten britische Düsenflugzeuge zum ersten Male den Nordatlantik und sicherten sich damit den ersten Platz in der Geschichte des zivilen Düsenflugverkehrs.

Orion, Heft 10, 1959.

ohnegleichen	without equal	riesig	large, huge
enttäuschen	to disappoint	Folge: zur Folge	to have as a conse-
peinlich	meticulous, painful	haben	quence, bring
Ermüdung (*f.*)	fatigue		about
Rücksicht (*f.*), -en	consideration	seinerseits	on its part
bringen: zur		Unternehmen (*n.*), -	company
Kenntnis bringen	to make known	Zeitvorsprung	
beispielhaft	exemplary	(*m.*), ⸗e	head start
Haltung (*f.*)	attitude, behavior	einholen (*sep.*)	to catch up, over-
entschließen (sich)	to decide		take, make up
ihrerseits	on their part	Schwelle (*f.*), -n	threshold
ankündigen (*sep.*)	to announce	überschreiten	to cross
Bestellung (*f.*), -en	order, ordering	überqueren	to cross
Vorgehen (*n.*)	action	sichern	to secure, ensure
auslösen (*sep.*)	to entail, cause	Platz (*m.*), ⸗e	place
Eingang (*m.*), ⸗e	receipt, influx		

Albert Schweitzer:
Kann das Friedensreich kommen?

(Am 6. November 1952 erhielt Albert Schweitzer den Friedensnobelpreis. Folgende Zeilen stammen aus der Rede, die er bei
dieser Gelegenheit gehalten hat.)[1]

Gekommen ist nun die Zeit, wo die Regierenden sich als Voll-
strecker des Volkswillens zu betrachten haben. Kants Ansicht von   5
der natürlichen Friedensliebe des Volkes hat sich aber nicht
bewahrheitet. Als Wille einer Vielheit ist der Volkswille der Gefahr
nicht entgangen, unbeständig zu sein, durch Leidenschaftlichkeit
von der rechten Vernünftigkeit abzukommen und des erforderten
Verantwortungsbewußtseins zu ermangeln. Nationalismus übelster   10
Art hat sich in beiden Kriegen betätigt und kann zur Zeit als das
größte Hemmnis einer zwischen den Völkern sich anbahnenden
Verständigung gelten.

Zeile (*f.*), **-n**	line	**unbeständig**	unstable, fickle
Rede (*f.*), **-n**	speech	**Leidenschaftlich-**	
Gelegenheit (*f.*), **-en**	occasion	**keit** (*f.*), **-en**	passionateness
grundlegend	basic	**Vernünftigkeit** (*f.*)	rationality
veröffentlichen	to publish	**abkommen** (*sep.*)	to deviate, stray
entschließen (sich)	to decide	**Verantwortungs-**	sense of
tätig	active	**bewußtsein** (*n.*)	responsibility
Tätigkeit (*f.*), **-en**	activity	**ermangeln**	to lack
Meister (*m.*), **-**	master, expert	**übel**	evil
Regierende (*m.*), **-n**	ruler, ruling power	**betätigen (sich)**	to be active
Volkswille (*m.*)	will of the people	**Hemmnis** (*n.*), **-se**	obstacle
Ansicht (*f.*), **-en**	view	**anbahnen (sich)**	
bewahrheiten (sich)	to come true	(*sep.*)	to initiate, start
Vielheit (*f.*), **-en**	multitude	**Verständigung** (*f.*)	understanding
entgehen	to escape		

---

1 Albert Schweitzer ist 1875 in Kaysersberg im Oberelsaß geboren und hatte bereits
grundlegende Werke zur Religionsphilosophie, Religionsgeschichte und Musik-
geschichte in deutscher und französischer Sprache veröffentlicht, als er sich entschloß,
Medizin zu studieren, um als Missionsarzt tätig zu sein. 1913 begann er seine Tätigkeit in Lambarene in Äquatorial-Afrika, die er in einer Reihe von Schriften geschildert
hat und für die er den Friedensnobelpreis erhielt. Darüber hinaus ist Schweitzer
ein bekannter Philosoph und Kulturkritiker. Er ist ein Meister des Orgelspiels.

Verdrängen läßt sich dieser Nationalismus nur dadurch, daß
15 unter den Menschen wieder Humanitätsgesinnung aufkommt.

Viel übler Nationalismus ist auch in der Welt draußen anzutreffen, insbesondere bei Völkern, die früher, in den Kolonien,
unter der Bevormundung der Weißen lebten, neuerdings aber
selbständig wurden. Hier besteht Gefahr, daß sie als einziges
20 Ideal ihren naiven Nationalismus besitzen. Durch ihn ist in so
manchen Gebieten der bisher bestehende Frieden gefährdet.

Auch diese Völker können über ihren Nationalismus nur durch
Humanitätsgesinnung hinauskommen. Wie aber soll diese Wand-
lung zustandekommen? Wenn der Geist in uns mächtig wird und
25 uns von der veräußerlichten Kultur zu der in der Humanitätsgesinnung gegebenen innerlichen[2] zurückführt, wird er durch uns
auch auf sie wirken. Alle Menschen tragen in ihrer Eigenschaft
als mitempfindende Wesen die Fähigkeit zur Humanitätsgesinnung
in sich. Sie ist ihnen als ein Brennstoff gegeben, der darauf wartet,
30 durch eine Flamme entzündet zu werden.

Bei einer Reihe von Völkern, die zu einer gewissen Kultur
gelangt waren, ist der Idee, daß einmal ein Friedensreich kommen
müsse, Ausdruck verliehen worden. Man hat sie als eine Utopie
angesehen. Heute aber liegen die Dinge so, daß die Idee irgend-
35 wie zur Wirklichkeit werden muß, wenn die Menschheit nicht
untergehen soll.

Langenscheidts Sprach-Illustrierte, Heft 10, 1955.

verdrängen	to dislodge, supplant	**veräußerlicht**	turned outwardly, worldly, super-ficial
Gesinnung (*f.*), **-en**	attitude, feeling		
aufkommen (*sep.*)	to arise		
draußen	outside	**innerlich**	inwardly, spiritual
antreffen (*sep.*)	to meet, encounter	**mitempfinden**	
insbesondere	especially	(*sep.*)	to sympathize
Bevormundung (*f.*)	guardianship	**Brennstoff** (*m.*), **-e**	fuel
Weiße (*m.*), **-n**	white man	**warten**	to wait
neuerdings	recently	**Ausdruck verleihen**	to express
selbständig	independent	**irgendwie**	somehow
gefährden	to endanger	**Wirklichkeit** (*f.*), **-en**	reality
hinauskommen (*sep.*): **über...h.**	to overcome	**Menschheit** (*f.*)	humanity
Wandlung (*f.*), **-en**	change	**untergehen** (*sep.*)	to perish
Geist (*m.*), **-er**	spirit		

[2] **innerlichen (Kultur).**

Einbürgerungsversuche mit Moschusochsen

Es ist verständlich, daß der Moschusochse als ein echtes Kind der Eiszeit heute nur noch sehr wenige Gebiete vorfindet, die ihm zusagen und die den ganz speziellen Bedingungen, die er an seinen Lebensraum stellt, entsprechen. Vergesellschaftet mit dem Ren und Mammut, durchstreifte der Moschusochse vor Zehntausenden von Jahren die Tundra am Rand des Eises, das sich zu dieser Zeit auch bis nach Mitteleuropa erstreckte. Das — heute arktische — Wildrind hat also auch einmal deutschen Boden zerstampft, ehe es infolge der Erwärmung dem zurückgehenden Eis nach Norden folgte.

Während das mächtige Mammut bald ausstarb, vermochten Ren und Moschusochse ihr Verbreitungsgebiet zu verlegen. Weil das Ren dem Polrind, wie der Moschusochse auch vielfach genannt wird, in der Anpassungsfähigkeit an höhere Temperaturen überlegen war, konnte sich dieses Tier erheblich weiter verbreiten, als es dem trockene Kälte bevorzugenden Rind möglich war. Es fand im höchsten Norden des amerikanischen Kontinents, wohin es sich, von Eurasien kommend, über eine nicht mehr existierende Landbrücke zurückzog, und im nördlichen Grönland letzte Zuflucht.

Dem Äußeren des Moschusochsen nach würde auch jeder Nichtzoologe, der Gelegenheit haben sollte, das mächtige Wild zu Gesicht zu bekommen, diesem eine Zwischenstellung zwischen Schaf und Rind zubilligen. Der wissenschaftliche Name des Tieres Ovibos beweist, daß auch die Zoologen dieser Meinung sind und es systematisch zwischen Schaf und Rind einordnen. Die Wissenschaftler unterscheiden drei Rassen, von denen zwei, und zwar Ovibos moschatus moschatus und Ovibos moschatus nipheocus drei winzige, zum amerikanischen Kontinent gehörende Gebiete bewohnen; die dritte Rasse, Ovibos moschatus wardi, ist auf einigen größeren Inseln des nordamerikanischen arktischen

239

Archipels und an der Nord- und Ostküste Grönlands anzutreffen.
Die dritte Rasse unterscheidet sich von den beiden anderen durch
ihre geringe Größe und durch die weiße Stirn der Jungtiere und
35 Kühe.

Über die genaue Anzahl der in Rudeln von etwa zehn bis
dreißig Tieren lebenden Moschusochsen liegen nur wider-
sprechende Angaben vor. Das mag mit auf die Tatsache zurück-
geführt werden können, daß sich der Bestand in den schwer
40 zugänglichen und zumeist auch menschenfeindlichen Einöden nur
unter großen Mühen exakt feststellen läßt. Eines aber ist allgemein
bekannt: Der Bestand dieses hochnordischen Wildes geht immer
mehr zurück. Diese überaus bedauerliche Feststellung hat Fachwissenschaftler und Naturschützler veranlaßt, nicht nur ein-
45 greifende Maßnahmen zum Schutz der noch vorhandenen Herden,
sondern auch Einbürgerungsversuche in andere Gebiete wagen
zu lassen, die bei zahlreichen Tieren — man hat zum Beispiel
bisher in Eurasien mit Erfolg 40 Säugetierarten eingebürgert —
erfreulich günstig verliefen. Welche Schwierigkeiten sich aber
50 einem totalen Schutz des Moschusochsen in Nordostgrönland
entgegenstellen, geht aus der mit gewisser Berechtigung von
maßgebender Seite aufgeworfenen Frage hervor, ob die spärliche
Vegetationsdecke dieses Gebietes überhaupt eine größere Anzahl
von Tieren zu ernähren vermag.

55 Vor dem 18. Jahrhundert war der Moschusochse an der Nord-
küste Grönlands am häufigsten, sein Verbreitungsgebiet reichte
dort von der Melvillebucht im Westen bis zu 76 Grad nördlicher
Breite im Osten. Zu Beginn des 18. Jahrhunderts aber wanderten
die Tiere weiter nach Süden, da sich im Zusammenhang mit einer
60 Klimaänderung auch das trocken-kalte Klima südwärts verschob.
Heute sind die Tiere bis zum Scoresbysund anzutreffen und stehen
dort unter Schutz. Manche Zoologen rechnen mit einem Bestand
von etwa 15 000 bis 20 000 Tieren in diesen Gebieten, sie geben
als durchschnittliche Lebensdauer zwanzig Jahre an und vermuten
65 einen jährlichen Verlust von sieben Prozent. Da sich der Moschusochse durch ein verhältnismäßig starkes Fortpflanzungsvermögen
auszeichnet, wird eine jährliche Bestandszunahme von 15 Prozent
angenommen, der also eine Verlustrate von sieben Prozent gegen-
übersteht. Diesen Berechnungen zufolge würde sich theoretisch

der Bestand innerhalb von zehn Jahren mehr als verdoppeln. 70
Stellt man den Moschusochsen unter totalen Naturschutz, so
könnte man in zwanzig Jahren mit 60 000 Tieren in Nordostgrönland rechnen, das ist eine Zahl, deren ausreichende Ernährung
von einigen Forschern, so von Jennov, in Frage gestellt wird.
Fürsprecher für den totalen Naturschutz ist jedoch der dänische 75
Zoologe Alwin Pedersen, der im Gegensatz zu Jennov den Tier-
bestand in Nordostgrönland auf nur etwa 5000 Exemplare schätzt.

Es stellen sich also den Maßnahmen, die von seiten des Natur-
schutzes geplant sind, gewisse Schwierigkeiten entgegen; aber auch
die schon seit der Jahrhundertwende unternommenen ver- 80
schiedenen Einbürgerungsversuche waren teils völlig gescheitert,
teils nur von sehr geringem Erfolg. Der erste Einbürgerungsversuch mit Moschusochsen wurde im Jahre 1900 von schwedischer
Seite bei dem Ort Boden und in Jämtland unternommen, doch
gingen schon nach kurzer Zeit alle Kälber ein, ebenso wie in den 85
zoologischen Gärten, in die man Moschusochsenkälber gebracht
hatte. 24 Jahre später versuchte Norwegen elf Kälber auszusetzen,
doch auch dieser Einbürgerungsversuch mißglückte völlig. Mehr
Glück hatte man mit den 17 Kälbern, die 1929 auf Spitzbergen
angesiedelt wurden. 16 Kälber blieben am Leben, sie vermehrten 90
sich bis zum Jahre 1942 auf 70 Tiere; heute wird ihre Zahl mit
etwa hundert angegeben. Weniger Erfolg zeigte der im gleichen
Jahr von Island unternommene Versuch, sieben Kälber einzu-
bürgern, ein Jahr später schon war keines der Tiere mehr am
Leben. 1932 und 1938 wurden abermals im nördlichen Norwegen 95
Einbürgerungsversuche gewagt, 1939 konnten aber dort nur noch
wenige Tiere gezählt werden, von den im Jahre 1948 festgestellten
zehn Kälbern lebten 1952 nur noch sieben Tiere. Den besten
Erfolg zeigte der erste Versuch, den Moschusochsen in Alaska
zu domestizieren. Dieses Vorhaben war im Gegensatz zu den 100
anderen Versuchen sehr gut vorbereitet. Dr. Horne vom Bronx-
Zoo in New York fing in Norwegen Kälber, die 1930 wohl-
behalten in New York gelandet sind, von wo aus sie später in ein
eingezäuntes Gebiet nach Alaska gebracht wurden. Dort gingen
nur drei Tiere ein, sechs wurden von Bären getötet. Doch drei 105
Jahre nach dem Aussetzen der Kälber konnte die erfreuliche Feststellung gemacht werden, daß sich der Moschusochse in seiner

neuen Heimat recht gut eingewöhnt und nur unter den Nach-
stellungen der Bären zu leiden hatte. Deswegen wurde auch die
110 Moschusochsen-Herde 1936 auf der Nunival-Insel im Beringmeer
ausgesetzt, wo in den letzten Jahren durchgeführte Zählungen
einen Bestand von ungefähr 70 bis 80 Tieren ergaben.

Welche besonderen Anforderungen stellt nun der Moschusochse an seinen Biotop, und welche Voraussetzungen tragen zum
115 Gelingen eines Einbürgerungsversuches bei? In seinem natürlichen
Verbreitungsgebiet herrscht ein trockenes, wüstenartiges Klima.
Wie Alwin Pedersen auf der Säugetierkundlichen Tagung in Kiel
1958 betonte, sind es tiefer Schnee und Eis, mit denen die Tiere
zu kämpfen haben. Dies ist besonders im Süden des Verbreitungs-
120 gebietes der Fall, nach Norden zu nimmt der Schneefall ab, eine
Bedeckung des Bodens mit einer Eisschicht ist dort selten, daher
können im Norden die Rudel leichter das Land durchziehen. Aus
diesem Grund ist für eine erfolgreiche Einbürgerung eine Akklima-
tisation unumgänglich notwendig, wobei allerdings Kälber kein
125 besonders gutes Versuchsmaterial darstellen, da ihre Saugperiode
anderthalb Jahre umfaßt. Daß eine längere Eingewöhnungs-
periode notwendig ist, ehe man die Tiere sich selbst überlassen
kann, zeigt besonders deutlich der vollkommen mißglückte
Versuch auf Island.

130 Wie kein anderes Landsäugetier ist der Moschusochse dem
unerbittlichen Winter des hohen Nordens preisgegeben, den
eisigen Stürmen ist er voll ausgesetzt, ihm bietet sich keine Unter-
schlupfmöglichkeit. Gewiß ist der mächtig ausgebildete Pelz der
Tiere — seine Haare sind länger als die längste Schafwolle und
135 besser als Kaschmirwolle — ein guter Schutz gegen Kälte, aber
andererseits hemmt sie dieser nicht unbeträchtlich in ihren Bewegungen. Es wird außerdem berichtet, daß die Tiere sehr rasch
ermüden, sobald sie gezwungen werden, eine schnellere Gangart
einzuschlagen.

140 Möge es den zuständigen Stellen gelingen, rechtzeitig die zur
Erhaltung dieses hochpolaren Wildes notwendigen Schutzmaß-
nahmen zu treffen, damit das uns aus der Eiszeit überkommene,
eigenartige Tier — der Schafochse — erhalten bleibt.

Orion, Heft 4, 1959.

Appendix

Appendix

PRONUNCIATION GUIDE

Any pronunciation guide, or the description of sounds, can at best only approximate the characteristics of German speech. The student should learn pronunciation by imitating his instructor or a recorded voice.

Though there are similarities in the pronunciation of German and English, there are also basic differences. In general, German is spoken more vigorously and crisply. Words are not run together as they may be in English, particularly in words beginning with a vowel. In saying "How are you?," for example, an American may make no break between the words; to a foreigner, the question may sound like a single word. In pronouncing a German word beginning with a vowel, the flow of air is completely stopped before the vowel is spoken, thus preventing the merging of the vowel with a preceding consonant.

Another marked difference is the absence of gliding vowel sounds in German. A German vowel is pronounced as a single pure sound, without moving the lips, tongue, or mouth while the vowel is being pronounced. Compare the gliding vowel sound in English *fate*. There is a noticeable change of position of the tongue during the pronunciation of *a*.

German words are generally stressed on the first syllable or, for words with inseparable prefixes, on the root syllable. In this Pronunciation Guide, variations in stress will be indicated by an accent mark.

1. Vowels

German vowels are either long or short. A vowel is usually long when:

a. followed by a silent **h**: **sahen, Huhn.**

b. followed by a single consonant: **Hut.** Exceptions to this rule are some common monosyllabic words, such as **an, in, das, des, es, hat, mit, um, was.**

c. doubled: **Beet, Moos, Aal.**

245

GERMAN VOWELS		NEAREST ENGLISH EQUIVALENT	
a	long	*a* in *far*	**Vater, Saat, Sahne**
	short	*o* in *hot*	**hat, Wasser, Karte, Mann**
e	long	*e* in *they*	**See, geht, hebt**
	short	*e* in *get*	**Geld, besser, Berg, ernst**
	very short	*e* in *silent*	(in final syllables and prefixes **be** and **ge**) **gesagt, bezahlt, singen**
i	long	*ee* in *meet*	**Kino, wir, Stil**
	short	*i* in *hit*	**Mitte, Gift, Himmel**
o	long	*o* in *mode*	**Ofen, Sohn, Boot**
	short	*o* in *connect*	**von, Sorte, kommen, Post**
u	long	*oo* in *moon*	**Uhr, du, Blut, Blume**
	short	*oo* in *book*	**Nuß, Hund, Luft, Mutter**
y	pronounced like long or short **ü** (see below)		

2. Diphthongs (Vowel Combinations)

ai, ei, ay, ey	*i* in *mite*	**Mai, Laib, Eis, Haydn, Meyer**
au	*ou* in *house*	**Haus, Baum, Traum**
äu, eu	*oy* in *boy*	**Mäuse, häufig, neu, Freund**

3. Modified Vowels (Umlaut)

ä	long	*ea* in *bear*	**Bär, Täler, wählen**
	short	*e* in *let*	**hätte, Männer, Länder**
ö	long	no equivalent	Pronounce German long **e** with rounded and protruded lips: **schön, Öl**
ö	short	no equivalent	Pronounce German short **e** with rounded and protruded lips: **öfter, Hölle**
ü	long	no equivalent	Pronounce German long **i** with rounded and protruded lips: **Tür, Mühle, Hüte**
ü	short	no equivalent	Pronounce German short **i** with rounded and protruded lips: **Sünde, fünf**

4. Consonants

b	*b* in *book*	**Buch, habe, Bäcker**
	p in *cap*	(at end of word or syllable and before **s** or **t**) **gelb, habt, gibst**
c	*ts* in *hats*	(before **ä, e, i**) **Celsius, Cäsar**
	k in *cake*	(before **a, o, u, au, ou**, and consonants) **Café, Cranach**
ch	no equivalent	(after **e, i**, umlauts, and consonants, and in a few words before **e, i**, **ch** approximates *h* in *hew*. It is produced in the

GERMAN CONSONANTS	NEAREST ENGLISH EQUIVALENT	
		front part of the mouth) **ich, echt, Nächte, euch, durch, chemisch, China**
		(after **a, o, u, au, ch** is produced in the back of the mouth, as in Scotch *Loch*) **nach, auch, doch, Frucht**
	ch in *Christ*	**Christ, Charak'ter**
	ch in *chef*	**Chef, Champa'gner**
chs	*x* in *sex*	**Fuchs, Achse, Ochse, Wachs**
ck	*k* in *bake*	**backen, Decke, nackt**
d	*d* in *dam*	**Damm, Edda, dumm**
	t in *get*	(end of syllable) **Geld, endlich**
f	*f* in *fun*	**finden, hoffen**
g	*g* in *gas*	**Gas, Regen, Roggen**
	k in *make*	(in final position, except **-ig**, and before final consonants) **Tag, Flug, sagt, Jagd**
	no equivalent	(final **ig**, like German **ch** in **sich**) **König, ewig**
	g in *garage*	(some words of French origin) **Gara'ge, Loge**
h	*h* in *house*	**Haus, handeln**
	h in *ah* (silent)	(medially) **gehen, Hahn**
j	*y* in *yes*	**jung, Jahr**
k	*k* in *bank*	**Bank, kommen**
l	*l* in *land*	**Land, blau, fallen**
m	*m* in *man*	**Mann, kommen**
n	*n* in *now*	**nun, kann, nennen**
ng	*ng* in *singer* (never as in *finger*)	**lang, singen, Zwang**
p	*p* in *opera*	**Oper, Pille**
qu	*kv*	**Quelle, Quecksilber**
r	no exact equivalent	(trilled or uvular) **riechen, Uhr**
s	*s* in *best*	**beste, Kiste, fast**
	z in *zero*	(beginning a syllable and followed by a vowel) **sind, ansagen**
ss, ß	*s* in *case*	**Wasser, müssen, Fuß, muß**
sch	*sh* in *ash*	**Asche, Schule**
sp	*shp*	**Spule, Sport**
st	*sht*	**Stein, Staub, verstehen**
t	*t* in *ten*	**Tag, tot, hart, Futter, Bett**
th	*t* in *ten*	**Luther, Goethe, Mathil'de**
v	*f* in *fun*	**viel, vor, Larve**

GERMAN CONSONANTS	NEAREST ENGLISH EQUIVALENT	
	v in *violin*	(in words of non-German origin) Violi'ne, Ventil'
w	*v* in *vine*	**Wein, Welt, Antwort**
x	*x* in *axe*	**Axt, Hexe**
z	*ts* in *cats*	**Zoll, Herz, Arzt, zehn, Szene**

PRONUNCIATION PRACTICE

satt Saat; Stadt Staat; Kamm kam; Lamm lahm
Nonne ohne; offen Ofen; Rosse Rose; sollen Sohlen
muß Muse; Mutter guter; summen Blumen; um Ruhm
bitten bieten; in ihn; irre ihre; Schiff schief
besser Besen; Bett Beet; Herr Heer; wenn wen
könne Söhne; offen Öfen; Götter Goethe
Städte Nähte; Närrin nährte; Kämme käme
Miller Müller; stille Stühle; Kinder Künder
gültig gütig; füllen fühlen; Hütte Hüte; Nüsse Füße

Konrad Adenauer
Justus von Liebig
Max Liebermann
Martin Luther
Wolfgang Amadeus Mozart
Rainer Maria Rilke
Johann Friedrich Schiller
Heinrich Schliemann
Adalbert Stifter
Ludwig Uhland
Richard Wagner
Kaiser Wilhelm
Xerxes
Metternich
Gregor Mendel
Karl Marx
Johann Sebastian Bach
Erasmus von Rotterdam
Albert Einstein

Maria Theresia
Ferdinand Graf von Zeppelin
Albrecht Dürer
Immanuel Kant
Arthur Schopenhauer
Jesus Christus
Ulrich von Hutten
Hans Holbein, der Ältere
Gottfried Herder
Heinrich Heine
Franz Joseph Haydn
Johann Wolfgang von Goethe
Karl Friedrich Gauß
Johann Gottlieb Fichte
Otto von Bismarck
Wilhelm Busch
Ludwig van Beethoven
Cranach der Ältere
Max Planck

Bremerhaven	Aachen	Sauerkraut
Leipzig	Münster	Kindergarten
München	Afrika	Altes Testament'
Bielefeld	Ägyp'ten	Neues Testament'
Kassel	Sachsen	Völkerbund
Salzburg	Spanien	Lyrik
Bayern	Süd'ame'rika	Volkslied
Nürnberg	Wien	Panzer
Frankfurt	Österreich	Bundestag
Köln	Deutschland	Kanzler
Mainz	Innsbruck	Bun'despräsident'
Tübingen	Hamburg	General'
Stuttgart	Göttingen	Feld'marschall'

IRREGULAR VERBS

INFINITIVE	PRESENT	PAST	PAST PARTICIPLE
beginnen	beginnt	begann	begonnen
betrügen	betrügt	betrog	betrogen
biegen	biegt	bog	gebogen
bieten	bietet	bot	geboten
binden	bindet	band	gebunden
bitten	bittet	bat	gebeten
bleiben	bleibt	blieb	geblieben
brechen	bricht	brach	gebrochen
brennen	brennt	brannte	gebrannt
bringen	bringt	brachte	gebracht
denken	denkt	dachte	gedacht
dringen	dringt	drang	gedrungen
dürfen	darf	durfte	gedurft
empfangen	empfängt	empfing	empfangen
empfehlen	empfiehlt	empfahl	empfohlen
empfinden	empfindet	empfand	empfunden
erschrecken	erschrickt	erschrak	erschrocken
essen	ißt	aß	gegessen
fahren	fährt	fuhr	gefahren
fallen	fällt	fiel	gefallen
fangen	fängt	fing	gefangen
finden	findet	fand	gefunden
fliegen	fliegt	flog	geflogen
fliehen	flieht	floh	geflohen
fließen	fließt	floß	geflossen
fressen	frißt	fraß	gefressen
frieren	friert	fror	gefroren
geben	gibt	gab	gegeben
gedeihen	gedeiht	gedieh	gediehen
gehen	geht	ging	gegangen
gelingen	gelingt	gelang	gelungen
gelten	gilt	galt	gegolten
genießen	genießt	genoß	genossen
geraten	gerät	geriet	geraten
geschehen	geschieht	geschah	geschehen
gewinnen	gewinnt	gewann	gewonnen
gießen	gießt	goß	gegossen

INFINITIVE	PRESENT	PAST	PAST PARTICIPLE
gleichen	gleicht	glich	geglichen
gleiten	gleitet	glitt	geglitten
graben	gräbt	grub	gegraben
greifen	greift	griff	gegriffen
haben	hat	hatte	gehabt
halten	hält	hielt	gehalten
hangen	hängt	hing	gehangen
heben	hebt	hob	gehoben
heißen	heißt	hieß	geheißen
helfen	hilft	half	geholfen
kennen	kennt	kannte	gekannt
kommen	kommt	kam	gekommen
können	kann	konnte	gekonnt
kriechen	kriecht	kroch	gekrochen
laden	lädt	lud	geladen
lassen	läßt	ließ	gelassen
laufen	läuft	lief	gelaufen
leiden	leidet	litt	gelitten
leihen	leiht	lieh	geliehen
lesen	liest	las	gelesen
liegen	liegt	lag	gelegen
lügen	lügt	log	gelogen
meiden	meidet	mied	gemieden
messen	mißt	maß	gemessen
mißlingen	mißlingt	mißlang	mißlungen
mögen	mag	mochte	gemocht
müssen	muß	mußte	gemußt
nehmen	nimmt	nahm	genommen
nennen	nennt	nannte	genannt
raten	rät	riet	geraten
reiben	reibt	rieb	gerieben
reißen	reißt	riß	gerissen
rennen	rennt	rannte	gerannt
rinnen	rinnt	rann	geronnen
rufen	ruft	rief	gerufen
saugen	saugt	sog	gesogen
schaffen	schafft	schuf	geschaffen
scheiden	scheidet	schied	geschieden
scheinen	scheint	schien	geschienen
schieben	schiebt	schob	geschoben
schießen	schießt	schoß	geschossen

INFINITIVE	PRESENT	PAST	PAST PARTICIPLE
schlafen	schläft	schlief	geschlafen
schlagen	schlägt	schlug	geschlagen
schließen	schließt	schloß	geschlossen
schlingen	schlingt	schlang	geschlungen
schmelzen	schmilzt	schmolz	geschmolzen
schneiden	schneidet	schnitt	geschnitten
schreiben	schreibt	schrieb	geschrieben
schreien	schreit	schrie	geschrien
schreiten	schreitet	schritt	geschritten
schweigen	schweigt	schwieg	geschwiegen
schwimmen	schwimmt	schwamm	geschwommen
schwinden	schwindet	schwand	geschwunden
schwingen	schwingt	schwang	geschwungen
sehen	sieht	sah	gesehen
sein	ist	war	gewesen
senden	sendet	sandte	gesandt
		sendete	gesendet
sieden	siedet	sott	gesotten
		siedete	gesiedet
sinken	sinkt	sank	gesunken
sitzen	sitzt	saß	gesessen
sollen	soll	sollte	gesollt
sprechen	spricht	sprach	gesprochen
sprießen	sprießt	sproß	gesprossen
springen	springt	sprang	gesprungen
stechen	sticht	stach	gestochen
stehen	steht	stand	gestanden
steigen	steigt	stieg	gestiegen
sterben	stirbt	starb	gestorben
stoßen	stößt	stieß	gestoßen
streichen	streicht	strich	gestrichen
streiten	streitet	stritt	gestritten
tragen	trägt	trug	getragen
treffen	trifft	traf	getroffen
treiben	treibt	trieb	getrieben
treten	tritt	trat	getreten
trinken	trinkt	trank	getrunken
trügen	trügt	trog	getrogen
tun	tut	tat	getan
verderben	verdirbt	verdarb	verdorben

INFINITIVE	PRESENT	PAST	PAST PARTICIPLE
vergessen	vergißt	vergaß	vergessen
verlieren	verliert	verlor	verloren
wachsen	wächst	wuchs	gewachsen
weichen	weicht	wich	gewichen
weisen	weist	wies	gewiesen
wenden	wendet	wandte	gewandt
		wendete	gewendet
werben	wirbt	warb	geworben
werden	wird	wurde	geworden
werfen	wirft	warf	geworfen
wiegen	wiegt	wog	gewogen
winden	windet	wand	gewunden
wissen	weiß	wußte	gewußt
wollen	will	wollte	gewollt
zeihen	zeiht	zieh	geziehen
ziehen	zieht	zog	gezogen
zwingen	zwingt	zwang	gezwungen

Vocabulary

The principal parts of irregular verbs are indicated
as follows: **essen (a, e; i)** = essen, aß, gegessen; ißt.

ab off, down, from
Abb. (**Abbildung**) figure, illustration
Abbildung (*f.*), **-en** illustration
aber but, however
abgeben (**a, e; i**) (*sep.*) to deliver, give off
abhangen (**i, a; ä**) (*sep.*) to depend upon;
  abhangen von to depend on
abnehmen (**a, o; i**) (*sep.*) to take off,
  decrease
Abschnitt (*m.*), **-e** part, section, period,
  chapter
acht eight
achtzehn eighteen
achtzig eighty
agrar- agrarian
ähneln to resemble, be similar
ähnlich similar, like, analogous
Akademie (*f.*), **-n** academy
Alemanne (*m.*), **-n** Alemann(i)
Alkali (*n.*), **-en** alkali
Alkohol (*m.*), **-e** alcohol
all all, every, any; **vor allem** above all,
  especially, mainly
allein alone, only, but
allerdings to be sure, of course
alles all, everything
allgemein general, common, universal;
  im allgemeinen generally
als when, than, as, like; **als ob, als wenn**
  as if, as though
also thus, therefore, consequently
alt old
Alter (*n.*) (old) age
am (**an dem**) at the, on the, to the
Amerikaner (*m.*), **-** American
amerikanisch American (*adj.*)
Ammoniak (*n.*) ammonia
an at, on, against, to, by, near to, about
anbringen (**a, a**) (*sep.*) to place, install,
  attach, mount
ander- other, another, different
ändern (**sich**) to change, alter
anders otherwise, differently
Änderung (*f.*), **-en** change, alteration
Anfang (*m.*), **-e** beginning, origin
anfangen (**i, a; ä**) (*sep.*) to begin, com-
  mence

anführen (*sep.*) to lead, quote, mention
angeben (**a, e; i**) (*sep.*) to state, declare,
  quote, indicate, give
Angelsachse (*m.*), **-n** Anglo-Saxon
angenehm pleasant
Anhang (*m.*), **-e** supplement, appendix
ankommen (**a, o**) (*sep.*) to arrive, depend;
  es kommt darauf an it is of importance,
  the question is, it depends on
annehmen (**a, o; i**) to accept, assume,
  suppose
anorganisch inorganic
anpassen (*sep.*) to adapt, adjust
Anpassung (*f.*), **-en** adjustment, adapta-
  tion
ansehen (**a, e; ie**) (*sep.*) to look at, regard
anstelle instead, in place of
Antwort (*f.*), **-en** answer, reply
antworten to answer
anwenden (**a, a**) (*sep.*) to employ, apply,
  use
Anwendung (*f.*), **-en** employment, use
Anzahl (*f.*) number, quantity
anzeigen (*sep.*) to advertise, indicate,
  show
Äquator (*m.*) equator
Arbeit (*f.*), **-en** employment, work, investigation, energy
arbeiten to work
Arbeiter (*m.*), **-** worker
Architekt (*m.*), **-en** architect
Art (*f.*), **-en** manner, kind, type, sort,
  species, variety, nature
-artig resembling, like
Artikel (*m.*), **-** article, goods, commodity
Arzt (*m.*), **-e** physician, doctor
Äther (*m.*) ether
Atom (*n.*), **-e** atom
auch also, too, likewise, even; **wenn auch**
  even if, even though
auf on, upon, at, in, to, up
Aufbau (*m.*) building, synthesis, development
aufbauen (*sep.*) to build up, synthesize,
  erect
Auffassung (*f.*), **-en** conception, comprehension, view

Aufgabe (*f.*), **-n** task, problem, lesson, assignment

aufmerksam attentive, courteous; — **machen (auf)** to call attention (to)

Aufnahme (*f.*), **-n** photograph

aufnehmen (**a, o; i**) (*sep.*) to raise, accept, take up, absorb

aufstellen (*sep.*) to set up, prepare, advance, formulate

auftreten (**a, e; i**) (*sep.*) to appear, occur

Auge (*n.*), **-n** eye, bud; **vor Augen führen** to present, show

aus out of, from, off, away from

ausbrechen (**a, o; i**) (*sep.*) to break out

ausdehnen (**sich**) (*sep.*) to expand, stretch

Ausdruck (*m.*), **=e** expression, term

ausdrücklich express, explicit, intentional

ausführen (*sep.*) to carry out, execute, export

ausgezeichnet excellent

ausrüsten (*sep.*) to furnish, equip, supply

aussagen (*sep.*) to assert, affirm, express, say

aussehen (**a, e; ie**) (*sep.*) to appear, seem

aussenden (**a, a**) (*sep.*) to emit, send out

außer outside of, beside, in addition, except

außergewöhnlich extraordinary, unusual

äußern to utter, express

außerordentlich extraordinary, unusual

äußerst extreme, exceeding, outermost, very

aussprechen (**a, o; i**) (*sep.*) to pronounce, express, voice

ausstatten (*sep.*) to equip, supply, endow

aussterben (**a, o; i**) (*sep.*) to become extinct, die out

ausüben (*sep.*) to practice, exert, exercise, carry out

authentisch authentic

Autor (*m.*), **-en** author

Avaren (*pl.*) Avars

Azoren (*pl.*) Azores

Bakterien (*pl.*) bacteria

bald soon

Band (*m.*), **=e** binding, volume

Band (*n.*), **=er** bond, band

Bau (*m.*), **-e, -ten** structure, frame, building, construction, cultivation

bauen to build, construct, erect, cultivate, till

Bauxit (*m.*) bauxite

bayrisch Bavarian

beachten to notice, observe

bedeutend significant, considerable, important

Bedeutung (*f.*) significance, importance, meaning

bedienen (**sich**) to serve, employ; **sich — to make use of, avail oneself of**

Bedienung (*f.*) service, attendance

bedingen to cause, require

Bedingung (*f.*), **-en** condition

beeinflussen to influence

beenden to finish, conclude

befassen (**sich**) to concern, deal (with)

befinden (**a, u**) (**sich**) to be, feel, find oneself, be located

Befund (*m.*), **-e** finding, state, report, result

Begriff (*m.*), **-e** conception, idea

behandeln to treat, discuss, deal with

behaupten to maintain, contend

bei in the case of, near, with, in, on, upon

beide both; **die beiden** the two

beim (**bei dem**) at *or* with the

Beispiel (*n.*), **-e** example; **zum —** for example

bekannt (well) known

benutzen to use, employ

beobachten to observe, examine

Beobachtung (*f.*), **-en** observation

bereits already, previously

Bericht (*m.*), **-e** report

berichten to inform, report

berücksichtigen to consider, take into consideration

berühmt famous

Beschaffenheit (*f.*) nature, character, quality

beschäftigen to employ, occupy; **sich — (mit)** to deal (with)

beschleunigen to accelerate

beschreiben (**ie, ie**) to describe

besitzen (**a, e**) to possess, own, have

besonder- particular, special

besonders especially

besprechen (**a, o; i**) to discuss

besser better

best- best; **am besten** best

bestätigen to confirm

bestehen (**a, a**) to consist, exist; **— aus** to consist of

bestimmen to determine, define
bestimmt determined, definite, fixed, certain
Bestimmung (*f.*), **-en** determination, provision
besuchen to visit, attend
beteiligt sein to be concerned, be involved, play the role
betrachten to consider, observe
Betrachtung (*f.*), **-en** consideration, observation, reflection
betragen (**u, a; ä**) to amount to
betr. (**betreffs**) concerning
betrügen (**o, o**) to cheat, defraud, fool
Bevölkerung (*f.*), **-en** population
bewegen (**sich**) to move
Bewegung (*f.*), **-en** motion, movement
Beweis (*m.*), **-e** proof, evidence
beweisen (**ie, ie**) to prove, demonstrate
Bewohner (*m.*), **-** inhabitant, resident
bezahlen to pay
bezeichnen to signify, call
Bezeichnung (*f.*), **-en** designation, term
Beziehung (*f.*), **-en** relation, connection, respect
bieten (**o, o**) to offer, bid, show
Bild (*n.*), **-er** picture, figure, illustration
bilden to form; to educate; to be
binden (**a, u**) to bind, tie
Biolog(e) (*m.*), **-en** biologist
bis till, until, up to; **bis auf** until, even to, to, except; **bis zu** up to
bisher hitherto, till now
Blatt (*n.*), **ᵉer** leaf, page, sheet, blade
blau blue
bleiben (**ie, ie**) to remain, stay; **stehen —** to remain standing
Blick (*m.*), **-e** look, view
Blitz (*m.*), **-e** lightning, flash
Blitzableiter (*m.*), **-** lightning rod
Blut (*n.*) blood
Boden (*m.*), **ᵉ** soil, ground, bottom, earth
Bombe (*f.*), **-n** bomb
Brand (*m.*), **ᵉe** burning, fire, combustion
brauchen to use, employ, need
brennbar combustible
brennen (**a, a**) to burn
Brenner (*m.*), **-** burner
Brief (*m.*), **-e** letter
bringen (**a, a**) to bring, put, place; **mit sich —** to bring about

Brot (*n.*), **-e** bread
Brücke (*f.*), **-n** bridge
Buch (*n.*), **ᵉer** book
Buchbesprechung (*f.*), **-en** book review
Bundesrepublik (*f.*) federal republic
Bürger (*m.*), **-** inhabitant, citizen
bzw. (**beziehungsweise**) or, respectively

charakterisieren to characterize, distinguish
Chemie (*f.*) chemistry
Chemiker (*m.*), **-** chemist
chemisch chemical
Chlor (*n.*) chlorine
christlich Christian

da there, present, then, as, since
dabei thereby, in this case
dadurch thereby, thus, by this, by that
dafür for this, for it, instead of it, therefore
dagegen on the other hand
daher hence, therefore, from this
damals at that time, then
damit therewith, by it, in order that
Dampf (*m.*), **ᵉe** steam, vapor, fume
dann then
darstellen (*sep.*) to produce, represent
Darstellung (*f.*), **-en** presentation, production, portrayal
darüber over it, about it; **— hinaus** beyond, above that
darum about it, therefore
das the, that, which
daß that, the fact that
dasselbe the same (thing)
Datum (*n.*), **Daten** date
Dauer (*f.*) duration; **auf die —** in the long run, permanently
dein your, yours
denken (**a, a**) to think, imagine
denn for, because
deren whose, their, of those
derjenige, diejenige, dasjenige that one, the one, he who, she who
derselbe the same, the latter, this, they
deshalb therefore, for that reason
Desinfektionsmittel (*n.*), **-** disinfectant
dessen whose, of him, of it
deswegen for the reason, therefore
deutlich clear
deutsch German

Deutschland (*n.*) Germany
d.h. (**das heißt**) that is
d.i. (**das ist**) that is
Dichter (*m.*), **-** writer, poet
dick thick, dense
die the, who, which, this, that, those
dienen to serve
Dienst (*m.*), **-e** service
dieser, diese, dieses this, this one, the latter
Ding (*n.*), **-e** thing, object
DM (**Deutsche Mark**) German mark
doch however, yet, surely, indeed, nevertheless
dokumentarisch documentary
dort there
drei three
dreierlei of three kinds
dreißig thirty
dreizehn thirteen
dritt third
Droge (*f.*), **-n** drug
Dunkel (*n.*) dark, darkness
dunkel dark, dim
durch through, by, by means of; **durchaus** throughout, completely, absolutely
durchführen (*sep.*) to lead through, carry out
Durchschnitt (*m.*), **-e** average
dürfen (**u, u; a**) to be permitted, may, can; (*neg.*) must not
Düsenflugzeug (*n.*), **-e** jet plane

Ebene (*f.*), **-n** plain, plane
ebenfalls likewise, also
ebenso just so, just as
ehe before
eher earlier, rather, formerly
Ei (*n.*), **-er** egg
eigen own, individual, specific
eigenartig peculiar, singular, original
Eigenschaft (*f.*), **-en** quality, property
eigentlich true, real
eigentümlich own, characteristic, peculiar
eignen (**sich**) to be suitable, be suited
ein a, an, one; **einer** someone; **eins** one
Einblick (*m.*), **-e** insight
eindringen (**a, u**) (*sep.*) to penetrate
einfach simple, single, plain

Einfluß (*m.*), **-sse** influence
eingehend going in, thoroughly, in detail
einheitlich united, uniform
einige some, several
einleiten (*sep.*) to introduce
Einleitung (*f.*), **-en** introduction
einmal once; **auf einmal** all at once, suddenly; **nicht einmal** not even; **einmal . . . zum andern** on one hand . . . on the other hand
einstellen (*sep.*) to stop, halt
einteilen (*sep.*) to divide, classify, separate
Einwohner (*m.*), **-** inhabitant
Einzelheit (*f.*), **-en** detail
einzeln individual, singly; **einzelne** a few
einzig only, single
Eisen (*n.*) iron
Elbe (*f.*) Elbe (river)
elektrisch electric
Elektrizität (*f.*) electricity
elf eleven
Eltern (*pl.*) parents
empfehlen (**a, o; ie**) to recommend
empfindlich sensitive, susceptible
empirisch empiric(al)
Ende (*n.*), **-n** end, limit, result
endlich finite, final
Energie (*f.*), **-n** energy
eng(e) narrow, close
Engländer (*m.*), **-** English(man)
entdecken to discover, disclose
Entdecker (*m.*), **-** discoverer
Entdeckung (*f.*), **-en** discovery, disclosure
entgehen (**i, a**) to escape
enthalten (**ie, a; ä**) to contain, include
entscheidend decisive, final
entsprechen (**a, o; i**) to correspond
entstehen (**a, a**) to arise, originate, develop
Entstehung (*f.*) origin, beginning
entweder either
entwickeln (**sich**) to develop
Entwicklung (*f.*), **-en** development, evolution, generating
epidemisch epidemic
epochemachend epoch-making, epochal
Erde (*f.*), **-n** earth, soil
Erfinder (*m.*), **-** inventor
Erfindung (*f.*), **-en** invention

Erfolg (*m.*), **-e** result, success
erfolgen to ensue, result, take place
erfolgreich successful
erfordern to require, demand
Erforschung (*f.*), **-en** investigation, research, discovery, exploration
ergeben (**a, e; i**) (**sich**) to yield, show, result
Ergebnis (*n.*), **-se** result, yield
erhalten (**ie, a; ä**) to keep, preserve, maintain, receive, obtain
erheblich considerable
Erhöhung (*f.*), **-en** elevation, increase
erkennen (**a, a**) to perceive, recognize, understand
Erkenntnis (*f.*), **-se** perception, knowledge, recognized fact
erklären to explain, clear up
erlauben to allow, permit
erleben to experience
Erlebnis (*n.*), **-se** experience
erleichtern to facilitate
ermitteln to determine, learn
ermöglichen to make possible
Ernährung (*f.*) nutrition, food, feeding
Ernte (*f.*), **-n** harvest, crop, yield
erreichen to reach, attain
erscheinen (**ie, ie**) to appear, be published
Erscheinung (*f.*), **-en** phenomenon, manifestation, appearance, symptom
erst first, not until
erwähnen to mention
erwarten to expect, await
erweisen (**ie, ie**) to prove, show, render; **sich** — to be found (as)
erweitern to enlarge, widen, extend
erzählen to tell, relate, report
erzeugen to produce, generate, beget
Erzeugung (*f.*), **-en** production, procreation, generation
erzielen to obtain, attain, make
essen (**a, e; i**) to eat
etwa perhaps, about
etwas some, something, somewhat, rather
europäisch European
eventuell possible, perhaps

Fabrik (*f.*), **-en** factory, plant
Fach (*n.*), **=er** profession, specialty, trade
Fähigkeit (*f.*), **-en** capability, ability, capacity

fahren (**u, a; ä**) to ride, travel, go
Faktor (*m.*), **-en** factor
Fall (*m.*), **=e** fall, case
fallen (**ie, a; ä**) to fall, sink
Farbe (*f.*), **-n** color, dye
farbig colored, stained
farblos colorless
fast almost, nearly
fehlen to lack, be missing, be absent
Feld (*n.*), **-er** field, land, soil
ferner further, farther, besides
fest compact, solid
feststellen (*sep.*) to establish, determine
Feststellung (*f.*), **-en** establishment
Fett (*n.*), **-e** fat, grease
Feuchtigkeit (*f.*) moisture
Feuer (*n.*), **-** fire
filtrieren to filter
finden (**a, u**) to find, think
Fläche (*f.*), **-n** surface, area
Flamme (*f.*), **-n** flame, light, flash
fliegen (**o, o**) to fly
Flug (*m.*), **=e** flight
Flugzeug (*n.*), **-e** airplane
Fluoreszenz (*f.*) fluorescence
Flüssigkeit (*f.*), **-en** liquid, fluid
folgen to follow, ensue
folgendermaßen as follows
Folgendes the following
Folie (*f.*), **-n** foil, film
fördern to further, promote, advance
Form (*f.*), **-en** form, shape, type
forschen to investigate, search
Forscher (*m.*), **-** investigator, researcher
Forschung (*f.*), **-en** investigation, research
Fortschritt (*m.*), **-e** advancement, progress
fortsetzen (*sep.*) to continue
Fortsetzung (*f.*), **-en** continuation
Frage (*f.*), **-n** question, problem
fragen to ask
Franke (*m.*), **-n** Franconian, Frank
Frankreich (*n.*) France
Franzose (*m.*), **-n** Frenchman
französisch French
Frau (*f.*), **-en** woman, wife, lady, Mrs.
frei free, uncombined
Freiheit (*f.*) freedom, liberty
fremd foreign, strange
Fremde (*m.*), **-n** stranger, foreigner
Frequenz (*f.*), **-en** frequency

Freund (*m.*), -e friend
freundlich friendly
Friede (*m.*) peace
früh early
führen to lead, conduct
fünf five
fünfzehn fifteen
fünfzig fifty
Funktion (*f.*), -en function
für for, in favor of, in lieu of
Fürst (*m.*), -en prince, ruler

ganz whole, quite, very
Ganze, Ganzes (*n.*) whole, whole number
Gas (*n.*), -e gas
Gebäude (*n.*), - building, structure
geben (a, e; i) to give, yield, render; es gibt there is, there are
Gebiet (*n.*), -e region, sphere, field, area
geboren born
Gebrauch (*m.*), ꞊e use, custom, habit
gebrauchen to use, need
Geburt (*f.*), -en birth
Gedanke (*m.*), -n thought, idea
geeignet suited, qualified, specific, suitable
Gefahr (*f.*), -en danger, hazard, risk
gefallen (ie, a; ä) to please
Gefühl (*n.*), -e feeling, sensation, emotion
gegen toward, against, compared with
Gegend (*f.*), -en area, locality
Gegensatz (*m.*), ꞊e contrast, opposition
Gegner (*m.*), - opponent, enemy
Gehalt (*m.*) content, capacity
gehen (i, a) to go, walk; vor sich — to take place
gehören to belong, appertain
geistig intellectual, mental
gelangen to arrive, reach, attain
Geld (*n.*), -er money
Gelehrte (*m.*), -n scholar
gelingen (a, u) to succeed; es gelingt mir I succeed
gelten (a, o; i) to be of value, hold true, be true (valid); to be considered, concern
gemäß according
genau exact, accurate
genug enough
Genuß (*m.*), ꞊sse enjoyment, pleasure, taking (*food or drink*)

Gerät (*n.*), -e apparatus, utensil, equipment, devise
gering small, slight
Germane (*m.*), -n Teuton, member of Germanic tribe
gern gladly, willingly
geschehen (a, e; ie) to happen, be done, take place
Geschichte (*f.*), -n history, story
Geschwindigkeit (*f.*), -en velocity, speed
Gesellschaft (*f.*), -en association, society, company
Gesetz (*n.*), -e law
Gesichtspunkt (*m.*), -e aspect, viewpoint
gestatten to permit
gesund sound, healthy
Gesundheit (*f.*) health
Gewicht (*n.*), -e weight
gewinnen (a, o) to obtain, win, get, extract, produce
gewöhnlich usual, customary, common
Gift (*n.*), -e poison, venom, toxin
glauben to believe, think
gleich equal, same, similar, at once
Gleichung (*f.*), -en equation
Gln. (Ganzleinenband *m.*) cloth cover
Gott (*m.*), ꞊er God
Grad (*m.*), -e degree, stage
Grenze (*f.*), -n limit, boundary, border
groß great, tall, large
Größe (*f.*), -n magnitude, size, amount
Grund (*m.*), ꞊e ground, reason; auf — on the basis of, on the strength of; im Grunde basically, fundamentally
gründlich thorough
Grundstoff (*m.*), -e raw material, basic substance, element
gültig valid
gut good, well

haben (a, a) to have, hold, possess
habsburgisch (of the) Habsburg (family or dynasty)
halb half, hemi-, semi-
Hälfte (*f.*), -n half
Halogen (*n.*), -e halogen
halten (ie, a; ä) to hold, keep, consider, stop
Hämoglobin (*n.*) hemoglobin
Hand (*f.*), ꞊e hand

handeln to act, trade; **es handelt sich um** we are dealing with, it is a question of
Handlung (*f.*), **-en** trade, shop, action, deed, firm
hangen, hängen (**i, a; ä**) to hang, cling
hart hard, difficult
häufig numerous
Häufigkeit (*f.*) frequency
Haupt (*n.*), **=er** head, chief, principal, main
hauptsächlich main, principal, chiefly, essentially
Haus (*n.*), **=er** house; **zu Hause** at home
Heimat (*f.*) native country, homeland
heimisch native, indigenous
heißen (**ie, ei**) to be called, be named, mean; **das heißt** that is
helfen (**a, o; i**) to help
hell bright, clear, light
herbeiführen (*sep.*) to bring on *or* about, cause
Herde (*f.*), **-n** herd, flock
Herr (*m.*), **-en** master, lord, Mr.
herrschen to rule, reign, prevail
herstellen (*sep.*) to produce, prepare, make
hervorgehen (**i, a**) (*sep.*) to arise, result, follow, come forth
hervorheben (**o, o**) (*sep.*) to emphasize, display
hervorrufen (**ie, u**) (*sep.*) to call forth, bring about, produce
Hessen (*n.*) Hesse
hessisch Hessian
heute today
heutig of today, present, modern
hier here
Hilfe (*f.*) help, aid
hin there, thither
hinsichtlich with respect to
hinweisen (**ie, ie**) (*sep.*) to refer, indicate, point
Hitze (*f.*) heat, hotness
hoch high, tall, intense, great
Hochschule (*f.*), **-n** university, institute
höchst highest, extremely, very
höchstens at most, at best
Höhe (*f.*), **-n** height, altitude, elevation
hohe high
höher higher, superior
Holz (*n.*), **=er** wood

hören to hear
Hülle (*f.*), **-n** shell, hull
hundert hundred
Hybride (*f.*), **-n** hybrid
Hypothese (*f.*), **-n** hypothesis

Idee (*f.*), **-n** idea
Identifizierung (*f.*) identification
ihnen (to) them
Ihnen (to) you
ihr you, (to) her, (to) it, their, her, it
Ihr your
Illyrier (*m.*), **-** Illyrian
im (**in dem**) in the
immer always, ever; **— reicher** richer and richer
imstande sein to be able, capable of
indem while, as, since, by, in that
Indikator (*m.*), **-en** indicator, tracer
individuell individual
Individuelle (*n.*) individual (thing)
indogermanisch Indo-European
infolge on account of
Ingenieur (*m.*), **-e** engineer
Innere (*n.*) interior
ins (**in das**) in the
Insekt (*n.*), **-en** insect, imago
Intelligenz (*f.*) intelligence
interessant interesting
Interesse (*n.*), **-n** interest
irgend any, some
irgendwelch- any kind of, any
isolieren to isolate, insulate
Isotope (*f.*), **-n** isotope
Italien (*n.*) Italy

ja yes, of course
Jäger (*m.*), **-** hunter
Jahr (*n.*), **-e** year
Jahrestag (*m.*), **-e** anniversary, return
Jahrhundert (*n.*), **-e** century
Jahrzehnt (*n.*), **-e** decade
je always, every, per; **je ... desto** the ... the; **je ... um so** the ... the; **je nachdem** depending on whether
jeder every, each, everyone
jedoch however, yet
jeglich every, each, everyone
jemand somebody, someone
jener that (one), the other, the former
jetzt now

Juli (*m.*) July
jung young, recent
Juni (*m.*) June

Kaiser (*m.*), - emperor
kalt cold, cool, frigid
Kälte (*f.*) cold, frigidity
kämpfen to fight, strive, struggle, battle
kanonisch canonical
Kapitel (*n.*), - chapter
Kart. (Karton) (*m.*) cardboard, paper cover
kaum scarcely, hardly
kein no, not any, none
Kelte (*m.*), -n Celt, Kelt
kennen (a, a) to know; kennenlernen (*sep.*) to become acquainted with, learn
Kenntnis (*f.*), -se knowledge
kernphysikalisch nuclear physical
Kind (*n.*), -er child, offspring
klar clear, distinct
klein small, little, short
Klima (*n.*) climate
kochen to boil, cook
Kommando (*n.*) command
kommen (a, o) to come
König (*m.*), -e king
können (o, o; a) to be able, can, may
Körper (*m.*), - body, substance
körperlich bodily, corporal, physical
Kosten (*pl.*) costs
Kraft (*f.*), ⸗e power, force, strength
krank ill, sick
Krankheit (*f.*), -en illness, disease
Krieg (*m.*), -e war
Kritik (*f.*) criticism, review
kritisch critical
Kultur (*f.*), -en culture, cultivation, civilization
Kulturgeschichte (*f.*), -n cultural history
Kunst (*f.*), ⸗e art, skill
Kupfer (*n.*) copper
kurz short, brief; vor kurzem recently

Lage (*f.*), -n situation, position, location
Land (*n.*), ⸗er land, country; auf dem ⸜ Lande in the country
Landwirt (*m.*), -e farmer
Landwirtschaft (*f.*) agriculture
landwirtschaftlich agricultural

lang long; drei Jahre lang for three years
Länge (*f.*), -n length, duration, longitude
langsam slow
längst longest, long ago
lassen (ie, a; ä) to let, leave, yield, permit, cause; sich lassen can be, may be
Lauf (*m.*), ⸗e course, running; im Laufe during the course of
laut loud
leben to live, exist
Leben (*n.*), - life, existence
Lebensstandard (*m.*) living standard
legen to lay, put, place
legendär legendary
Lehre (*f.*), -n instruction, teaching, doctrine, science
lehren to teach, instruct
Lehrer (*m.*), - teacher
leicht light, easy, slight
Leichtigkeit (*f.*) ease
Leistung (*f.*), -en work, performance, output, achievement
leiten to conduct, lead, guide
lernen to learn
lesen to read
letzte last, final; letztere the latter
leuchten to (give) light, shine, glow
Leute (*pl.*) people, persons, men
Licht (*n.*), -er light
lieben to love, like
liefern to yield, supply
liegen (a, e) to lie, be situated
Linie (*f.*), -n line; in erster — primarily
links to the left, (on the) left
lösen to dissolve, solve
löslich soluble
Lösung (*f.*), -en solution
Luft (*f.*), ⸗e air
Lymphe (*f.*) lymph

m. (mit) with
machen to make, do
mächtig powerful, mighty, huge
Mais (*m.*) maize, corn
Mal (*n.*), -e time, sign
man (some)one, a person, they, people, we
manch- many a, many a one, some
Mann (*m.*), ⸗er man, husband
Markomannen (*pl.*) Marcomanni
Markt (*m.*), ⸗e market

Maschine (*f*.), **-n** machine, engine
Masse (*f*.), **-n** mass, substance
Maßnahme (*f*.), **-n** precaution, measure
Material (*n*.), **-ien** material, matter, substance
mechanisch mechanical
Mechanisierung (*f*.) mechanization, industrialization
Medium (*n*.), **Medien** medium
Medizin (*f*.) medicine
mehr more; **nicht mehr** no more, no longer
mehrere several
mein my, mine
meinen to think, mean
Meinung (*f*.), **-en** opinion, belief, idea
meist most, mostly, usually
Menge (*f*.), **-n** quantity, amount
Mensch (*m*.), **-en** man, human being, people, person
menschlich human, humane
Merkmal (*n*.), **-e** characteristic, sign, indication
messen (**a, e; i**) to measure
Messung (*f*.), **-en** measurement, measuring
Metall (*n*.), **-e** metal
metallisch metallic
Methode (*f*.), **-n** method
Milliarde (*f*.), **-n** billion
Mischung (*f*.), **-en** composition, mixture
mit with, by, at, in company
Mitarbeiter (*m*.), **-** co-worker, collaborator
Mitte (*f*.) middle, center
Mitteilung (*f*.), **-en** communication, report
Mittel (*n*.), **-** means, middle, aid, agent, average
mittel middle, central, average
Mittelalter (*n*.) Middle Ages
Mittelpunkt (*m*.), **-e** center, central point, focus
mittels by means of
mögen (**o, o; a**) may, like to
möglich possible, practicable
Möglichkeit (*f*.), **-en** possibility, practicability
Molekül (*n*.), **-e** molecule
Monat (*m*.), **-e** month
Mord (*m*.), **-e** murder
München (*n*.) Munich

Muskel (*m*.), **-n** muscle
müssen must, be obliged to, have to
Mystiker (*m*.), **-** mystic
mystisch mystic(al)

nach to, toward, after, according to; **nach und nach** little by little, gradually
nachdem afterward, after, according to
nachgehen (**i, a**) (*sep*.) to pursue
nächst next, nearest
Nacht (*f*.), **ᵉe** night
Nachweis (*m*.), **-e** detection, proof
nachweisen (**ie, ie**) (*sep*.) to detect, prove
nahe near
Nähe (*f*.) nearness, vicinity; **in der Nähe** near to
näher nearer, in greater detail
Name (*m*.), **-n** name
nämlich identical, namely, that is
napoleonisch Napoleonic
Natur (*f*.), **-en** nature, constitution
natürlich natural, innate, of course
Naturwissenschaft (*f*.), **-en** natural science
neben beside, in addition to, near
nehmen (**a, o; i**) to take, receive, get
nein no
nennen (**a, a**) to name, call, mention
Nest (*n*.), **-er** nest
neu recent; **von neuem** anew
neun nine
neunzehn nineteen
neunzig ninety
Neutralität (*f*.) neutrality
nicht not
nichts nothing; **gar nichts** nothing at all
nie never
niemals never
noch still, in addition to, even, nor; **noch einmal** once more; **noch nicht** not yet
Nord, Norden (*m*.) north
nördlich northerly, northern
norwegisch Norwegian
nötig necessary, needful
notwendig necessary
nun now, well
nur only, but
nützlich useful

ob whether, if
oben above, overhead

Oberfläche (*f.*), -n surface
oberhalb above
obgleich although
obligatorisch obligatory, compulsory
obwohl although, though
oder or
Odyssee (*f.*) Odyssey
öffentlich public, open
öffnen to open
oft often
ohne without
Optik (*f.*) optics
organisch organic
örtlich local
Ost, Osten (*m.*) east, Orient
Österreich (*n.*) Austria
österreichisch Austrian
östlich eastern, oriental, easterly

pädagogisch pedagogic, educational
Papier (*n.*), -e paper
Periode (*f.*), -n period, interval
Person (*f.*), -en person
petrographisch petrographic
Petrus St. Peter
Pflanze (*f.*), -n plant
Philosoph (*m.*), -en philosopher
Phosphor (*m.*) phosphorus
Physik (*f.*) physics
Physiker (*m.*), - physicist
Pol (*m.*), -e pole
praktisch practical, useful
Präparat (*n.*), -e preparation
Prärie (*f.*), -n prairie
Presse (*f.*) press, journalism
Prinzip (*n.*), -e, -ien principle
Prisma (*n.*), Prismen prism
Probierglas (*n.*), ⁼er test tube
Prozeß (*m.*), -sse process, lawsuit
Psychologe (*m.*), -n psychologist
Psychologie (*f.*) psychology
Punkt (*m.*), -e period, point, dot

Qualität (*f.*), -en quality, kind
Quantum (*n.*), Quanten quantum, quantity
Quecksilber (*n.*) mercury, quicksilver
Quelle (*f.*), -n source, spring

Rahmen (*m.*), - frame; im Rahmen within the framework, scope

Rakete (*f.*), -n rocket
rasch quick
Rationalist (*m.*), -en rationalist
Raum (*m.*), ⁼e space, volume, room
Raumteil (*m.*), -e part by volume, volume
rebellieren to rebel
rechnen to count, reckon, figure, depend on
Recht (*n.*), -e right, law
recht right, true, very, quite
Regel (*f.*), -n rule; in der — as a rule, ordinarily
regieren to rule, reign, govern
Regierung (*f.*), -en government
Regiment (*n.*), -er regiment
reiben (ie, ie) to rub, grind
Reibung (*f.*) friction, rubbing
Reich (*n.*), -e state, realm, empire
reich rich, abundant
Reihe (*f.*), -n row, series, number
rein pure, clean
reißen (i, i) to tear
religiös religious
Revolte (*f.*), -n revolt
Rhein (*m.*) Rhine
richtig right, correct, real
Richtung (*f.*), -en direction
Röntgenstrahlen (*pl.*) X rays, Roentgen rays
rot red
Route (*f.*), -n route
rund round, about

sachlich objective, material
sagen to say, tell, speak
sämtlich all
Sauerstoff (*m.*) oxygen
schaffen (u, a) to create, produce, work
schätzen to value, estimate, appraise
scheinen (ie, ie) to shine, appear, seem
Schicht (*f.*), -en layer, stratum
schildern to depict, portray, describe
schlecht bad, ill, poor, evil
schließen (o, o) to close, finish, reason
schließlich finally, in conclusion
Schluß (*m.*), ⁼sse closing, conclusion
schnell fast, rapid
schon already, by this time, even, yet
schön beautiful, fine, nice
schreiben (ie, ie) to write
Schrift (*f.*), -en writing, work

Schule (*f.*), **-n** school
Schüler (*m.*), **-** pupil
Schutz (*m.*) protection
schützen to protect
schwach weak, feeble, slight
Schweden (*n.*) Sweden
Schweiz (*f.*) Switzerland
schwer heavy, difficult, severe
schwierig difficult, hard
Schwierigkeit (*f.*), **-en** difficulty
sechs six
sechzehn sixteen
sechzig sixty
seelisch psychic
sehen (**a, e; ie**) to see, look
sehr very, very much
sein his, its
sein (**war, gewesen; ist**) to be, exist
seit since
Seite (*f.*), **-n** side, page
Sekunde (*f.*), **-n** second
selbst self, even
selbstverständlich obvious, self-evident
selten rare, scarce, unusual
seltsam singular, strange, odd, curious
setzen to set, put, place
sich himself, herself, itself, themselves
sicher safe, secure, certain, definite
sichtbar visible, evident
sieben seven
siebzehn seventeen
siebzig seventy
Silber (*n.*) silver
Sinn (*m.*), **-e** mind, sense, feeling, meaning, essence
sitzen (**a, e**) to sit, stay, dwell
Slawe (*m.*), **-n** Slav
so so, thus, then
sofort immediately
sogar even
sogenannt so-called
solch, solcher such, such a
Soldat (*m.*), **-en** soldier
sollen shall, to be to, be said to, be supposed to, should, ought to
Sommer (*m.*), **-** summer
sondern but
Sonne (*f.*), **-n** sun
sonst else, otherwise
Sorte (*f.*), **-n** sort, kind, type, variety
souverän sovereign

sowohl as well; **sowohl . . . als auch** both . . . and, not only . . . but also
sozial social
Spannung (*f.*), **-en** tension, voltage, stress
spät late
Sprache (*f.*), **-n** speech, language
sprechen (**a, o; i**) to speak, talk
Staat (*m.*), **-en** state
Staatenbund (*m.*) federation of states
staatlich state, civil, national, public
Stadt (*f.*), **⸗e** town, city
Stahl (*m.*) steel
Stamm (*m.*), **⸗e** stem, strain, tribe
stammen to spring, descend, originate, stem, come
ständig constant
Standpunkt (*m.*), **-e** position, standpoint
stark strong, extensive, large
Stärke (*f.*) starch, strength, strong point
stattfinden (**a, u**) (*sep.*) to take place, occur, happen
stehen (**a, a**) to stand, be
stehenbleiben (**ie, ie**) (*sep.*) to stop
steigen (**ie, ie**) to mount, climb, rise
steigern to raise, increase, intensify
stellen to place, set
Stellung (*f.*), **-en** situation, position
Steppe (*f.*), **-n** steppe
sterben (**a, o; i**) to die
Stickstoff (*m.*) nitrogen
Stoff (*m.*), **-e** substance, matter, material
Strahl (*m.*), **-en** beam, ray
Strahlung (*f.*), **-en** radiation
Straße (*f.*), **-n** street, road, strait
streng severe, strict
Strom (*m.*), **⸗e** current, stream
studieren to study
Stufe (*f.*), **-n** step, stage, level, gradient
Stunde (*f.*), **-n** hour, lesson
Substanz (*f.*), **-en** substance, matter
suchen to seek, search, try
Süden (*m.*) south
südlich south, southern

Tabelle (*f.*), **-n** table, summary, chart
Tag (*m.*), **-e** day
täglich daily
Tagung (*f.*), **-en** session, convention
Talmud (*m.*) Talmud
Tat (*f.*), **-en** act, deed, accomplishment

Tatsache (*f.*), **-n** fact
tatsächlich actual, real
tausend thousand
tausendjährig lasting a thousand years
Technik (*f.*) technics, skill, industry, commerce
technisch technical, commercial, industrial
technisieren to industrialize, mechanize
Teil (*m.*), **-e** part, portion; **zum — in** part, partly
teilen to divide, separate, split
Teilnahme (*f.*) participation
teilnehmen (**a, o; i**) (*sep.*) to take part, participate
teils in part, partly
teilweise partly, partially
teuer dear, expensive
Theorie (*f.*), **-n** theory
theosophisch theosophical
tief deep, profound, low
Tiefe (*f.*), **-n** depth, profoundness
Tier (*n.*), **-e** animal
Tierarzt (*m.*), **ᵉe** veterinarian
tierisch animal, bestial
Titel (*m.*), **-** title
Tod (*m.*) death
töten to kill, destroy
Toxin (*n.*), **-e** toxin
tragen (**u, a; ä**) to bear, wear, carry
Träger (*m.*), **-** carrier, bearer, truss
Trennung (*f.*), **-en** separation, division
trocken dry
trotz in spite of
trotzdem nevertheless, although
Tschechoslowakei (*f.*) Czechoslovakia
tun (**a, a**) to do, make, act
Typ (*m.*), **-en** type

u.a. (**unter anderem, anderen**) among other things, among others
u.a.m. (**und andere[s] mehr**) and others, and so forth
üben to practice
über over, across, on, beyond, about
überaus extremely, exceedingly
überhaupt generally, on the whole, at all
überlegen to reflect, ponder, consider
überraschen to surprise
Übung (*f.*), **-en** exercise, practice, training

um around, about, at, by, for; **umso . . .**
je the . . . the; **um . . . zu** (in order) to
Umstand (*m.*), **ᵉe** circumstance, condition
umwandeln (*sep.*) to convert, transform, change
Umwandlung (*f.*), **-en** transformation, conversion, change, metamorphosis
Umwelt (*f.*) environment
unabhängig independent
unbekannt unknown
und and
ungefähr about, approximately
Universität (*f.*), **-en** university
unlöslich insoluble
unmittelbar immediate, direct
unmöglich impossible
uns us, to us, ourselves
unser our(s), of us
unter under, underneath, by, while, below, among
unterhalten (**ie, a; ä**) to maintain, entertain
unternehmen (**a, o; i**) to undertake
unterrichten to instruct
unterscheiden (**ie, ie**) to distinguish, differentiate
Unterscheidung (*f.*), **-en** distinction
unterschiedlich different, distinct, variable
Unterseeboot (*n.*), **-e** submarine
unterstützen to support, assist
untersuchen to investigate, examine
Untersuchung (*f.*), **-en** investigation, examination, analysis
Uran (*n.*) uranium
Ursache (*f.*), **-n** cause, reason, origin
Ursprung (*m.*), **ᵉe** origin, source
ursprünglich original
urteilen to judge
usw. (**und so weiter**) and so forth, etc.

Vater (*m.*), **ᵉ** father
v. Chr. (**vor Christi**) B.C.
verändern to alter, change
Veränderung (*f.*), **-en** change, transformation
verbessern to improve
Verbesserung (*f.*), **-en** improvement, correction
verbieten (**o, o**) to forbid, prohibit

verbinden (a, u) to unite, combine, connect
Verbindung (f.), -en compound, connection, bond; in — bringen to associate, connect
Verbrauch (m.) consumption, use
verbrennen (a, a) to burn
Verbrennung (f.) combustion, burning
verdienen to earn, deserve
Vereinigte Staaten (pl.) United States
Verfahren (n.), - process, method
Verfasser (m.), - author, writer
vergessen (a, e; i) to forget
Vergleich (m.), -e comparison
vergleichen (i, i) to compare, check
Verhalten (n.) behavior, reaction
Verhältnis (n.), -se relation, ratio, condition, situation, circumstance
verhältnismäßig relatively
verhindern to hinder, prevent
verkaufen to sell, dispose of
Verkehr (m.) traffic, communication
Verkehrsmittel (n.), - means of transportation
Verlag (m.), -e publishing house
verleihen (ie, ie) to lend, confer, bestow, grant
verlieren (o, o) to lose
Verlust (m.), -e loss, casualty
vermeiden (ie, ie) to avoid, shun
vermitteln to arrange, convey, give
vermuten to suppose, surmise, suspect
Vermutung (f.), -en supposition, conjecture
verneinen to deny
verschieden different, various
verschiedenartig different, various, heterogeneous
verschwinden (a, u) to disappear
Verstand (m.) intelligence, reason
verständlich intelligible, clear, understandable
verstehen (a, a) to understand, know
Versuch (m.), -e experiment, assay, attempt
versuchen to try, test
verteilen to distribute, divide
verurteilen to condemn
verwandeln (sich) to transform, change
verwandt related, analogous
verwenden (a, a) to employ, use

verwirklichen to realize, materialize
v.H. (vom Hundert) per hundred, per cent
viel much, many
vielfach manifold, various, frequent
vier four
Viereck (n.), -e quadrangle
vierzehn fourteen
vierzig forty
Virus (m.), Viren virus
Vlg. (Verlag m.) publisher
Vogel (m.), ⁼ bird
Volk (n.), ⁼er people, nation
Völkerwanderung (f.) migration of peoples
völlig fully, completely
vollkommen perfect, complete
von of, from, about, by, on, upon, concerning
voneinander from or of one another or each other
vor before, in front of, for; vor allem above all; vor einem Jahre a year ago
voraus before, in advance, ahead
voraussetzen (sep.) to presuppose, assume
vorfinden (a, u) (sep.) to find
Vorgang (m.), ⁼e process, reaction
vorhanden on hand, available, present
vorher before, previously
vorkommen (a, o) (sep.) to occur, happen, be found, appear, seem
Vorlesung (f.), -en lecture, class
vornehmen (a, o) (sep.) to undertake
Vorschrift (f.), -en rule, regulation, direction
vorstellen (sich) (sep.) to imagine
Vorstellung (f.), -en conception, idea
vorwiegend predominantly, prevalent
vorziehen (o, o) (sep.) to draw forth; to prefer

wachsen (u, a; ä) to grow, increase
Wachstum (n.) growth
wagen to venture, risk, dare
wählen to choose
während during, for, while, whereas
wahrhaft true, truly
Wahrheit (f.), -en truth
wahrnehmen (a, o; i) (sep.) to notice, perceive, observe
wahrscheinlich probably, likely, plausible

wandern to travel, go, wander, migrate, move
wann when
warm warm, hot
Wärme (*f.*) heat, warmth
warten to wait
warum why
was what, that, which, whatever, a fact that
Wasser (*n.*) water
wässerig watery, aqueous
Wasserstoff (*m.*) hydrogen
Weg (*m.*), -e way, course, route, path
wegen on account of, because of
weich soft, tender
weil because, since, while
Wein (*m.*), -e wine
Weise (*f.*), -n way, manner; **auf diese —** in this way
weiß white
weit wide, far, extensive
weiter farther, further, wider, additional
welch who, which, what
Welle (*f.*), -n wave
Welt (*f.*) world
wenig little, small, few
wenn if, when, whenever; **wenn auch** although
wer who, which, he who
werden (**u, o; i**) to become, get; **werden zu** to change to, turn to
Werk (*n.*), -e work, plant
Werkzeug (*n.*), -e tool
Wert (*m.*), -e value, worth
wertvoll valuable
Wesen (*n.*), - being, nature, essence
wesentlich essential, substantial
Westen (*m.*) west, Occident
westlich west, western, occidental
Wetter (*n.*) weather
wichtig important, weighty
Wichtigkeit (*f.*) importance
wie how, as, like, as well as
wieder again, once more; **immer —** again and again
wiedergeben (**a, e; i**) (*sep.*) to reproduce, show
wiederholen to repeat
Wien (*n.*) Vienna
Wiese (*f.*), -n meadow
wieviel how much, how many

Willensimpuls (*m.*), -e volitional impulse
Wind (*m.*), -e wind
wirken to effect, produce, act
wirklich actual, real, true
wirksam effective
Wirkung (*f.*), -en effect, action
Wirkungsgrad (*m.*), -e efficiency, effect
Wirtschaft (*f.*) economy, management
Wirtschaftler (*m.*), - economist
wirtschaftlich economical, industrial, economic
wissen (**u, u; ei**) to know
Wissenschaft (*f.*), -en science, learning
Wissenschaftler (*m.*), - scientist
wissenschaftlich scientific
wo where, somewhere
Woche (*f.*), -n week
wohin whither, where
wohl well, perhaps, probably, indeed, no doubt
wohnen to live, dwell, reside
wollen (**o, o; i**) to intend, be about, wish, want
Wort (*n.*), -e, ⸗er word, term
wundern (**sich**) to wonder, be surprised
wünschen to wish

Zahl (*f.*), -en figure, number
zählen to count
zahlr. (**zahlreich**) numerous
zahlreich numerous
z.B. (**zum Beispiel**) for example
zehn ten
Zeichen (*n.*), - sign, symbol
zeigen to show, indicate, demonstrate
Zeit (*f.*), -en time, period, age; **zur —** at the time, at present
Zeitalter (*n.*), - age
Zelle (*f.*), -n cell, segment
Zerstörung (*f.*), -en destruction, disintegration
ziehen (**o, o**) to draw, pull, move, cultivate, breed
Ziel (*n.*), -e goal, objective, object
ziemlich fairly, rather
zu to, in, for, in addition to, toward, too; **um zu** in order to; **zum Beispiel** for example
Zucker (*m.*), - sugar
zuerst at first, first of all
zugleich at the same time, together

Zukunft (*f.*) future
zum (zu dem) at the, to the
zunächst next, first of all, above all
zunehmen (a, o; i) (*sep.*) to increase, grow
zur (zu der) to the
zurückführen (*sep.*) to lead back, trace back, be due to
zusammen together, jointly
zusammenfassen (*sep.*) to summarize
Zusammenhang (*m.*), ⁼e connection, relationship
zusammensetzen (*sep.*) to compose, put together

zuschreiben (ie, ie) (*sep.*) to ascribe, attribute
Zustand (*m.*), ⁼e state, condition
zustandekommen (a, o) (*sep.*) to come about, produce
zuweisen (ie, ie) (*sep.*) to allot, assign
zuwenden (a, a) (*sep.*) to turn to
zwanzig twenty
zwar indeed, to be sure, that is
Zweck (*m.*), -e goal, purpose
zwei two; **zweite** second
zweifeln to doubt
zwischen between, among
zwölf twelve

Index

271

Glossary

Accusative Case: The case of the direct object.

Active Voice: See Voice.

Adjective: A word that modifies, describes, or limits a noun or pronoun.

Adverb: A word that modifies a verb, an adjective, or another adverb.

Antecedent: The word, phrase, or clause to which a pronoun refers.

Attributive Adjective: An adjective that precedes the noun it modifies.

Auxiliary Verb: A verb that helps in the conjugation of another verb (**haben, sein, werden**).

Case: The form of a noun, pronoun, or adjective which indicates its relationship to other words. The cases in German are the nominative, genitive, dative, accusative.

Clause: A group of words containing a subject and predicate. A main (independent) clause can stand alone; a subordinate (dependent) clause can function only as part of another clause.

Comparison: The change in the form of an adjective or adverb showing degrees of quality: positive (*great*), comparative (*greater*), superlative (*greatest*).

Conjugation: The inflections or changes of form in verbs showing number, person, tense, mood, voice.

Conjunction: A word used to connect words, phrases, or clauses. Co-ordinating conjunctions connect expressions of equal rank. Subordinating conjunctions connect expressions of unequal rank.

Dative Case: The case of the indirect object.

Declarative: Stating a fact or giving a command.

Declension: The change of form in nouns, pronouns, or adjectives indicating gender, number, and case.

Definite Article: der, die, das (*the*).

Demonstrative: Indicating or pointing out the person or thing referred to (*this, that, these, those*).

Der-Words: Words declined like the definite article.

Finite Verb: The inflected verb form (other than infinitive and participles) limited as to person, number, and tense.

Gender: Grammatical property (masculine, feminine, neuter) of nouns or pronouns.

Genitive Case: The case denoting possession.

Imperative: The mood of the verb expressing a command or directive.

Indefinite Article: ein, eine, ein (*a, an*).